CW00793904

LÉON ET LOUISE

DU MÊME AUTEUR

Un avant-goût de printemps, roman, éditions Autrement, 2007.
Le Roi d'Olten, récits, éditions Bernard Campiche, 2011.
Léon et Louise, roman, Actes Sud, 2012.

Titre original :
Léon und Louise

ISBN 978-2-330-02856-5

ALEX CAPUS

LÉON ET LOUISE

roman traduit de l'allemand
par Emanuel Güntzburger

BABEL

Il ne faut pas trop regarder la nudité de ses parents.

Erik Orsenna

pour Ruben

1

Assis à l'intérieur de Notre-Dame, nous attendions le prêtre. Par la rosace, la lumière irisée du soleil éclairait le cercueil ouvert. Il était couvert de fleurs et dressé sur un tapis rouge devant le maître-autel. Dans le déambulatoire, un capucin était agenouillé devant une pietà, dans le bas-côté gauche, un maçon debout sur un échafaudage travaillait en produisant, avec sa truelle, des crissements qui résonnaient entre ces murs vieux de huit siècles. En dehors de cela, le silence régnait. Il était neuf heures du matin, les touristes prenaient encore le petit-déjeuner à leur hôtel.

Nous formions une assistance réduite ; le défunt avait eu une longue vie et la plupart de ceux qui l'avaient connu étaient morts avant lui. Sur le premier banc, au milieu, étaient assis ses quatre fils, sa fille, ses brus, et à côté d'eux ses douze petits-enfants, dont six encore célibataires, quatre mariés et deux divorcés ; et tout au bout, les quatre des vingt-trois arrière-petits-enfants qu'il eut en tout, quatre, c'est-à-dire ceux qui étaient déjà de ce monde en ce 16 avril 1986. Derrière nous, dans la pénombre, cinquante-huit bancs vides s'étendaient jusqu'à l'entrée – une mer de rangées vides assez vaste sans doute pour accueillir tous nos ancêtres depuis le XIIe siècle.

L'assemblée que nous formions avait quelque chose de dérisoire, l'église était bien trop grande ; nous en ce lieu, voilà qui était bien une ultime blague de notre grand-père, ancien chimiste pour la PJ au Quai des Orfèvres et grand contempteur des calotins. Quand il mourrait, avait-il maintes fois proclamé dans les dernières années, il souhaitait une messe d'enterrement à Notre-Dame. Et si on lui faisait remarquer que, incroyant comme il l'était, il ne devrait guère attacher d'importance au choix de la maison de Dieu et que l'église de quartier, au coin de la rue, ferait bien mieux l'affaire pour notre petite famille, il rétorquait : "L'église Saint-Nicolas-du-Chardonnet ? Mais non, les enfants, vous me ferez ça à Notre-Dame. C'est à peine à quelques centaines de mètres de là, ça coûtera un peu d'argent, mais vous y arriverez. Au fait, j'aimerais bien une messe en latin, pas en français. La liturgie à l'ancienne, s'il vous plaît, avec beaucoup d'encens, des psalmodies à n'en plus finir et du chant grégorien." Suivait une moue amusée sous sa moustache à l'idée que ses descendants passeraient deux heures et demie à s'esquinter les genoux sur des bancs bien durs. Il était tellement satisfait de sa plaisanterie qu'elle entra au répertoire de ses expressions favorites. "Si d'ici là je ne fais pas un détour par Notre-Dame", disait-il par exemple quand il prenait rendez-vous chez le coiffeur, ou bien : "Joyeuses Pâques, on se revoit à Notre-Dame !" Au fil des ans, la plaisanterie devint prophétie, et quand l'heure sonna vraiment pour mon grand-père, nous sûmes, tous autant que nous étions, ce qu'il nous restait à faire.

Il gisait là, le nez cireux, les sourcils haussés qui lui donnaient un air étonné, à l'endroit précis où Napoléon Bonaparte s'était couronné empereur des

Français, et nous, nous étions assis sur ces mêmes bancs où, cent quatre-vingt-deux ans plus tôt, ses frères, ses sœurs et ses généraux avaient été assis. Le temps passait, le curé se faisait attendre. Les rayons du soleil ne tombaient déjà plus sur le cercueil, mais à sa droite, sur les dalles noires et blanches. Soudain, le bedeau surgit de l'obscurité et vint allumer quelques cierges avant de disparaître à nouveau dans l'ombre. Les enfants frottaient leur derrière sur les bancs, les hommes se grattaient la nuque, les femmes se tenaient bien droites. Sortant ses marionnettes d'une poche de son manteau, mon cousin Nicolas donna pour les enfants une représentation qui consistait principalement en ce que le brigand mal rasé frappait le chapeau de Guignol avec son gourdin.

Et tout à coup, loin derrière nous, une petite porte latérale s'ouvrit près du grand porche avec un léger grincement. Nous nous retournâmes. Par la fente de plus en plus large, la chaude lumière de cette matinée printanière se déversa dans l'église et la rumeur de la rue de la Cité pénétra dans la pénombre. Une petite silhouette grise avec un lumineux foulard rouge se glissa dans la nef.

— Qui est-ce ?

— Elle est là pour nous, celle-là ?

— Chut, on vous entend.

— Elle est de la famille ?

— Ou bien est-ce que ce ne serait pas… ?

— Tu crois ?

— Aucune idée.

— Tu ne l'avais pas croisée un jour dans l'escalier… ?

— Si, mais il faisait plutôt sombre.

— Arrêtez donc de lorgner comme ça.

— Mais qu'est-ce qu'il fabrique, ce curé ?

— Quelqu'un la connaît ?

— C'est… ?

— … peut-être…

— Tu penses ?

— Est-ce que vous allez bien finir par vous taire ?

J'avais compris au premier coup d'œil que cette femme n'était pas de la famille. Ces petits pas énergiques et ces talons durs qui sonnaient sur les dalles comme des mains qu'on claque ; ce bibi noir à voilette noire et, dessous, ce menton pointu fièrement dressé ; ce signe de croix bien enlevé, devant le bénitier, et cette petite révérence élégante – non, ça ne pouvait pas être une Le Gall. En tout cas pas par la naissance.

Bibis noirs et signes de croix bien enlevés ne sont pas notre genre. Nous, les Le Gall, nous sommes grands, nous avons le sang épais des gens d'origine normande qui se déplacent à pas longs et lents, et surtout : nous sommes une famille d'hommes. Évidemment, il y a aussi des femmes – les femmes que nous avons épousées –, mais quand un enfant vient au monde, la plupart du temps c'est un garçon. Moi, par exemple, j'ai quatre fils et pas de fille ; mon père a trois fils et une fille, et son père à lui – le défunt Léon gisant dans son cercueil ce matin-là – avait lui aussi engendré quatre garçons et une fille. Nous avons des mains vigoureuses, le front large et les épaules de même, nous ne portons pas de bijoux, sauf une montre-bracelet et une alliance, et nous avons un faible pour les vêtements simples, pas de ruches, pas de cocardes ; à peine si nous saurions dire sans regarder de quelle couleur est la chemise que nous avons sur le dos. Jamais nous n'avons maux de tête ni de ventre, et quand cela arrive, la pudeur nous oblige à le taire, car dans notre conception de la virilité ni nos têtes ni nos ventres – surtout pas nos ventres ! – ne contiennent de parties molles sensibles à la douleur.

Mais avant tout, nous avons des occiputs remarquablement plats dont aiment bien se moquer les femmes que nous avons épousées. À l'annonce d'une naissance dans la famille, notre première question ne concerne ni le poids, ni la taille, ni la couleur des cheveux, mais la nuque, "Alors, la nuque, comment est-elle – plate ? C'est un vrai Le Gall ?" Et quand nous conduisons l'un des nôtres à sa dernière demeure, nous nous consolons en songeant que jamais la tête d'un Le Gall ne dodeline pendant le transport et qu'elle repose toujours bien à plat sur le fond du cercueil.

Je partage l'humour morbide et la joyeuse mélancolie de mes frères, de mon père et de mes grands-pères, et je suis content d'être un Le Gall. Certains d'entre nous ont beau être portés sur la boisson et le tabac, nous avons une bonne espérance de vie et, comme beaucoup de familles, nous nous considérons, même si nous n'avons sans doute aucun don particulier, comme uniques dans notre genre.

Cette illusion n'a pas le moindre fondement et absolument rien ne la justifie, car à ce que je sais, jamais un Le Gall n'a accompli quoi que ce soit de mémorable. Cela tient d'abord à l'absence de talents prononcés et à un manque d'ardeur au travail ; ensuite, la plupart d'entre nous développent à l'adolescence un mépris arrogant pour ces rituels initiatiques inhérents à toute éducation digne de ce nom, et enfin une sévère aversion contre l'Église, la police et toute forme d'autorité intellectuelle est transmise presque toujours de père en fils.

Cela explique que nous poussions rarement la carrière universitaire au-delà du lycée et y mettions un terme au plus tard après deux années d'université. Il n'arrive guère qu'une fois toutes les quelques décennies qu'un Le Gall termine ses études et s'accommode d'une autorité laïque ou religieuse. Il devient juriste, médecin ou curé et la famille lui témoigne alors du respect, mais un respect mêlé d'une certaine méfiance.

Toujours est-il que mon arrière-grand-oncle Serge Le Gall, lui, une fois chassé du lycée après la guerre franco-allemande pour avoir consommé de l'opium et devenu gardien de prison à Caen, parvint à une certaine gloire posthume. Il est entré dans l'histoire pour avoir tenté de faire cesser pacifiquement une mutinerie, sans causer le carnage habituel, ce dont un détenu le remercia en lui fendant le crâne avec une hache. Un autre ancêtre se distingua en dessinant un timbre pour la poste vietnamienne, et mon père, dans sa jeunesse, construisit des pipelines dans le Sahara algérien. Pour le reste, les Le Gall gagnaient leur vie comme moniteur de plongée, cariste ou fonctionnaire dans l'administration, nous vendons des palmiers en Bretagne et des motos de marque allemande aux gendarmes du Nigeria et l'un de mes cousins travaille à mi-temps comme détective pour la Société Générale où il est chargé de retrouver des débiteurs en fuite.

Et si en dépit de tout cela la plupart d'entre nous traversent l'existence à peu près normalement, c'est principalement à nos femmes que nous le devons. Belles-sœurs, tantes et grands-mères du côté paternel, toutes sont des femmes fortes et chaleureuses, avec les pieds sur terre, elles exercent un matriarcat discret mais que nul ne remet en cause. Elles réussissent dans leur vie professionnelle souvent mieux que leur mari et gagnent plus d'argent, et ce sont elles qui remplissent les déclarations d'impôts et affrontent l'administration scolaire. Les maris, eux, témoignent leur gratitude par la douceur et un caractère égal.

Nous sommes, je crois, des époux plutôt paisibles. Nous ne mentons pas et nous nous efforçons de boire sans que cela nuise à notre santé ; nous nous tenons à distance des autres femmes, nous sommes volontiers bricoleurs, et une chose est certaine : nous aimons les enfants plus que la plupart des hommes. Dans les réunions de famille, l'usage veut que ce soient les hommes qui s'occupent des nourrissons et des tout-petits l'après-midi pendant que les femmes vont à la plage ou faire des emplettes. Nos femmes apprécient le fait que nous n'ayons pas besoin de conduire des voitures de luxe ni d'aller jouer au golf aux Caraïbes pour être heureux, et elles se montrent pleines d'indulgence pour notre besoin compulsif de fréquenter les marchés aux puces d'où nous rapportons des trucs bizarres – des albums photos d'inconnus, des éplucheurs mécaniques de pommes, des projecteurs de diapos cassés pour lesquels les diapos ne se font plus depuis belle lurette, de vraies jumelles de la marine de guerre dans lesquelles on voit tout à l'envers, des scies chirurgicales, des revolvers rouillés, des gramophones en bois vermoulu et des guitares électriques où il manque une touche sur deux –, nous adorons rapporter ce genre de trucs bizarres que nous mettons ensuite des mois à tenter de nettoyer, de fourbir et de remettre en état avant d'en faire cadeau, d'aller les revendre aux puces ou de les jeter aux ordures. Nous faisons cela pour le bien de notre système neurovégétatif : les chiens mangent de l'herbe, les filles de bonne famille écoutent du Chopin, les professeurs d'université regardent un match de foot, et nous, nous bidouillons de vieux bidules. Et puis, un nombre étonnamment important parmi nous passe ses soirées au sous-sol, le soir, quand les enfants dorment, à peindre des petits formats à l'huile. L'un d'entre nous, enfin, je tiens cela de source sûre, écrit des poèmes en catimini. Des poèmes pas très bons, malheureusement.

Dans Notre-Dame, la première rangée de bancs frémissait d'une excitation vaillamment contenue. Est-ce que c'était vraiment cette Mlle Janvier ? Elle avait donc osé ? Les femmes se remirent à regarder droit devant elles comme si leur attention tout entière allait au cercueil et à la lampe du Saint-Sacrement qui brillait au-dessus du maître-autel ; mais nous, les hommes, nous connaissions nos femmes, et nous savions qu'elles tendaient l'oreille et n'entendaient que le claquement rythmé des petits pas qui, venant du bas-côté, se dirigeaient vers la nef, tournaient à angle droit puis, sans la moindre hésitation, sans le moindre *ritardando* ni le moindre *accelerando*, avec une régularité de métronome, se rapprochaient de la croisée du transept. À cet instant, ceux qui lorgnèrent vers le milieu purent voir du coin de l'œil la petite silhouette gravir avec un pas léger de jeune fille les deux marches recouvertes d'un tapis rouge, s'approcher du cercueil, poser la main droite sur le rebord et marcher sans un bruit le long du cercueil jusqu'à la tête où elle finit par s'arrêter pour rester immobile quelques secondes, presque aussi immobile qu'au garde-à-vous. Relevant sa voilette au-dessus de son chapeau, elle se pencha en avant, écarta les bras, les posa sur le bord du cercueil, appliqua un baiser sur le front de mon grand-père et posa la joue sur sa tête cireuse comme si elle voulait y reposer un moment ; pour faire cela, elle ne se protégeait pas de nos regards en ayant le visage tourné vers le maître-autel, non, elle nous le présentait ouvertement. Ainsi pûmes-nous voir qu'elle gardait les yeux fermés et que sa bouche peinte en rouge esquissait un sourire, un sourire qui se fit de plus en plus large jusqu'à ce que ses lèvres s'ouvrent et laissent passer un petit rire.

Après quoi elle se détacha du défunt et reprit sa position, droite comme un piquet, ramena son sac à main du coude vers l'avant-bras, l'ouvrit et en sortit d'un geste rapide un objet rond et mat gros comme le poing. C'était, comme nous pûmes le constater peu après, une vieille sonnette de vélo avec une cloche arrondie dont le revêtement chromé était fendillé et s'écaillait çà et là. Elle referma son sac à main et replaça l'anse dans le creux du coude, puis elle actionna deux fois la sonnette. Dring dring, dring dring. Tandis que ce bruit aigu résonnait sous la nef, elle posa la sonnette dans le cercueil, se retourna vers nous et nous regarda l'un après l'autre dans les yeux. Elle commença à l'angle extérieur gauche, là où étaient assis les plus petits enfants avec leurs pères, elle fit la rangée entière, posant les yeux sur chacun pendant peut-être une seconde, et une fois arrivée au bout à droite, elle nous gratifia d'un sourire triomphal, se mit en mouvement et, passant devant la famille, elle marcha à petits pas rapides et claquants sur l'allée centrale en direction de la sortie.

2

Mon grand-père avait dix-sept ans lorsqu'il rencontra Louise Janvier. J'aime bien me le représenter, tout jeune homme en ce printemps 1918 à Cherbourg, à l'instant où il fixe sur sa bicyclette sa valise en carton renforcé et quitte à jamais la maison paternelle.

De sa jeunesse, je ne sais guère de choses. Une photographie de famille datant de cette époque montre un gars vigoureux au front haut et à la chevelure blonde rebelle observant avec curiosité, la tête moqueusement inclinée, le photographe qui s'affaire dans son atelier. Et puis je sais aussi, parce qu'il me le racontait dans sa vieillesse, avec peu de mots, et avec une répugnance feinte, qu'il faisait souvent l'école buissonnière, préférant se balader sur les plages de Cherbourg avec ses deux meilleurs copains de lycée, Patrice et Joël.

Tous trois, par un dimanche de tempête de janvier 1918, entre deux rafales de neige, un jour où nul être raisonnable ne se serait approché de l'océan d'assez près pour l'avoir à portée de vue, ils avaient découvert au pied du talus couvert de genêts l'épave d'une petite yole à voile rejetée par les flots, percée en son milieu et un peu brûlée sur toute sa longueur. Ils avaient traîné le bateau pour le mettre à l'abri derrière le buisson le plus proche et, les semaines qui suivirent, comme le propriétaire persistait à ne pas se manifester auprès d'eux, ils avaient mis tout leur zèle à le réparer de leurs mains, à le récurer, le poncer avant de le peindre en plusieurs couleurs jusqu'à ce qu'il paraisse neuf et soit méconnaissable.

À compter de ce jour, ils avaient passé leurs heures de liberté sur la Manche, au large, à pêcher, à somnoler et à fumer des algues séchées dans des pipes qu'ils s'étaient taillées dans des épis de maïs ; si quelque chose d'intéressant flottait sur l'eau – une planche, la lampe-tempête d'un bateau qui avait coulé, une bouée de sauvetage –, ils le récupéraient. Parfois, des navires de guerre passaient si près d'eux que leur petite embarcation brinquebalée sautillait comme un jeune veau dans une prairie au premier jour du printemps. Il leur arrivait souvent de passer la journée entière en mer, contournant le cap et voguant vers l'ouest jusqu'à ce qu'apparaissent à l'horizon les îles Anglo-Normandes, et de ne regagner la terre ferme qu'à la dernière lueur du crépuscule. Les week-ends, ils dormaient dans une cabane de pêcheurs dont le propriétaire n'avait pas eu le temps, le jour de sa mobilisation, de barricader comme il faut la petite fenêtre arrière.

Le père de Léon Le Gall – mon arrière-grand-père, donc – avait beau tout ignorer de la yole de son fils, il n'en était pas moins préoccupé de savoir que son fils traînait sur la plage.

C'était un professeur de latin vieilli avant l'âge et fumant cigarette sur cigarette, qui dans ses jeunes années avait choisi d'étudier le latin pour le seul plaisir de contrarier son père le plus possible ; ce plaisir, il l'avait ensuite payé par des décennies d'enseignement, ce qui l'avait rendu mesquin, vétilleux et amer. Comme il lui fallait bien justifier son latin à ses propres yeux et continuer à se sentir vivant, il avait acquis un savoir encyclopédique sur les témoignages de la civilisation romaine en Bretagne et s'adonnait à ce dada avec une ferveur grotesque inversement proportionnelle à la futilité du sujet. Au lycée, les exposés interminables et désespérément monotones, accompagnés de cigarettes fumées l'une à la suite de l'autre, qu'il donnait sur les tessons de vases antiques, les bains romains et les routes militaires étaient légendaires et redoutés. Les élèves tenaient bon en observant sa cigarette, attendant qu'il s'en serve pour écrire au tableau et qu'il fume à la place son bâton de craie.

Le jour de la mobilisation générale, son asthme l'avait fait classer parmi les réservistes, ce qu'il ressentit moitié comme une chance, moitié comme un opprobre, car il se retrouva être dans la salle des professeurs le seul homme au milieu d'une volée de jeunes femmes. Il était entré dans une colère effroyable le jour où il avait appris par ces collègues que son fils unique ne s'était plus montré à l'école depuis des semaines, et il avait tenu des discours interminables à la table de la cuisine pour tenter de convaincre le jeune homme de la valeur de la culture classique. Mais son fils s'était contenté de sourire en entendant parler de la valeur de la culture classique et avait tenté de démontrer à son père pourquoi sa présence sur la plage était désormais si indispensable : c'était que, dans les dernières semaines, les Allemands s'étaient mis à surmonter leurs sous-marins de constructions en bois peintes de couleur vive et à les garnir de voiles de fortune et de prétendus filets pour les maquiller en bateaux de pêche.

Sur quoi le père de Léon souhaita connaître le rapport qu'il y avait entre les sous-marins allemands et la présence ou l'absence de son fils au lycée.

Les sous-marins maquillés, expliqua posément son fils, s'approchaient incognito des chalutiers et les coulaient impitoyablement, mettant ainsi en péril l'approvisionnement du peuple français.

— Et alors ? demanda le père en toussotant tout en essayant de se calmer. La moindre excitation pouvait déclencher une crise d'asthme.

Jour après jour, la mer poussait jusqu'au rivage des produits recherchés – bois de teck, laiton, acier, toile à voile, du pétrole par tonneaux...

— Et alors ? demanda le père.

Il fallait ramasser ces précieux matériaux avant que la mer les reprenne, répondit Léon.

Tandis que cette dispute allait irrésistiblement vers son sommet dramatique, le père et le fils étaient assis à la table de la cuisine dans cette position apparemment nonchalante propre à tous les Le Gall : les jambes allongées sous la table et penchés très en arrière sur le dossier de leur chaise, de sorte que leur postérieur ne reposait qu'à peine sur le rebord du siège. Étant tous deux grands et lourds, ils avaient un sens subtil de la pesanteur et savaient que c'est en position horizontale qu'on est le plus près de planer, car chaque membre, soulagé de la masse du reste du corps, ne supporte alors que son propre poids, tandis que si l'on est assis ou debout, une partie du corps s'empile sur une autre et il en résulte un fardeau de plusieurs quintaux. En cet instant, cependant, père et fils étaient furieux, et leurs voix presque impossibles à distinguer l'une de l'autre depuis que le fils avait mué frémissaient d'une colère péniblement contenue.

— Tu retournes demain à l'école, lança le père en réprimant une quinte de toux qu'il sentait monter des profondeurs de ses poumons jusqu'au gosier.

L'économie de guerre nationale avait un besoin urgent de matières premières, rétorqua le fils.

— Tu retournes demain à l'école, répéta le père.

Tout de même, le père devait songer à l'économie de guerre, reprit le fils en constatant avec inquiétude les difficultés qu'avait son père à respirer.

— Je m'en fous, de l'économie de guerre, s'exclama le père en haletant. Sur quoi il fut pris d'un accès de toux qui interrompit la conversation pendant une bonne minute.

Et puis on pouvait se faire aussi pas mal d'argent de poche, ajouta le fils.

— D'abord c'est de l'argent volé, dit le père, toujours haletant. Ensuite le règlement des absences au lycée vaut pour tout le monde, donc également pour toi et tes copains. Cela ne me plaît pas du tout de vous voir prendre toutes ces libertés.

Qu'est-ce que son père pouvait donc bien avoir à redire à la liberté, demanda le fils ; avait-il déjà pensé au fait que toute loi, pour mériter qu'on l'observe, devait exprimer un sens.

— Vous, vous prenez une liberté pour la simple raison que c'est une liberté, gémit le père.

— Et alors ?

— L'essence d'un règlement est justement dans le fait qu'il vaut pour chacun sans considération de la personne – aussi et en particulier pour ceux qui se croient plus malins que les autres.

— Mais on ne peut quand même pas nier qu'il y ait des gens plus malins que d'autres, objecta prudemment le fils.

— D'abord cela n'a rien à voir ici, répliqua le père, et puis, que je sache, tu ne t'es jamais distingué en cours par des capacités intellectuelles particulières. Tu retournes demain à l'école.

— Non, répondit le fils.

— Tu retournes demain à l'école ! vociféra le père.

— Je ne retournerai jamais à l'école ! hurla le fils.

— Tant que tu allongeras tes pieds sous cette table, tu feras ce que je dis !

— Tu n'as pas d'ordres à me donner !

Après cette altercation, un classique du genre, la dispute dégénéra en une bagarre où les deux hommes roulèrent comme des écoliers sur le sol de la cuisine, et si le sang ne coula pas, ce ne fut que grâce à l'intervention rapide et courageuse de la mère.

— Maintenant ça suffit, lança-t-elle en relevant ses deux hommes, dont l'un pleurait et l'autre menaçait d'étouffer, en les tenant chacun par le lobe d'une oreille. Toi, chéri, tu prends ton laudanum et tu vas te coucher, je te rejoins. Et toi, Léon, tu iras demain matin voir le maire et tu te porteras candidat au service de travail volontaire. L'économie de guerre te tient à cœur, non ?

Le lendemain matin, il s'avéra en effet que l'économie de guerre pouvait tout à fait avoir besoin du lycéen Le Gall de Cherbourg – mais pas sur la plage, comme il l'avait espéré. Au contraire, le maire brandit la menace de trois mois de prison si on le reprenait à s'approprier illégalement des épaves, et il l'interrogea en détail sur le reste des connaissances et compétences qui pourraient servir à l'économie de guerre.

Il apparut alors que Léon avait beau être bâti vigoureusement, il n'avait guère l'ambition d'employer ses muscles. Il ne voulait pas être valet de ferme ni travailler à la chaîne, et il ne voulait pas non plus servir d'homme à tout faire chez un forgeron ou un charpentier. Il n'en allait guère autrement de ses capacités intellectuelles : il n'était pas bête, à vrai dire, mais il n'avait manifesté au lycée aucune prédilection pour une matière particulière ni accompli d'exploit dans l'une d'elles ; aussi n'avait-il pas de projet ni de souhait bien précis pour son avenir professionnel. Bien sûr, il aurait bien aimé servir la patrie avec sa yole en allant espionner en mer du Nord, ou bien en allant mettre en circulation des faux Reichsmark sur le littoral allemand, histoire de déstabiliser la monnaie ennemie ; mais puisque cela n'était pas une perspective professionnelle réaliste, il se contenta de hausser les épaules lorsque le maire l'interrogea sur ses projets. Il avait déjà bel et bien perdu tout intérêt pour l'économie de guerre. Circonstance aggravante : il se trouvait que le maire avait un cou comme celui d'un dindon et un nez couvert de veinules d'un rouge tirant sur le bleu. Or Léon, comme tous les jeunes gens, avait un sens esthétique très développé et il ne pouvait pas imaginer prendre au sérieux quelqu'un avec un cou et un nez pareils. Le maire parcourut en maugréant la liste des postes à pourvoir que lui avait envoyée le ministère de la Guerre.

— Bon, voyons voir. Ah, voilà. Tu sais conduire un tracteur ?

— Non, monsieur.

— Et là – on cherche un soudeur au chalumeau. Tu sais souder ?

— Non, monsieur.

— Je vois ça. J'imagine que tu ne sais pas non plus polir des lentilles optiques, hein ?

— Non, monsieur.

— Et bobiner du fil électrique ? Conduire un tramway ? Aléser des canons de pistolet ?

Le maire eut un petit rire, l'affaire commençait à l'amuser.

— Non, monsieur.

— Tu es peut-être médecin spécialisé en médecine interne ? Expert en droit du commerce international ? Ingénieur électricien ? Dessinateur pour les Ponts et Chaussées ? Sellier ? Charretier ?

— Non, monsieur.

— C'est bien ce que je pensais. Tu n'y connais rien non plus en tannage du cuir ni en comptabilité en partie double, n'est-ce pas ? Quant au kiswahili – tu parles kiswahili ? Tu sais danser les claquettes ? Tu connais l'alphabet morse ? Tu sais calculer les forces des câbles porteurs d'un pont suspendu ?

— Oui, monsieur.

— Quoi ? Le kiswahili ? Les câbles pour ponts suspendus ?

— Le morse, monsieur. Je sais le morse.

Effectivement, quelques semaines auparavant, une revue pour la jeunesse à laquelle Léon était abonné, *Le Petit Inventeur*, avait reproduit l'alphabet morse et, par un après-midi dominical pluvieux, Léon avait eu la fantaisie de l'apprendre par cœur.

— C'est vrai ce que tu me dis là, petit ? Ce ne sont pas des bobards ?

— Non, monsieur.

— Alors ce serait quelque chose pour toi ! La gare de Saint-Luc-sur-Oise cherche un assistant télégraphiste pour seconder celui qui occupe régulièrement le poste. Établir des lettres de voiture, annoncer l'arrivée et le départ des trains, aider à la vente des billets. Tu t'en sens capable ?

— Oui, monsieur.

— Âge minimum seize ans, sexe masculin, homosexuels, sujets atteints de maladies vénériennes et communistes non souhaités. Tu n'es quand même pas… communiste ?

— Non, monsieur.

— Bon, alors transcris-moi quelque chose en morse. Transcris-moi, voyons voir, ah oui : *De profundis clamavi, Domine*. Allez, c'est parti, fais ça sur le bureau.

Léon retint son souffle, leva brièvement les yeux vers le plafond puis, du médium droit, il commença à tambouriner. Court court long, court long court, court court court…

— Bon, ça suffit, lança le maire, qui ne maîtrisait pas l'alphabet morse et était bien incapable d'évaluer la virtuosité de Léon.

— Je sais le morse, monsieur. Où se trouve Saint-Luc-sur-Oise, s'il vous plaît ?

— Sur l'Oise, andouille, quelque part entre la ciboulette et les haricots mange-tout. Aucune crainte à avoir, le front ne passe pas là. Annonce urgente, tu peux commencer sur-le-champ. Tu auras même un salaire, cent vingt francs. Nous pouvons toujours essayer.

C'est ainsi que, par une journée du printemps 1918, Léon Le Gall fixa sa valise en carton sur sa bicyclette, embrassa tendrement sa mère et, après une brève hésitation, donna même l'accolade à son père avant de grimper sur son vélo et d'appuyer sur la pédale. Il accéléra comme s'il était censé décoller du sol au bout de la rue des Fossés, comme ce Louis Blériot qui avait récemment traversé la Manche sur son aéroplane bricolé avec du bois de frêne et des roues de bicyclette. Il fila, longeant les pauvres demeures des petits-bourgeois joliment arrangées dans lesquelles ses copains Patrice et Joël trempaient sans doute au même moment dans leur café au lait un bout de pain de guerre datant de la veille fait avec de la farine coupée de sciure, il passa devant la boulangerie où avait été achetée quasiment chacune des bouchées de pain qu'il avait mangées dans sa vie, et devant le lycée dans lequel son père gagnerait son pain quotidien pendant encore quatorze ans, trois mois et deux semaines. Il passa devant le grand bassin du port où un céréalier américain mouillait pacifiquement à côté de navires de guerre britanniques et français, franchit le pont et tourna à droite dans l'avenue de Paris, heureux, sans songer un instant qu'il ne reverrait peut-être plus jamais tout cela, il passa devant les entrepôts, les grues et les docks de carénage, quitta la ville pour gagner les interminables prés et pâturages de Normandie. Il n'avait pas roulé dix minutes que déjà un troupeau de vaches lui barrait la route, il dut s'arrêter ; ensuite, il roula plus lentement.

Il avait plu la nuit précédente, la route était agréablement humide et sans poussière. Les prairies fumantes étaient couvertes de pommiers en fleur et de vaches qui paissaient. Léon roulait en direction du soleil. Poussé par un léger vent d'ouest, il avançait à vive allure. Au bout d'une heure, il ôta sa veste et l'attacha sur la valise. Il dépassa une charrette tirée par une mule. Puis il croisa une paysanne et sa brouette, passa devant un camion arrêté sur le bord de la chaussée avec le moteur qui tournait. Il ne vit pas un seul cheval ; Léon avait lu dans *Le Petit Inventeur* que pratiquement tous les chevaux de France avaient été réquisitionnés pour servir sur le front.

À midi, il mangea le sandwich au jambon que sa mère lui avait emballé et but de l'eau à une fontaine de village. L'après-midi, il s'étendit sous un pommier, regarda en clignant des yeux les fleurs rose clair et les feuilles rouge tendre et constata que l'arbre n'avait plus été taillé depuis des années.

Il arriva dans la soirée à Caen, où il était censé dormir chez la tante Simone. Elle était la plus jeune sœur de ce Serge Le Gall qu'un détenu avait trucidé à la hache. Cela faisait quelques années que Léon ne l'avait pas vue ; il se rappelait sa poitrine opulente sous son chemisier, son rire et sa grande bouche rouge de femme, il se souvenait aussi que son cerf-volant à elle avait volé plus haut que tous les autres sur la plage. Mais peu après cette dernière rencontre, son mari et ses deux fils étaient partis à la guerre, et depuis, rendue presque folle par le chagrin et le souci, tante Simone envoyait trois lettres par jour à Verdun.

— Alors te voilà, dit-elle en le faisant entrer.

La maison sentait le camphre et les mouches mortes. Elle avait les cheveux en bataille, les lèvres pâles et gercées. Dans la main droite elle tenait un chapelet.

Léon l'embrassa sur les deux joues et lui transmit le bonjour de ses parents.

— Il y a du pain et du fromage sur la table de la cuisine. Et une bouteille de cidre, si tu veux.

Il lui donna les amandes grillées que sa mère lui avait confiées.

— Merci. Va à la cuisine et mange. Tu dormiras à côté de moi cette nuit, le lit est assez large.

Léon fit de grands yeux.

— Je ne peux pas te donner la chambre des garçons, j'ai dû la louer avec la chambre à coucher à des gens du Nord qui ont fui ici. Et j'ai vendu le canapé du salon parce que j'avais besoin de place pour mettre le lit.

Léon ouvrit la bouche pour dire quelque chose.

— Le lit est assez grand, arrête de faire des manières, dit-elle en se passant la main dans sa chevelure terne. J'ai eu une grosse journée, je suis fatiguée, je n'ai pas la force de me disputer avec toi.

Sans un mot de plus, elle passa dans le salon et se glissa sous la couverture en gardant toutes ses jupes, chemisiers, culottes et bas, se tourna contre le mur et ne bougea plus.

Léon alla à la cuisine. Il mangea du pain et du fromage, regarda la rue par la fenêtre et, en attendant l'obscurité, il vida la bouteille de cidre. C'est seulement quand il entendit la tante Simone ronfler qu'il passa dans le salon, s'allongea à côté d'elle et respira l'odeur douceâtre de sa sueur de femme en attendant que le pouvoir magique du cidre le transporte dans l'autre monde.

Le lendemain matin, quand il ouvrit les yeux, tante Simone était allongée à côté de lui dans la même position, mais elle ne ronflait plus. Léon sentit qu'elle faisait semblant de dormir et attendait qu'il disparaisse de chez elle. Il prit ses souliers dans la main droite, sa valise dans la gauche, et il descendit doucement l'escalier.

C'était une matinée ensoleillée, sans une brise. Léon emprunta la route côtière qui passe par Houlgate et Honfleur ; comme la mer était basse, il hissa sa bicyclette par-dessus le muret et descendit jusqu'à la plage où il roula quelques kilomètres le long de l'eau sur le sable mouillé et durci. Le sable était jaune, la mer verte, et elle devenait bleue en se rapprochant du ciel ; les rares enfants jouant dans le sable portaient un costume de bain rouge, leurs mères une jupe blanche ; çà et là, des vieux en veston noir, debout sur le sable, fouillaient de leur canne des nids d'algues sèches.

Son père étant loin et ne pouvant pas plus le voir que le maire de Cherbourg, Léon scruta les environs à la recherche d'objets flottés. Il trouva un bout de corde assez long et pas trop effiloché, quelques bouteilles, une fenêtre, espagnolette comprise, et un jerrican à moitié rempli de pétrole.

À midi il atteignit Deauville et le soir Rouen, où il devait dormir chez la tante Sophie ; mais auparavant, il devait, sur le conseil pressant de son père, visiter la cathédrale, l'un des plus beaux témoignages de l'art gothique. Léon envisagea un moment de renoncer aussi bien à sa tante qu'au témoignage de l'art gothique pour dormir quelque part à la belle étoile. Après quoi il se dit que les jours avaient beau être déjà plus longs, les nuits étaient encore fraîches et humides et que sa tante Sophie, étant restée toute sa vie célibataire, ne risquait pas d'avoir mari ni fils à Verdun ; et puis elle était réputée pour sa tarte aux pommes. Lorsqu'il arriva chez elle, elle lui fit signe, debout dans le jardinet devant sa maison en tablier blanc amidonné.

Le troisième jour, en se réveillant, il s'aperçut qu'il avait des courbatures épouvantables. Monter un escalier était une torture, la première heure à bicyclette un supplice ; ensuite cela s'arrangea. Le vent soufflait maintenant du nord, il commença à bruiner. Venant du sud, de longues colonnes de camions de l'armée croisaient sa route ; des soldats, l'air maussade, étaient assis sous les bâches, la cigarette aux lèvres, tenant leur fusil entre les genoux. À midi, il passa devant une ferme détruite par un incendie. Des liserons verts grimpaient sur les poutres noircies, de jeunes bouleaux poussaient dans la porcherie, une odeur moisie de charbon sortait par les trous noirs des fenêtres ; une fourche à fumier sans manche était plantée dans le tas de fumier. Il la prit et la plaça sur son porte-bagages avec les autres objets qu'il avait trouvés.

Léon savait qu'il n'était plus très loin du but ; encore une colline ou deux et il verrait surgir le clocher de Saint-Luc-sur-Oise. Effectivement, une fois passé l'élévation suivante, il aperçut un village et son église, mais ce n'était pas Saint-Luc. Léon traversa le village et grimpa la colline suivante, redescendit vers le village suivant avant de remonter encore une colline, derrière laquelle se trouvait un nouveau village, et après celui-ci encore une colline. Couché sur le guidon, il s'efforçait d'ignorer ses douleurs et d'imaginer qu'il était une machine fixée à la bicyclette, à laquelle était indifférent le nombre de collines qui restaient derrière la colline suivante.

L'après-midi tirait à sa fin lorsqu'il vint enfin à bout de ces collines. Léon se trouvait maintenant face à une allée toute droite traversant une plaine sans fin. Rouler à l'horizontale était une bénédiction, d'autant que les platanes, lui sembla-t-il, le protégeaient un peu du vent latéral. C'est alors qu'il entendit un bruit derrière lui – un bref grincement, qui se répéta plusieurs fois à intervalles rapides et réguliers en devenant de plus en plus fort. Léon se retourna.

Il vit alors une jeune femme, droite et svelte sur la selle d'une vieille bicyclette d'homme plutôt rouillée qui se rapprochait à vive allure ; manifestement, le grincement était provoqué par la pédale droite qui frôlait le carter à chaque tour. Elle se rapprochait très vite, un instant encore et elle l'aurait dépassé ; pour empêcher cela, il se mit à pédaler en danseuse. Au bout de quelques secondes, elle était arrivée à sa hauteur, elle lui lança “Bonjour !” avec un signe de la main et le dépassa aussi facilement que s'il avait été arrêté au bord de la route.

Léon la regarda s'éloigner, devenir de plus en plus petite au fur et à mesure que le grincement devenait de moins en moins audible avant de disparaître à l'endroit où la double rangée de platanes touchait l'horizon. Quelle drôle de fille ! Des taches de rousseur et une épaisse chevelure sombre coupée tout droit dans la nuque, peut-être de sa main, d'un lobe de l'oreille à l'autre. À peu près de son âge, peut-être un peu plus jeune ou un peu plus âgée, c'était difficile à dire. Une grande bouche, un menton délicat. Un gentil sourire. Des dents petites et blanches et un drôle d'espace entre les incisives supérieures. Les yeux – verts ? Un chemisier blanc à pois rouges qui l'aurait vieillie de dix ans si la jupe bleue d'écolière ne l'avait pas rajeunie d'autant. De jolies jambes, si tant est qu'il ait pu en juger en si peu de temps. Et elle roulait sacrément vite.

Léon ne sentit plus sa fatigue, ses jambes fonctionnèrent de nouveau. En voilà une fille sensationnelle. Il essaya de garder son image devant les yeux et s'étonna de n'en être déjà plus capable. Certes, il voyait le chemisier à pois rouges, les jambes qui pédalaient, les chaussures à lacets usées, et puis le sourire qui n'était pas seulement gentil, non, il était enthousiasmant, renversant, bienfaisant, à couper le souffle et à fendre le cœur dans son mélange d'amabilité, d'intelligence, de moquerie et de timidité. Mais il avait beau faire des efforts, les morceaux se refusaient à former un tout, il ne voyait que des membres, des couleurs, des formes – l'apparition dans son ensemble se dérobait à lui.

Il avait tout de même encore nettement dans l'oreille le grincement de la pédale sur le carter ainsi que le "Bonjour !" cristallin qu'elle lui avait lancé – et il s'aperçut alors qu'il n'avait pas répondu à son salut. Agacé, il frappa si fort de la main droite sur le guidon que la roue se déporta et qu'il faillit tomber. "Bonjour, mademoiselle", dit-il tout bas, comme s'il s'exerçait, puis plus fort, plus résolument : “Bonjour !”, et puis avec encore un brin supplémentaire de virilité et d'assurance : “Bonjour !”

Léon renouvela la résolution prise avant son départ : à Saint-Luc, il entamerait une nouvelle vie. Dès cet instant, il prendrait son café non plus à la maison, mais au bistrot, et il laisserait quinze pour cent de pourboire sur le comptoir, et ce n'est plus *Le Petit Inventeur* qu'il lirait, mais *Le Figaro* et *Le Parisien*, et c'en était fini de courir sur le trottoir, désormais il flânerait. Et quand une jeune femme le saluerait, il ne resterait pas planté là bouche bée, il lui lancerait un regard bref et vif et lui retournerait un salut nonchalant.

La fatigue était revenue dans ses jambes, lourdes comme du plomb. Jusque-là, le paysage vallonné avait offert une alternance d'espoir et de déception, désormais il n'y avait plus qu'une clarté sans illusion : le but était encore loin. Pour ne plus voir la distance, il posa les avant-bras sur le guidon et, laissant tomber la tête entre les épaules, sans perdre de vue le bas-côté pour ne pas dévier, il regarda ses pieds qui montaient et descendaient.

C'est pourquoi il ne remarqua pas que, loin devant lui, la couche de nuages se déchira, qu'un faisceau de rayons de soleil tomba sur les champs de blé vert et qu'à l'horizon apparut, entre les platanes, un point qui grandit rapidement et se révéla porter un chemisier à pois rouges. Léon ne remarqua pas non plus que la jeune femme roulait maintenant sans tenir le guidon, et quand il entendit enfin le grincement familier, elle était déjà tout près, ses lèvres ouvertes laissaient voir ses jolies dents du bonheur, elle lui fit un signe de la main et continua sa route.

“Bonjour !”, lança Léon, agacé d'être encore une fois arrivé trop tard. Il ne manquait plus qu'elle le dépasse une deuxième fois, maintenant qu'elle était derrière lui ; il se passerait bien d'une telle humiliation. Il se pencha sur le guidon, essaya d'accélérer et, au bout de quelques centaines de mètres à peine, il se retourna pour regarder en arrière, soucieux de voir si elle resurgissait à l'horizon ; et puis il se redressa et se força à rouler plus lentement. Après tout, il était peu vraisemblable que la jeune championne repasse une troisième fois sur la même route en l'espace de quelques minutes. Et si tel était le cas, il perdrait la course – qui pour elle n'en était même pas une. Il s'arrêta, posa son vélo sur le gravier, sauta par-dessus le fossé et s'étendit dans l'herbe. Maintenant, elle pouvait bien venir. Lui, il serait allongé dans l'herbe à mâchonner un brin d'herbe comme quelqu'un à qui est venue l'envie d'une petite halte, et il porterait l'index au bord de sa casquette en lui lançant un net et vigoureux "Bonjour !".

Léon mangea le dernier des sandwichs au fromage donnés par la tante Sophie. Il ôta ses chaussures et frictionna ses pieds qui brûlaient tout en jetant de temps à autre un coup d'œil sur la gauche vers la route déserte. Une bourrasque apporta une petite pluie qui cessa vite. Un camion couleur bleu nuit passa, sur les côtés duquel était écrit "L'Espoir" en lettres d'or ; un peu plus tard, un chien à pelage noir et blanc trottina à travers champ. Et tout à coup, il se dit qu'il était vraiment ridicule avec son brin d'herbe et sa décontraction ostentatoire ; évidemment que du premier coup d'œil elle percerait à jour sa comédie, au cas où elle repasserait. Il cracha le brin d'herbe, remit ses chaussures, franchit le fossé plein d'eau en sens inverse et remonta en selle.

3

La gare de Saint-Luc-sur-Oise se trouvait à cinq cents mètres de la ville au milieu des champs de blés et de pommes de terre sur une ligne secondaire de la Compagnie des chemins de fer du Nord. Le bâtiment était en briques rouges et le hangar en planches de sapin maltraitées par les intempéries. On remit à Léon un uniforme noir avec les chevrons de sergent sur les manches, qui lui allait comme un gant. Il était l'unique subalterne de son unique supérieur, le chef de gare Antoine Barthélemy. Ce petit homme émacié au caractère paisible, avec sa pipe et sa moustache à la Vercingétorix, accomplissait son service aussi consciencieusement que laconiquement. Il passait chaque jour plusieurs heures à dessiner de petits motifs géométriques sur son bloc-notes en attendant impatiemment le moment de regagner son appartement de fonction à l'étage, au-dessus du hall, où sa femme Josiane, une personne aux joues roses et aux hanches rebondies, au rire facile et franc, excellente cuisinière, se languissait de lui.

On ne pouvait pas vraiment dire qu'il y eût fort à faire à la gare de Saint-Luc-sur-Oise. Le matin et l'après-midi, trois trains régionaux réguliers s'arrêtaient, dans les deux sens ; les rapides passaient en provoquant un si violent appel d'air qu'on en avait le souffle coupé sur le quai. À deux heures vingt-sept du matin passait le train de nuit Calais-Paris, avec ses voitures-couchettes où une fenêtre était parfois éclairée, sans doute celle d'un riche voyageur qui ne trouvait pas le sommeil sur son lit confortable.

Léon fut surpris lui-même de constater qu'il fut dès le premier jour à la hauteur de sa tâche d'assistant télégraphiste. Il embauchait à huit heures du matin et quittait son service à huit heures du soir. Le dimanche était libre. L'une de ses attributions était de sortir sur le quai lorsqu'un train entrait en gare et de faire signe au conducteur de locomotive avec un petit drapeau rouge. Une autre, le matin, d'échanger le sac postal et le sac contenant les journaux de Paris contre les sacs vides de la veille. Si un paysan expédiait une caisse de poireaux ou d'oignons nouveaux, Léon devait peser la marchandise et établir une lettre de voiture, et quand le tac-tac du télégraphe se faisait entendre, il devait déchirer le ruban de papier et transcrire le message sur un formulaire. Il s'agissait toujours d'informations de service puisque l'appareil morse servait exclusivement pour les chemins de fer.

Léon avait bien sûr menti effrontément en affirmant connaître le morse, et il avait réussi le test d'aptitude sur le bureau du maire seulement parce que le maire en savait encore moins que Léon lui-même. Mais la gare de Saint-Luc était par bonheur un endroit isolé où l'on ne recevait pas plus de quatre ou cinq télégrammes par jour ; Léon avait donc tout le temps de les déchiffrer en s'aidant du *Petit Inventeur* qu'il avait eu la précaution d'emporter.

Les choses se corsaient quand c'était à lui d'envoyer un message, ce qui se produisait environ un jour sur deux. Dans ce cas, avant de s'asseoir devant l'appareil morse, il s'enfermait dans les waters avec papier et crayon et convertissait en points et en traits les caractères latins. Cela fonctionnait tant que les télégrammes n'avaient pas plus de quelques mots. Or, le lundi de sa troisième semaine de travail, son chef lui remit le rapport mensuel et le chargea de le faire parvenir *in extenso* et mot à mot à Reims à la direction régionale.

— Par la poste ?, demanda Léon en feuilletant le rapport de quatre pages écrites assez serré.

— Par télégraphe. Ce sont les instructions, rétorqua le chef.

— Pourquoi ?

— Aucune idée. Les instructions, un point, c'est tout. Ça a toujours été comme ça.

Léon acquiesça et se mit à réfléchir à une stratégie. À neuf heures trente précises, lorsque le chef monta prendre le café avec sa Josiane, Léon décrocha le téléphone, demanda la direction régionale de Reims et entreprit de dicter le rapport comme si on avait toujours procédé de cette manière et pas autrement depuis des décennies. Quand la standardiste se plaignit du surplus de travail, il expliqua que la foudre était tombée la nuit précédente et que l'appareil morse ne marchait pas.

La chambre de Léon se trouvait dans le hangar, à l'étage, à l'écart de l'appartement du chef de gare. Léon y disposait d'un lit, d'une table et d'une chaise ainsi que d'une table de toilette surmontée d'un miroir près d'une fenêtre donnant sur le quai. On ne le dérangeait pas et il pouvait faire ce que bon lui semblait, c'est-à-dire, la plupart du temps, pas grand-chose, sinon rester allongé sur le lit, les mains croisées dans la nuque, à observer les veinures des poutres.

La femme du chef de gare, qu'il était autorisé à appeler Mme Josiane, lui apportait son déjeuner et son souper, non sans le couvrir d'une sollicitude maternelle et de tendresses verbales, l'appelant son chéri, son ange, son petit cheval, son louis d'or, s'informant de sa digestion, de la qualité de son sommeil et de son moral et proposant de lui couper les cheveux, de lui tricoter des chaussettes en laine, de le confesser et de lui faire sa lessive.

Cela mis à part, nul ne l'importunait, et ce n'était pas pour lui déplaire. Quand un train passait, il allait vers la fenêtre, comptait les wagons de passagers, ceux à bestiaux et ceux de marchandises en essayant de deviner ce qu'ils transportaient. Un jour qu'il avait emporté dans sa chambre le journal qu'un passager avait laissé sur un banc de la salle d'attente, il en eut bien vite assez des informations sur le cabinet formé par Clemenceau, sur le rationnement du beurre, les mouvements de troupe au Chemin des Dames et l'or que les gens versaient à la Banque de France ; et comme la plage de Cherbourg était loin, il n'avait plus guère d'intérêt pour l'économie de guerre. Et c'est ainsi que, petit à petit, il dut bien s'avouer que la seule chose qui l'intéressait en ce monde, c'était la fille au chemisier blanc à pois rouges.

Il ne l'avait plus revue depuis son arrivée à Saint-Luc, mais il ne pouvait pas s'empêcher de penser à elle. Comment pouvait-elle donc bien s'appeler : Jeanne ? Marianne ? Dominique ? Virginie ? Françoise ? Sophie ? Chaque prénom, il le prononçait tout bas, pour l'essayer, et il l'écrivait du doigt sur le papier peint à fleurs près de son lit.

Léon se sentait bien dans son nouveau chez-soi, sa vie d'antan ne lui manquait pas. D'ailleurs, il n'y avait pas de quoi avoir le mal du pays. Si le cœur lui en disait, il pouvait toujours reprendre sa bicyclette et retourner à Cherbourg, où ses parents l'accueilleraient à bras ouverts jusqu'à la fin de leurs jours dans leur immuable maisonnette de la rue des Fossés, et la plage de Cherbourg aurait exactement le même aspect le jour de son arrivée qu'au moment de son départ ; avec Joël et Patrice il sortirait en mer sur la yole comme si le temps n'avait pas passé, et au bout de trois jours, tout le monde à Cherbourg aurait déjà oublié que Léon avait quitté la ville quelque temps. Même s'il pouvait bien lui arriver de se sentir un peu seul, il n'avait aucune raison de rentrer précipitamment et faisait mieux, pour l'instant, de rester à Saint-Luc pour essayer cette nouvelle vie qu'il s'était choisie.

La seule chose désagréable dans sa chambre, c'étaient les bruits qui se manifestaient dans la charpente et les cloisons en bois du hangar. Des craquements, crissements et gémissements sinistres. Grincements pendant la journée quand le soleil réchauffait les planches, plaintes le soir quand elles se refroidissaient, claquements au point du jour, le moment le plus froid de la nuit, et couinements au lever du soleil quand elles recommençaient à se réchauffer. On avait l'impression tantôt que quelqu'un montait l'escalier et s'approchait de la chambre de Léon, tantôt qu'on déambulait sous les combles ou qu'on grattait avec un tournevis de l'autre côté de la cloison. Léon avait beau savoir qu'il n'y avait personne, il ne pouvait s'empêcher de dresser l'oreille et ne s'endormait jamais avant minuit.

Aussi prit-il l'habitude de faire de longues balades à bicyclette dans les environs après le souper et de n'en revenir bien fatigué que longtemps après la tombée de la nuit. Mais comme la mer était loin et qu'il n'y avait pas grand-chose à voir à des lieues à la ronde sinon des champs de blé et de pommes de terre traversés par d'impénétrables haies de noisetiers et des petits canaux pour le drainage des champs, ces balades se firent bientôt de plus en plus brèves et se terminèrent de plus en plus souvent dans le bourg.

Saint-Luc-sur-Oise, en ce début d'été 1918, se composait d'une centaine de maisons disposées en cercles concentriques autour de la place de la République. Le cercle intérieur était formé de l'hôtel de ville, un bâtiment au classicisme pompeux, d'une école primaire dans le même style et de quelques demeures bourgeoises. On y trouvait en outre les halles, le café des Artistes et le café du Commerce, ainsi qu'une église romane derrière le chevet de laquelle le maire, par méchanceté républicaine et malgré la résistance acharnée du curé, avait fait édifier une pissotière. Dans le cercle intermédiaire se trouvaient le bureau de poste, deux boulangeries, un coiffeur, une épicerie, une boucherie, une quincaillerie et un magasin de mode, *Aux Galeries Place Vendôme*, où les bourgeoises de la petite ville et les paysannes des environs achetaient ce qu'elles tenaient pour l'élégance parisienne. La périphérie comprenait, entre de simples habitations, la forge et la menuiserie, un peu plus loin le magasin de la coopérative agricole, la sellerie et le monument aux morts de la guerre de 1870 et, pour finir, les pompes funèbres, un garagiste et le bâtiment des sapeurs-pompiers.

Pendant la première année de guerre, le front s'était dangereusement rapproché durant quelques semaines, et il en était allé de même la troisième année. Aussi pouvait-on apercevoir presque à l'œil nu dans les environs des champs de ruines qui naguère avaient été des villages florissants ; Saint-Luc, en revanche, avait été épargné par les horreurs de la guerre. Le pire qu'avait dû subir la bourgade avait été la réquisition du véhicule des pompiers par le commandant d'une troupe qui passait ainsi que l'invasion occasionnelle de hordes de soldats en permission farouchement résolus à dilapider leur solde en l'espace d'une nuit. Mis à part cela, on s'était habitué, à Saint-Luc, à l'idée que la guerre faisait rage seulement là où elle se déroulait effectivement, tandis que, tout près de là, les boutons-d'or fleurissaient, les femmes du marché vendaient leurs marchandises et les mères tressaient des rubans colorés dans les cheveux de leurs filles.

Léon, en nouvel arrivant qu'il était, avait cru que le café du Commerce était l'endroit où se retrouvaient les petits-bourgeois et le café des Artistes celui de la bohème et des intellectuels ; c'était évidemment le contraire. Comme partout, et donc à Saint-Luc aussi, les avocats, négociants et artisans qui avaient réussi souffraient légèrement d'un certain manque d'esprit et de beauté dans leur vie et, le soir, la recette du jour une fois comptée et déposée en sécurité dans leur coffre, ils aimaient à passer le peu de loisir qu'ils avaient au café des Artistes, qu'ils prenaient pour un repaire d'artistes à cause des affiches de Toulouse-Lautrec reproduites en sépia qui ornaient les murs. Mais là aussi comme partout, les artistes avaient déserté les lieux depuis longtemps, fuyant ces gens trop bien armés pour la vie, et ils se retrouvaient de l'autre côté de la place. C'est là que, après avoir roqué de la sorte, la bohème locale passait toutes ses soirées, à distance de la bourgeoisie, ne s'ennuyant pas moins qu'elle et souffrant du fait indéniable que la vie d'artiste, elle non plus, n'est de loin pas aussi drôle et variée qu'elle devrait l'être s'il y avait une justice.

La bohème de Saint-Luc se composait tout d'abord de deux instituteurs qui écrivaient à leurs heures perdues et se croyaient réciproquement être des artistes bien supérieurs l'un à l'autre, ensuite de l'organiste de l'église – un mélancolique chronique –, d'une vieille fille qui s'adonnait à l'aquarelle, du graveur de pierres tombales, qui zozotait, et de quelques buveurs invétérés et autres palabreurs et rentiers. Ils étaient là tous les soirs, aussi gais que possible, assis à la table des habitués près du poêle rond dont le tuyau traversait la salle avant de disparaître dans le mur de la cuisine, à siroter leur Pernod et dégageant une odeur d'ail tandis qu'à cent kilomètres de là à peine des jeunes gens étaient abattus, gazés et trucidés.

Il faut dire, pour être juste, que ce n'était pas la faute de ces palabreurs s'ils se trouvaient si bien. Depuis que l'État versait aux soldats et à leur famille des pensions, bourses et rentes généreuses pour éviter la démoralisation, on avait de l'argent en veux-tu en voilà ; bien sûr, ce n'était pas toujours suffisant pour assouvir tous les caprices, mais on ne manquait ni de pain, ni de lard ni de fromage. Il arrivait parfois que le vin qu'on vous servait au Commerce soit allongé d'eau, mais il n'était pas cher, pas trop aigre et il ne donnait pas mal à la tête.

Bien entendu, la nouvelle s'était répandue dans cette compagnie que ce vieux Barthélemy de la gare s'était vu affecter un nouvel assistant pour l'aider à ne rien faire ; aussi Léon n'eut-il même pas à se présenter la première fois qu'il franchit la porte vitrée, vêtu de son uniforme de cheminot. "À votre service, mon général !", avait lancé le doyen des palabreurs en lui faisant le salut militaire sans se lever de sa chaise, après quoi l'un des deux instituteurs était venu le rejoindre au comptoir pour l'interroger en détail au nom de la population sur son passé, sa vie présente et ses projets d'avenir. Les soirs suivants, les habitués eurent la satisfaction de constater que Léon n'était pas homme à faire de grands discours ni à se disputer et qu'il préférait rester tranquillement au comptoir à boire un ou deux verres de bordeaux avant de dégager le terrain poliment au bout d'une demi-heure, comme cela convenait pour un garçon de son âge.

On trouvait Léon tous les soirs au Commerce. Il lui arrivait d'échanger quelques mots avec le patron, parfois aussi avec sa fille, une créature de haute taille et à l'air sérieux qui était derrière le comptoir les lundis, mercredis et vendredis, qui semblait toujours un peu absente mais n'en perdait pas de vue pour autant, même lors des pires beuveries, ce que lui devait chacun des clients. Léon s'était aperçu qu'elle lui lançait de temps en temps un regard scrutateur tandis que lui, de son côté, cherchait à lui dissimuler qu'il ne quittait pas la porte des yeux.

Car il n'était bien sûr pas là seulement pour boire un ballon de rouge, mais surtout dans l'espoir que l'instant viendrait où surgirait la fille au chemisier blanc à pois rouges. Elle n'avait pas eu de valise sur son porte-bagages, elle devait donc bien être du coin ; sinon de Saint-Luc même, du moins d'un des hameaux des alentours. La bourgade n'était vraiment pas grande, au bout de quelques jours à peine il connaissait presque tous les visages, le curé, les trois policiers, le cantonnier, tous les gamins et la fleuriste. Mais de belle cycliste, point, ni à la boulangerie, ni dans la rue ni à la messe dominicale, ni au cimetière, ni au lavoir ou au magasin de fleurs, ni sur les bancs de la place de la République, et pas non plus à la porte de la tuilerie de l'autre côté de la voie ferrée. Un jour, il se mit à courir derrière une cycliste, et puis elle était descendue de vélo et ce n'était que la femme du boulanger de la rue des Moines, et une autre fois il entendit un grincement régulier sans en identifier la provenance avant qu'il ne faiblisse et ne disparaisse.

Léon fut plus d'une fois sur le point d'interroger le patron du Commerce ou sa fille ; mais il s'abstint de le faire, car il savait que cela ne donne rien de bon, dans une petite ville, quand un étranger prend des informations sur une fille de l'endroit. Et puis, un soir, alors que Léon venait de payer, la porte s'ouvrit vigoureusement et, d'un pas vif et léger, entra la fille au chemisier blanc à pois rouges, sauf que cette fois elle ne portait pas un chemisier, mais un pull-over bleu. Elle ferma la porte, sans s'arrêter, avec un élan savamment calculé, et fonça droit vers le comptoir, non sans saluer les habitués sur sa route. Et puis elle s'arrêta à une coudée de Léon et demanda au patron deux paquets de Turmac. Pendant qu'il prenait les cigarettes sur l'étagère, elle chercha la monnaie et la déposa dans la soucoupe, puis elle se gratta la gorge et, du bout des doigts de sa main droite, elle replaça derrière l'oreille une mèche rebelle qui aussitôt lui revint sur le visage.

— Bonsoir, mademoiselle, dit Léon.

Elle se retourna vers lui comme si elle ne l'avait pas remarqué auparavant. Léon la regarda dans les yeux et à la première seconde il lui sembla discerner dans la profondeur de ses yeux verts le pressentiment d'une grande amitié.

— Je te connais, toi, dit-elle. Mais d'où ça ?

Sa voix était encore plus ensorcelante que dans le souvenir de Léon.

— De la grand-route, répondit-il. Vous m'avez dépassé à bicyclette. Deux fois.

— Ah oui. Elle se mit à rire. Ça remonte à un bout de temps, non ?

— Cinq semaines et trois jours.

— Je me rappelle. Tu avais l'air fatigué. Et puis tu avais des trucs bizarres attachés sur ton porte-bagages.

— Un jerrican de pétrole et une croisée de fenêtre. Et aussi une fourche à fumier sans manche.

— Tu te trimbales avec ce genre de choses ?

— Quand il m'arrive d'en trouver, oui, je les trimbale avec moi. Au fait, je suis content que votre œil droit aille mieux.

— Mon œil droit ? Qu'est-ce qu'il a ?

— Il était plutôt rouge ce jour-là. Peut-être à cause d'une mouche ou d'un moucheron.

La fille se mit à rire.

— C'était un hanneton, gros comme un œuf de poule. Et tu te souviens de ça ?

— Et votre bicyclette couinait.

— Elle couine encore, dit-elle en s'allumant une cigarette qu'elle tenait entre le pouce et l'index comme un gamin des rues. Et toi ? Tu fais le poireau ici tous les soirs ?

Ho ho, se dit Léon. Alors comme ça, cette fille sait que je suis ici tous les soirs. Ho ho, ça veut dire qu'elle a déjà remarqué mon existence, et plusieurs fois. Ho ho ho. Et la voilà qui débarque et qui ment en faisant semblant de ne pas me reconnaître. Ho ho.

— En effet, mademoiselle. Vous me trouverez ici quand il vous plaira.

— Comment ça ?

— Parce que je ne sais pas où je pourrais faire le poireau à part ici.

— Un grand garçon comme toi ? Bizarre, dit-elle en rangeant son paquet de cigarettes dans son sac et en se tournant pour partir. Moi qui ai toujours cru que les cheminots étaient des gens qui ne tiennent pas en place, et qui ont peut-être même la nostalgie des lointains. J'ai dû me tromper.

— J'allais partir. Je peux faire un bout de chemin avec vous ?

— Dans quelle direction ?

— Là où vous allez.

— Il ne vaut mieux pas. Pour rentrer chez moi, il faut passer par une ruelle sombre. Tu pourrais bien commencer à me raconter des sornettes à propos d'âmes sœurs. Ou essayer de me lire l'avenir dans les lignes de la main.

Et elle disparut.

4

Un silence inaccoutumé s'était installé au café du Commerce pendant la conversation entre Léon et la jeune fille ; le patron avait séché interminablement le seul et même verre, les habitués avaient fait des ronds de fumée en direction du plafond et, du bout embrasé de leur cigarette, ramené la cendre en petits tas dans les cendriers. Une fois la jeune fille disparue derrière la porte vitrée, ils sortirent de leur engourdissement et se mirent à parler – d'abord en traînant, en hésitant, mais se réjouissant d'avance du moment où Léon sortirait lui aussi et où ils pourraient enfin tourner et retourner de tous côtés la saynète à laquelle ils venaient d'assister. Il s'écoula en effet peu de temps avant que Léon ne boutonne sa veste d'uniforme et ne fasse signe au patron qu'il partait – sur quoi ce dernier, ne pouvant contenir davantage son envie de communiquer, retint Léon par la manche, lui versa de force un dernier verre de bordeaux et lui raconta tout ce qu'il savait de la jeune fille au chemisier blanc à pois rouges.

La petite Louise – à vrai dire, elle n'était pas particulièrement petite, mais les gens l'appelaient comme ça pour la distinguer de la grosse Louise, la femme du fossoyeur –, la petite Louise, donc, avait fait son apparition deux ans plus tôt parmi les habitants de Saint-Luc comme un chat qui débarque un beau jour. D'aucuns prétendaient qu'elle était orpheline et venait d'un de ces villages de briquetiers situés sur la Somme dont l'offensive allemande du printemps 1915 n'avait pas laissé une pierre à sa place. Personne n'avait davantage de détails : les rares personnes à avoir interrogé Louise sur ses origines dans les premières semaines suivant son arrivée, elle les avait rabrouées aussi agressivement qu'un chat qu'on agace, et nul ne se hasarda plus à aborder ce sujet une nouvelle fois. Louise parlait un français limpide, si dépourvu d'accent qu'il était impossible de la situer géographiquement, mais les gens supposaient qu'elle était de bonne famille et avait fréquenté de bonnes écoles.

Comme Léon, Louise était arrivée dans la bourgade grâce au programme de placement du ministère de la Guerre. Elle travaillait comme auxiliaire au service du maire, pour lequel elle faisait les commissions, préparait le café et arrosait les plantes vertes. De son propre chef, elle avait appris à se servir de la machine à écrire qui jusque-là était restée inutilisée dans l'antichambre. C'était une jeune fille éveillée et agile, cette petite Louise, elle s'y prenait avec adresse en toutes choses – les plantes vertes poussaient comme jamais auparavant, le café était excellent, et il lui fallut peu de temps pour dactylographier des lettres sans fautes.

Elle donnait toute satisfaction au maire et ce dernier eut la surprise de constater au bout de quelques semaines qu'il était, malgré lui, fort sensible au charme que la jeune fille peu avenante dégageait involontairement ; mais comme il était bien conscient qu'une différence d'âge de trente ans resterait toujours une différence d'âge de trente ans, il s'imposa humblement la plus grande réserve dans son commerce avec son employée de bureau, la traitant tantôt avec une distraction feinte, tantôt avec une courtoisie distante ou une fausse sévérité. Néanmoins, il s'autorisa la faiblesse de lui offrir, pour les courses dont elle était chargée et qu'elle faisait avec diligence, son vieux vélo d'homme qui se trouvait dans sa grange et qu'il n'utilisait plus depuis des années.

Elle s'en servait tôt le matin pour aller au bureau de poste vider la boîte, à neuf heures et demie pour aller acheter des croissants, et s'il arrivait qu'il y ait encore des affaires urgentes à traiter juste avant midi, elle allait prévenir le maire qui était au café des Artistes où il avait pour habitude de prendre l'apéritif. L'après-midi aussi, elle enfourchait sa bicyclette, pour porter les injonctions de payer et les ordonnances de justice ou remettre de petites sommes d'argent et donner des consignes de service au secrétaire de mairie, au cantonnier, aux gendarmes et au ramoneur.

Mais le plus ardu, c'étaient ces convocations formelles et laconiques que Louise, au nom du maire, devait porter aux familles de soldats morts sur le front. En soi, ces convocations étaient insignifiantes, elles ne faisaient rien d'autre qu'inviter des gens qui ne se doutaient de rien à se présenter tel jour à telle heure à la mairie. Les premiers mois de la guerre, les personnes concernées recevaient ces convocations encore avec un haussement d'épaules, se mettaient docilement en route et se retrouvaient sans se douter de rien devant le bureau du maire à pétrir leur béret et à demander ce qu'il y avait donc de si important qu'on doive les détourner de leurs tâches pour qu'ils se présentent à l'administration. Sur quoi le maire, d'une voix métallique, leur transmettait l'information hautement officielle selon laquelle leur fils, époux, père, petit-fils ou neveu était mort en héros au service de la patrie à tel endroit à telle heure, ce pour quoi le ministre de la Guerre ainsi que lui-même leur adressaient leurs plus sincères condoléances ainsi que la gratitude de la nation française.

Livré sans défense aux scènes de désespoir qui s'ensuivaient, le maire invoquait la gloire, la patrie et l'au-delà pour tenter de réconforter les êtres inconsolables qu'il avait devant lui et qui, eux, se sentaient offensés et raillés, car si on ne pouvait pas leur rendre l'être cher, du moins voulaient-ils qu'on les laisse avec leur douleur.

Le maire eut parfois jusqu'à deux ou trois drames de ce genre dans son bureau en une seule journée. Pour s'abrutir, il se mit à consommer de grandes quantités de pastis, mais malgré cela il n'arrivait pas à dormir, sa digestion fut chamboulée, il avait la tête lourde, et son bureau, naguère encore un endroit respirant la dignité et le contentement, fut envahi par l'affliction et un effroi sans nom. Sa détresse était telle qu'il fut plus d'une fois sur le point de se précipiter à l'église pour implorer l'assistance spirituelle du curé, quand bien même celui-ci était son ennemi juré depuis qu'il s'était permis la plaisanterie de faire construire la pissotière.

Telle était donc la situation en ce printemps 1915 lorsque la petite Louise arriva à Saint-Luc et commença à porter des messages. Elle eut tôt fait de saisir le lien entre les convocations et ces maladroits drames paysans qui éclataient dans le bureau du maire. Dix fois, quinze fois peut-être, Louise avait pu observer le premier magistrat en sueur, tremblant derrière sa table, cherchant des mots, essayant de garder une contenance, mais incapable de se départir de la rigidité de sa fonction. Et lorsqu'elle fut convaincue que cela ne changerait pas de toute la guerre, elle décida d'agir.

— Excusez-moi, monsieur le maire, lui dit-elle le lendemain après-midi alors qu'elle devait une fois de plus porter une convocation.

— Quoi donc ? demanda le maire en passant le pouce et l'index sur les sourcils en s'autorisant à jeter un œil sur la jolie nuque courbée de Louise.

— C'est une convocation, ce papier ?

— Que veux-tu que ce soit d'autre, ma petite Louise, hein, dis-moi.

— Et il s'agit de qui ?

— Lucien, le fils unique de la veuve Junod. Dix-neuf ans, les filles le surnommaient Lulu. Tombé le 7 février à Ville-sur-Cousances. Tu le connaissais ?

— Non.

— Il était en permission pas plus tard qu'à Noël, je l'ai vu à la messe de minuit. Vraiment une belle voix.

Louise prit l'enveloppe, sortit, enfourcha sa bicyclette et traversa la place de la République à toute vitesse pour prendre le plus court chemin jusqu'à la limite ouest de la ville, où habitait la veuve Junod. Elle sonna et lui remit l'enveloppe, et tandis que la femme, après l'avoir ouverte avec son index, regardait la convocation, désemparée, Louise lui dit :

— Vous n'êtes pas obligée d'y aller.

Et, saisissant la femme par le coude, elle la conduisit à l'intérieur de la maison, l'installa sur le canapé et lui dit que son Lulu ne reviendrait plus car il était mort à la guerre.

Après que la femme se fut jetée par terre et tandis qu'elle s'arrachait des touffes entières de cheveux, Louise resta assise silencieusement sur le canapé, et ensuite elle la laissa faire lorsqu'elle la frappa des deux poings puis se pendit à son cou pour pleurer toutes les larmes de son corps, ce qu'elle n'aurait peut-être jamais pu faire avec un parent ou un ami. Louise lui tendit un mouchoir, et puis un autre, et lorsque la veuve Junod se fut un tant soit peu apaisée, Louise alluma une de ses cigarettes sucrées, allongea la femme sur les coussins et alla à la cuisine lui préparer une tisane. Et lorsqu'elle revint, la tasse fumante à la main, elle lui dit :

— Bien, je vais y aller. Ne vous souciez plus de la convocation, madame Junod. Je dirai à M. le maire que vous ne viendrez pas.

Lorsque Louise raconta ensuite au maire la manière dont elle avait réglé cette affaire, celui-ci prit une mine sévère et se mit à parler d'arrogance et d'atteinte au secret professionnel ; mais évidemment, il était bien content et reconnaissant de ne pas avoir eu pour cette fois à vivre la scène tragique inéluctable. Et le lendemain, comme deux autres convocations se présentaient, loin de rappeler Louise à l'ordre lorsqu'elle se mit en route, il lui fournit, sans qu'elle les demande, les informations dont elle avait besoin pour accomplir sa nouvelle mission.

— Celui-là, il s'appelait Sébastien, dit-il en regardant au plafond tandis qu'il lui remettait la première enveloppe afin de ne pas plonger les yeux dans son décolleté. C'était le benjamin des fermiers Petitpierre. Tombé le 16 avril sur la côte de Damloup. Un brave garçon, avec un bec-de-lièvre, il savait s'y prendre avec les chevaux.

— Et le deuxième ?

— Delacroix, le notaire. Cinquante ans, sans enfants, n'a plus ses parents. Il ne reste que sa femme. Vas-y maintenant, ma petite Louise. Allez, dépêche-toi.

Dorénavant, les familles n'eurent plus à venir se présenter à la mairie. Louise portait la convocation à domicile, les gens comprenaient et pouvaient s'abandonner à la première grande vague de douleur tandis que Louise, ange de la mort aimable et silencieux, restait assise sur le canapé. Le lendemain ou le surlendemain, en général, la famille était capable d'entendre les détails de la mort et envoyait chercher Louise ; elle faisait alors une seconde visite et rapportait tout ce dont on l'avait informée officiellement – quand et où exactement et dans quelles circonstances David, Cédric ou Philippe avait trouvé la mort, s'il avait souffert ou si la mort s'était montrée indulgente, et puis on lui posait pour finir la plus pressante des questions : le corps avait-il trouvé le repos éternel dans la terre ou bien était-il éparpillé quelque part dans la boue, déchiqueté, calciné ou pourrissant, offert en pitance aux corbeaux.

Louise n'avait guère d'informations réconfortantes à donner, mais elle évitait les ménagements trompeurs et racontait la vérité sans fard, du moins ce qu'elle en savait, car elle savait que, à la longue, elle seule importait. Elle accomplissait son devoir avec sérieux, et la reconnaissance des habitants de Saint-Luc se manifestait par une tendresse affectueuse. Ils s'habituèrent au grincement funeste de sa bicyclette d'homme rouillée, et tous tendaient l'oreille quand elle s'éloignait, heureux que le bruit s'amenuise et n'ait pas cessé brusquement devant leur maison.

Certains vénéraient Louise comme une sainte. Elle ne voulait pas le savoir. Et, pour briser l'auréole dont on voulait l'affubler, elle fumait ses cigarettes sucrées, se baignait à demi nue dans le canal le dimanche et se pourvut de tout un arsenal de jurons et de grossièretés qui, à vrai dire, tranchaient avec la délicatesse de sa silhouette, le son clair de sa voix et le français soigné qu'elle parlait.

Hélas, il était fréquent que la nouvelle de la mort d'un soldat parvienne à Saint-Luc bien avant la notification ministérielle – par exemple lorsqu'un soldat en permission raconta à la table de la cuisine familiale que Jacquet, l'instituteur, s'était effondré à une coudée de lui, le crâne fracassé, dans le cratère boueux d'une bombe ; la nouvelle se propageait alors plus vite que le vent d'une maison à l'autre et se retrouvait à toutes les tables de cuisine de la bourgade – à toutes sauf à celle à laquelle l'instituteur ne reviendrait plus jamais s'asseoir ; car répandre des rumeurs était passible d'amendes, et, pour éviter de douloureuses erreurs et confusions, l'annonce d'une mort ne devait parvenir à la famille que par la voie officielle. C'est ainsi que la veuve de l'instituteur Jacquet, ignorant encore totalement qu'elle était veuve, achetait un beau morceau de viande de bœuf au marché en se réjouissant de la permission prochaine de son époux tandis que les autres femmes la toisaient du coin de l'œil avec crainte et pitié et se contentaient de la saluer le plus rapidement possible pour n'éveiller aucun soupçon.

Mais ce problème-là aussi fut résolu lorsque Louise prit ses fonctions. "Va vite raconter ça à la petite Louise !", conseilla-t-on dès lors à tout soldat porteur d'une triste nouvelle ; et lorsque Louise arrivait sur son vélo grinçant devant la porte de la veuve qui ne se doutait de rien, celle-ci savait tout de suite qu'elle ne rachèterait plus de sitôt un beau morceau de bœuf.

Ce soir-là, après que le patron lui eut raconté tout cela, Léon Le Gall rentra chez lui d'humeur pensive.

C'était la première chaude nuit de l'année, une de ces soirées où l'on apercevait au-delà de Saint-Quentin les éclairs du front et où l'on entendait parfois, quand le vent soufflait du nord-est, un lointain tonnerre. Léon déboutonna sa veste et ôta son béret. Il observa le jeu de son ombre qui, chaque fois qu'il passait sous un réverbère, tombait à ses pieds, courte et nette, avant de s'étirer peu à peu puis de pâlir et de se dissiper à nouveau à la lumière de plus en plus claire du réverbère suivant jusqu'à retomber encore une fois à ses pieds puis de pâlir et se dissiper une nouvelle fois. Il ôta la veste de son uniforme et la mit sur une épaule, elle était bien trop chaude pour la saison ; il s'étonna d'ailleurs de n'avoir jamais eu l'idée, depuis les cinq semaines et trois jours qu'il était là, de quitter son uniforme avec ses stupides chevrons de sergent pour faire sa promenade du soir.

Le bâtiment de la gare se dressait tout au bout de l'allée de platanes, dans l'obscurité ; à l'étage non plus il n'y avait pas de lumière ; Léon s'imagina le vieux Barthélemy blotti avec félicité dans la chaleur réconfortante de sa Josiane, sommeillant sous un édredon épais avant de reprendre son service le lendemain matin. Il traversa l'esplanade de la gare pour gagner le hangar, puis gravit l'escalier qui craquait ; le silence de sa chambre bruissait de l'écho des souvenirs de la journée passée.

Il songea que le lendemain matin, et tous les jours qui suivraient, il accueillerait de son drapeau rouge les trains entrant en gare. Il songea à sa filouterie avec l'appareil morse, à sa crainte quand la charpente craquait, aux soirées taciturnes passées au zinc du café du Commerce, et il en arriva à la conclusion qu'il ne faisait rien de bon dans sa vie ; rien de vraiment mauvais non plus, car jusqu'ici du moins il n'avait pas causé de dommage notable, il n'avait fait de mal à personne ni fait quoi que ce soit dont il dût avoir honte devant ses parents ; et malgré tout, rien de ce qu'il avait fait jour après jour n'était vraiment important, vraiment beau, vraiment bon. Et il n'avait certainement aucune raison d'être fier de quoi que ce fût.

À un moment, un brouhaha le tira de son sommeil, Léon ne se rappela pas combien de temps il avait dormi. Les voix lui parvenaient par la fenêtre qu'il avait laissée ouverte à cause de la chaleur de la nuit, et elles étaient accompagnées d'une puanteur inhabituelle – un mélange d'odeurs répugnantes dont il ne s'expliquait pas la provenance. Il se leva et regarda vers les voies – un train qui n'en finissait pas, composé de wagons de marchandises et de wagons à bestiaux, était arrêté sous la lumière des réverbères, et sur le quai le vieux Barthélemy et Mme Josiane couraient d'un wagon à l'autre. Léon descendit, nu-pieds, vêtu de son seul pantalon.

Le train était tellement long qu'on n'en apercevait ni le début ni la fin. Certains wagons étaient fermés, d'autres ouverts, et tous dégageaient cette puanteur effroyable de pourriture et d'excréments, et il en sortait des voix d'hommes, ils gémissaient, ils criaient en suppliant qu'on leur donne de l'eau.

— Eh, petit, qu'est-ce que tu fais là ! lui lança Mme Josiane, tout occupée à distribuer aux soldats l'eau d'une grande cruche.

Les soldats étaient couchés ou assis dans la paille sur un plancher non recouvert, les visages trempés de sueur luisaient à l'éclat des réverbères, les uniformes étaient sales, les pansements imbibés de sang.

— Madame Josiane…

— Va dormir, mon petit chéri, ce ne sont pas des choses pour toi.

— Que se passe-t-il ?

— Rien qu'un transport de blessés, mon ange, rien de plus. On emmène ces pauvres gars vers le sud, aux hôpitaux de Dax, Bordeaux, Lourdes et Pau, comme ça ils iront bientôt mieux.

— Je peux vous aider ?

— C'est gentil à toi, mon trésor, mais ne reste pas là. Allez, file.

— Je pourrais aller chercher de l'eau.

— Inutile, nous avons l'habitude, ton chef et moi. Vous, les jeunes, vous ne devez pas voir ça.

— Madame Josiane…

— Monte dans ta chambre, mon chou, allons, ouste ! Et ferme la fenêtre, tu m'entends ?

Léon voulut protester et regarda autour de lui pour que Barthélemy lui vienne en aide, ce dernier avait accouru aussitôt qu'il avait entendu sa Josiane hausser le ton. Transperçant Léon d'un regard sévère, serrant les lèvres au point que les poils de sa moustache se retrouvèrent à l'horizontale, tendant le bras en direction du hangar, il siffla :

— Fais ce que te dit madame ! En avant, marche !

Alors Léon capitula et regagna sa chambre, mais passant outre l'ordre de Josiane, il laissa la fenêtre ouverte. Il se posta à l'ombre du rideau, observa ce qui se passait sur le quai et, une fois seulement que le train se fut mis en marche, il se jeta sur son lit. Puis, tout cela l'ayant fatigué, il s'endormit avant même que le vent nocturne ait porté jusqu'à lui les dernières bouffées de puanteur.

Le hasard voulut que le lendemain matin, au moment où Léon allait du hangar au bâtiment principal pour prendre son service, la petite Louise passât sur l'allée accompagnée par les couinements pressés de sa bicyclette. Les platanes humides de rosée luisaient sous le soleil matinal, l'air était gorgé du parfum des herbes hautes et du ballast réchauffé par le soleil. Arrivée sur l'esplanade de la gare, Louise freina brusquement au point de faire crisser le gravier sous ses roues, soulevant un nuage de poussière. Elle rangea son vélo sous l'abri et grimpa à toute vitesse les trois marches menant au hall de la gare. Léon aurait bien aimé la suivre, mais une obligation de service qui ne souffrait aucun délai l'en empêchait, il devait aller prendre le drapeau rouge au bureau pour se trouver à temps sur le quai à l'arrivée du train de voyageurs de huit heures.

Quand le train entra en gare, Louise fut le seul passager à sortir de la gare. Léon constata avec soulagement qu'elle tenait un billet à la main droite, mais n'avait pas de bagages ; elle ne partait donc pas pour longtemps. Ce qui fut moins agréable, c'est qu'elle lui fit signe au moment précis où il devait, lui, agiter le drapeau rouge à l'approche de la locomotive.

— Salut, Léon ! s'écria-t-elle en se hâtant le long du train avant d'ouvrir la porte d'un wagon de troisième classe.

Ho ho ! se dit Léon, elle connaît mon prénom. Est-ce qu'il s'était présenté, la veille, au café du Commerce ? Non. Évidemment, il aurait dû le faire, c'eût été la moindre des politesses, mais il ne l'avait pas fait. Elle avait appris son nom d'une autre manière… peut-être même en y mettant du sien ? Tiens tiens. Et puis elle ne l'avait pas oublié en l'espace d'une nuit, au contraire elle l'avait gardé en mémoire. Et voilà qu'elle venait de le prononcer de sa bouche, de ses lèvres, de ses petites dents blanches, elle l'avait donné au monde avec le souffle de son corps. Ho ho !

— Salut, Louise ! lança-t-il une fois qu'il eut repris contenance alors qu'elle s'apprêtait à sauter dans le train qui s'arrêtait.

Léon se tenait dans la vapeur sifflante de la locomotive, attendant la minute à laquelle il devrait donner le signal du départ au conducteur de la locomotive ; quand le train s'ébranla, Léon courut le long des fenêtres, le cou tendu, jusqu'à la porte derrière laquelle Louise avait disparu. Mais le quai était bas et les fenêtres placées trop haut, il ne voyait pas les passagers assis sur les banquettes de l'autre côté. Puis le train s'éloigna, et Louise avec lui.

Léon suivit des yeux les feux arrière rouges jusqu'au dernier moment, lorsqu'ils disparurent derrière la tuilerie, et longtemps encore, il continua à regarder le panache de fumée. Puis il rentra avec son drapeau rouge dans le bureau où Mme Josiane lui avait préparé un café au lait et deux tartines.

À la pause de midi, quand il ressortit sur l'esplanade de la gare, il aperçut le vélo de Louise sous l'abri. Il jeta un regard circulaire pour s'assurer que personne ne l'observait, s'approcha et examina le vélo. C'était un vieux vélo d'homme, banal, qui avait dû être noir dans le passé, le pignon était rouillé, la chaîne distendue, les pneus en caoutchouc dur usés, le moyeu à vitesses cassé et le carter cabossé. Il posa prudemment les mains sur les poignées en cuir passé et craquelé, il les serra fort puis approcha les paumes de son nez pour saisir une bouffée du parfum de Louise ; mais ne sentit que l'odeur du cuir et celle de ses mains à lui.

Il s'accroupit, examina le carter et s'aperçut que les grincements venaient effectivement de là. Il essaya de retordre dans le bon sens la partie cabossée, mais en vain, car derrière, le plateau bloquait. Alors il alla prendre à l'atelier deux clés à molette et un marteau, démonta la pièce et la tapa contre la paroi en bois du hangar pour l'aplatir. Puis il graissa la chaîne, revissa le carter et fit un tour d'essai sur l'esplanade de la gare.

Lorsque, après le dîner, Léon prit son vélo pour sa promenade coutumière en ville, il était en pantalon et chemise blanche, et couvert du cardigan gris que sa mère lui avait tricoté durant les nuits d'insomnie qui avaient précédé son départ. Dans les derniers feux de cette journée ensoleillée, il traversa la place de la gare et tourna dans l'allée de platanes – c'est alors qu'il aperçut, sur le côté droit de la chaussée, quelqu'un debout près du cinquième arbre.

Elle était adossée au platane, vêtue de son chemisier blanc à pois rouges et de sa jupe bleue d'écolière. Sa main gauche était posée dans le creux du coude droit, de la droite elle tenait une cigarette rougeoyante. Son sourcil droit était levé haut sur son front lisse, son sourcil gauche froncé. Était-ce à lui que s'adressait ce regard sévère ?

— Salut, Louise. Tu m'attendais ?

— Je n'attends jamais personne, et surtout pas quelqu'un comme toi.

Elle tira une bouffée sur sa cigarette.

— Tout ce que tu me voles en précieux temps de vie, reprit-elle, ce sera en moins à la fin de la tienne.

— Pour moi, ces quelques minutes le valent bien.

— Mon vélo ne grince plus.

— Je suis heureux de l'apprendre.
— Est-ce qu'on t'a demandé de réparer mon vélo ?
— Il fallait faire quelque chose. Les paysans du coin se sont plaints.
— Comment ça ?
— Tu réveillais leurs enfants pendant la sieste.
— Tiens donc !
— Et le lait tournait dans le pis des vaches.
— Et c'est pour ça que les paysans du coin sont venus demander l'aide de l'assistant télégraphiste de la gare de Saint-Luc ?
— Je ne pouvais pas refuser.
— Alors là, c'est sûr, les paysans du coin vont lui être reconnaissants, à l'assistant télégraphiste.
— Je suppose que oui.
— Et moi ?
— Quoi ?
— Moi aussi je dois être reconnaissante ?
— Non, pourquoi donc ?
— Mais maintenant c'est moi qui te dois quelque chose ?
— Tu parles, pour si peu !
— Alors qu'est-ce que tu veux en échange ? M'expliquer les constellations ?
— Je ne les connais pas.
— Me montrer ta collection de timbres ?
— Je n'ai pas de collection de timbres.
— Qu'est-ce que tu veux, alors ?
— J'ai seulement redressé le carter.
— Et maintenant tu veux me mettre la main aux fesses ?
— Non. Mais je veux bien retordre le carter.
— Ça m'irait.
— Il te manque, le grincement ?

— Il manque aux gens. Ils ne m'entendent plus arriver. Et quand ils me voient tout d'un coup, ils ont peur.

— Je vais te fixer une sonnette sur le guidon, comme ça les gens t'entendront de nouveau. Je peux faire un bout de route avec toi ?

— Non.

— Tu vas où – par ici ou par là ?

— Toi en tout cas tu vas au Commerce.

— Oui.

— Comme tous les soirs.

— Exact.

— Un vrai cheminot, sédentaire, de la tête aux pieds

— Au fait, où es-tu allée aujourd'hui par le train ?

— Ce n'est pas tes oignons. En tout cas, toi, tu vas au Commerce. Moi aussi je vais par là. Gare ton vélo ici et marche un peu avec moi.

Le lendemain soir au coucher du soleil, Louise attendait à nouveau Léon près du cinquième platane, et le surlendemain soir aussi, et de même le jour suivant. Chaque fois, il leur fallut plus d'une heure pour parcourir les quelques centaines de mètres qui les séparaient de la ville, car ils marchaient lentement, s'arrêtaient souvent, traversaient la route sans raison ou même revenaient un peu en arrière, tout cela sans cesser de parler, de bavarder de tout et de rien, de détails et de futilités – des cigares du maire, du facteur qui, disait-on, était un demi-frère naturel du maire, et puis de la gare et des connaissances de Léon en technique du télégraphe moderne, du vieux Barthélemy et de l'amour inconditionnel qu'il vouait à sa Josiane, du chien méchant attaché devant la serrurerie qui effrayait les écoliers, et des succulents éclairs au chocolat de la boulangerie ; ils parlaient de la veuve Junod qui allait rendre visite à sa sœur de Compiègne pile les jours où le curé allait aussi à Compiègne pour accomplir son devoir pastoral ; de la sablière, derrière la gare, où l'on trouvait des dents de requin fossilisées datant du miocène, de la Vierge noire de l'église et du bosquet le long de la route nationale où les cerises sauvages seraient bientôt mûres, et aussi des romans de Colette, Louise les avait tous lus, mais pas Léon.

À compter du troisième soir, Louise commença à lui raconter ses activités d'ange de la mort et Léon, lui, se taisait et regardait la cime des arbres en l'écoutant. Plus tard, il lui parla de Cherbourg, de la Manche, des îles et du voilier peint de toutes les couleurs tandis que Louise se taisait et le regardait attentivement en feignant de l'écouter.

Mais un jour qu'il voulait savoir d'où elle venait, elle l'interrompit :

— Pas de questions. Je ne te demande rien, tu ne me demandes rien.

— D'accord, répondit Léon.

Tandis qu'ils bavardaient ainsi, Léon marchait les mains dans les poches et jouant au football avec des petits cailloux. Louise fumait cigarette sur cigarette, gesticulait et marchait devant lui à reculons pour le voir et être sûre qu'il comprenait et approuvait ce qu'elle disait. Eh oui, Léon comprenait, Léon approuvait ce que disait Louise – tout simplement parce que c'était elle qui le disait. Il trouvait son rire beau parce que c'était son rire à elle, il aimait son regard qui le scrutait et l'encourageait parce que c'étaient ses yeux verts à elle qui le regardaient ainsi comme s'ils ne cessaient de lui demander : Dis-moi, c'est bien toi ? Hein, c'est vraiment toi ? Il était transporté par la mèche qui s'égarait sur le front de Louise parce que c'était sa mèche de cheveux à elle, et il ne pouvait s'empêcher de rire de sa pantomime quand elle imitait le maire allumant sa cigarette, et il riait parce que c'était sa pantomime à elle.

Dès la première promenade, ils s'étaient aperçus que les habitants de la petite ville, tapis derrière leurs rideaux, observaient chacun de leurs pas, c'est pourquoi ils se tenaient bien visiblement sur la route, parlant à voix haute et intelligible afin que quiconque le désirait puisse entendre ce dont ils discutaient. Arrivés devant le café du Commerce, chaque fois ils s'arrêtaient et prenaient congé sans un baiser ni une poignée de main.

— Au revoir, Louise.

— Au revoir, Léon.

— À demain.

— À demain.

Et elle disparaissait alors au coin de la rue tandis qu'il entrait dans le bar et commandait son verre de bordeaux.

5

Quelques semaines plus tard, Léon eut pour la première fois deux jours de congé consécutifs. S'étant réveillé de bon matin, contrairement à ses habitudes, il observa l'obscurité laisser place à une aube pâle puis aux lueurs du soleil levant. Il se lava à la fontaine qui se trouvait derrière le hangar puis alla se rallonger sur le lit et écouta les merles gazouiller et la charpente craquer en attendant qu'il soit enfin huit heures et qu'il soit temps d'aller au bureau et de boire son café au lait entouré des soins et des effusions de tendresse de Mme Josiane.

Le petit-déjeuner pris, il alla en ville à bicyclette. Durant la nuit, un orage avait ébouriffé les champs de maïs, arraché des platanes les dernières feuilles sèches de l'année précédente et rempli d'eau de pluie les canaux et caniveaux. Léon fit un tour dans la ville plongée dans la tranquillité dominicale, avec ses toits luisants, ses rues mouillées et ses bouches d'égout qui glougloutaient. Une brise d'été apportait des jardins le parfum du jasmin en fleur, et le soleil s'apprêtait à sécher tout cela avant que les habitants ne sortent de chez eux en clignant des yeux, pour se rendre à la messe.

Sur la place de la République, Léon fit halte, appuya son vélo contre la colonne Morris et s'assit sur un banc pas trop mouillé. Il n'eut pas à attendre longtemps. Quelques pigeons s'approchèrent prudemment, avec des mouvements saccadés de la tête, et s'éloignèrent à nouveau en sautillant lorsqu'il leur lança quelques miettes. Quelque part, une chatte en chaleur miaulait. Un vieil homme en robe de chambre rouge bordeaux et charentaises à carreaux marron et jaunes, une baguette coincée sous le bras, passa rapidement et disparut dans la rue entre la mairie et la Caisse d'Épargne. Un nuage obscurcit un instant le soleil puis continua sa route. Et soudain – dring dring, dring dring ! –, derrière Léon la sonnette d'une bicyclette déchira le calme matinal. Une seconde après, Louise se tenait devant lui.

— Voilà maintenant que j'ai une sonnette à mon vélo. Je te dois quelque chose ?

— Mais non.

— Je ne t'ai rien demandé. Mais merci quand même. Quand est-ce que tu as fait ça ?

— Hier soir, après le café.

— Comme par hasard, tu avais sur toi une sonnette et un tournevis !

— Et la clé carrée de la bonne taille.

Louise appuya sa bicyclette contre la colonne Morris, s'assit sur le banc à côté de Léon et alluma une cigarette.

— En voilà encore de drôles de trucs sur ton porte-bagages !

— Quatre couvertures en laine et une casserole, dit Léon. Et un sac avec du pain et du fromage.

— Tu as trouvé tout ça sur le bord de la route ?

— Je fais une excursion à la mer. Départ aujourd'hui, retour demain.

— Comme ça ?

— J'ai envie de revoir l'océan. Quatre-vingts kilomètres. En cinq heures j'y serai.

— Et ensuite ?

— Je me promène sur les falaises, je ramasse des trucs bizarres sur la plage et je me cherche un petit coin pour dormir au sec.

— Et il te faut quatre couvertures ?

— J'aurais assez de deux.

— Je t'accompagne ?

— Ce serait bien.

— Mais si je viens, tu vas vouloir me toucher.

— Non.

— Tu me prends pour une idiote ? Dès qu'un homme est seul avec une fille dans les dunes, il veut la toucher.

— C'est vrai, admit Léon, mais moi je ne le ferai pas.

— Ah bon ?

— Non. Ce qu'on veut et ce qu'on fait, ce sont deux choses différentes.

Léon se leva et s'approcha de sa bicyclette.

— Et puis n'importe comment au Tréport il n'y a pas de dunes.

— Ah bon ?

Louise se mit à rire.

— Que des falaises. Et une plage de galets. Sérieusement, je ne ferai rien. Tant que toi tu ne feras rien.

— C'est vrai ?

— Je le jure.

— Combien de temps tiens-tu tes serments, en général ?

— Ma vie entière. Sérieux.

Louise plissa le front, pointa les lèvres puis souffla de l'air par le nez.

— Attends-moi une minute. Je vais prendre mes cigarettes.

Roulant côte à côte, ils quittèrent la ville, vers l'ouest, en direction de l'océan sur la route large, droite et déserte, ils traversèrent cet amène paysage des prairies de Haute-Normandie qui de mémoire d'homme prodigua toujours si généreusement à ses habitants tout ce qui est nécessaire pour vivre. Le ciel était haut, l'horizon immense, et sur leur gauche et leur droite défilaient des champs, vert pâle en temps de guerre, où le blé poussait çà et là en touffes irrégulières comme une barbe de garçon, car ils avaient été semés par les mains de femmes et d'enfants inexpérimentés ; plus tard, le paysage se vallonna et, à l'écart des villages, on commença à apercevoir des champs en pente, qu'on ne cultivait plus depuis des années et que les bouleaux envahissaient déjà.

Louise roulait à vive allure, et Léon, reposé et plein d'énergie qu'il était, n'avait pas de mal à se maintenir à sa hauteur. Ils regardaient la route droit devant eux, leurs jambes actionnaient les pédales en mouvements ronds et réguliers. Rouler, avancer, arriver, cela absorbait toutes leurs pensées, et ils ne parlaient guère ; ils étaient heureux. De temps en temps, Léon jetait à Louise du coin de l'œil un regard qu'elle faisait mine de ne pas remarquer. À un moment, en pleine course, ils se donnèrent la main et roulèrent ainsi côte à côte, et puis Louise, par pur bonheur, actionnait à nouveau la sonnette.

À deux heures et demie, soudainement, plus tôt que prévu, ils se trouvèrent à destination. L'océan n'avait pas annoncé qu'il approchait – l'air n'était pas plus salé, le ciel pas plus vaste, la flore pas plus rare, le sol pas plus sableux ; simplement, le paysage normand de champs abondants et de prairies grasses s'était interrompu tout d'un coup pour se poursuivre cent mètres plus bas au pied des falaises crayeuses dans les flots gris de la Manche. Ils longèrent l'hôpital militaire canadien installé au-dessus des falaises dans une mer de tentes blanches, puis la rivière, qui les conduisit jusqu'au Tréport.

Le Tréport avait été jadis un village de pêcheurs. Mais depuis qu'une voie de chemin de fer reliait l'endroit à la capitale, les autochtones travaillaient principalement au service des estivants parisiens qui avaient fait construire au pied des falaises de somptueuses demeures avec vue sur la mer. Léon et Louise garèrent leurs bicyclettes quai François-Ier et se promenèrent le long du port. Ils observèrent les pêcheurs sur leur bateau qui, une cigarette refroidie à moitié fumée fichée au coin de la bouche, étaient occupés à ranger leurs filets de leurs mains noueuses, à repriser des voiles, à dérouler les cordages ou à balayer le pont, et ils scrutèrent les vacanciers qui flânaient, en bottines roses et guêtres fourbies, en costumes de marin et en jupes de lin ajourées, avec leurs panamas, leurs mèches savamment blondies et leur accent parisien dont ils faisaient étalage. Soudain, Léon sentit Louise passer son bras sous le sien ; jamais encore elle ne l'avait fait.

— Mais regarde-moi ces bouffis pomponnés avec leurs ombrelles, lança Louise. Si tu me vois un jour avec une de ces ombrelles à la noix, tue-moi.

— Non.

— C'est un ordre.

— Non.

— Je n'ai personne d'autre.

— Alors bon.

Puis ils continuèrent à cheminer en silence côte à côte comme un couple qui se connaît bien et n'a plus rien à se prouver. Tout à l'heure, quand ils étaient sur leurs bicyclettes et pédalaient, ils se sentaient encore libres et naturels, car leur destination était à venir, le présent n'était pas le principal ; désormais, il n'y avait plus ni obstacle ni échappatoire – c'était l'instant qui comptait. Mais maintenant non plus, tandis qu'ils se promenaient sur le port, il n'y avait entre eux ni précaution ni malaise ; la seule difficulté était de s'exprimer par les mots.

Pour Léon, sentir la chaleur de la main de Louise contre son bras suffisait à le combler de bonheur. C'était la première fois de sa vie qu'il marchait ainsi tout contre une fille ; n'avoir qu'à pencher légèrement la tête pour respirer le parfum de ses cheveux baignés de soleil était déjà presque plus qu'il n'en pouvait supporter.

Ils marchèrent sur la jetée pour aller jusqu'au phare marquant l'entrée du port, s'assirent sur le muret et regardèrent les allées et venues des vapeurs et des voiliers. Quand le soleil s'approcha de l'océan, ils regagnèrent la petite ville, remontèrent la rue de Paris et visitèrent l'église Saint-Jacques, emblème de la ville.

Juste à droite de l'entrée se dressait une statue de la Vierge devant laquelle ils restèrent longtemps immobiles ; c'était un plâtre de simple facture, représentant un personnage au visage plat et aux joues peintes en rouge avec des yeux noirs ronds comme des boutons. Le vêtement en velours bleu brodé d'or était recouvert de petits papiers repliés plusieurs fois et roulés. Ils étaient fixés au manteau par des épingles, mais il y en avait aussi entre les doigts et sur le voile de la Mère de Dieu, sur son auréole et sur ses pieds, et on en voyait même entre ses lèvres et dans ses oreilles, de toutes les tailles et de toutes les couleurs.

— Qu'est-ce que c'est que ces bouts de papier ? demanda Louise.

— Les femmes de marin prient la Mère de Dieu de protéger leurs maris, dit Léon. Je connais ça de chez moi. Elles dessinent leur bateau de pêche sur un papier en espérant qu'il reviendra sain et sauf grâce à la protection de la Sainte Vierge. D'autres placent une boucle de leur enfant phtisique en implorant la guérison. Ces derniers temps, il y avait aussi des photos de soldats.

— On en regarde quelques-uns ?

— Ça porte malheur ! Le bateau coule. L'enfant meurt. Le soldat est déchiqueté par une grenade. Et le seul fait de toucher un de ces papiers fait pourrir et tomber les doigts.

— Alors non. On y va ?

— Une minute.

Léon sortit de sa poche portefeuille son calepin et un crayon.

— Tu gribouilles un papier, dit Louise en riant. Comme une femme de marin ?

Léon arracha la page du calepin et la roula pour former un petit tube qu'il plaça sous l'aisselle droite de la Vierge.

— Allons-y, c'est bientôt la marée basse. Je vais nous ramasser des coquillages dans les rochers pour le dîner.

Dans une épicerie de la rue de Paris, Léon acheta deux baguettes, des carottes, de l'ail, des oignons, du thym et une bouteille de muscadet, puis ils allèrent reprendre leurs bicyclettes et, marchant à côté, ils descendirent au soleil couchant jusqu'au casino ; de là, par une large passerelle en planches de chêne posée sur la plage de graviers, on rejoignait les abris de plage aux murs chaulés. Au-delà se dressaient fièrement les villas avec leurs vérandas circulaires et leurs rideaux blancs qui se gonflaient, retombaient, se regonflaient, légèrement et sans bruit, comme s'ils respiraient.

Depuis le phare, Léon avait remarqué que des morceaux de bois ramenés par le ressac s'étaient pris dans les rochers qui fermaient la plage au sud, loin derrière les villas. Léon voulait s'en servir pour un feu. La fraîcheur était venue, les derniers baigneurs étaient rentrés chez eux pour se laver du sel marin et se faire beaux pour le dîner. Au pied des falaises de calcaire, entre deux énormes blocs de pierre, Léon et Louise trouvèrent un coin sec à l'abri du vent. Ils le débarrassèrent des galets jusqu'à trouver le sable, puis ils étalèrent une couverture et Léon fit un feu d'algues sèches et de bois flotté. Louise, pendant ce temps, assise sur la couverture, les bras passés autour des genoux, regardait le jeu orange et violet des vagues de l'océan comme la plus captivante des féeries.

— Allons chercher des moules, dit Léon en retroussant son pantalon au-dessus des genoux et en prenant la casserole sur le porte-bagages. Il devrait y en avoir là-bas, dans les rochers, là où on voit les mouettes qui picorent dans les flaques. Les touristes ne vont jamais en chercher, ils préfèrent les acheter au magasin. Il y a sûrement aussi des crevettes, mais sans filet, impossible de les attraper.

Les mouettes lancèrent un cri contrarié et, déployant les ailes à contrecœur, elles s'éloignèrent en sautillant avant de s'élever de deux ou trois battements d'ailes, se laissèrent porter par le vent ascendant et remontèrent le long de la paroi rocheuse jusqu'aux vertes prairies avant de repiquer vers les profondeurs, leur bec pointu et menaçant dirigé vers le bas, et, juste avant d'atteindre le sol, elles reprirent leur vol plané avant de remonter d'un coup d'ailes.

Les laisses de mer abondaient en moules, la casserole fut bientôt remplie. Léon sortit deux couteaux de sa poche et montra à Louise comment gratter les moules pour les débarrasser des algues et des barbes. Puis ils rejoignirent leur emplacement entre les blocs de pierre. Il se laissa tomber sur la couverture de laine avec un soupir d'aise ; la journée était parfaite, son bonheur était à son comble. Louise, elle, était restée debout, elle allait et venait d'un air indécis en s'allumant une cigarette.

— Viens, mets-toi à ton aise. Je ne te ferai rien.

— C'est plutôt à toi de t'estimer content que je ne te fasse rien.

— Tu as froid ?

— Non.

— Tu veux faire quelque chose avant qu'il fasse nuit ? Nous allons nous promener jusqu'en haut des falaises ?

— J'ai faim.

— Je me mets à la cuisine.

— Il faut encore acheter quelque chose ?

— Nous avons tout ce qu'il faut, dit Léon. Je n'ai plus qu'à couper les carottes, les oignons et l'ail et à faire cuire le tout quelques minutes.

— Veux-tu que j'aille chercher un dessert ? Deux éclairs au chocolat ?

— Il est neuf heures et demie. Ça m'étonnerait bien que tu trouves la pâtisserie encore ouverte.

— J'essaie.

Une demi-heure plus tard, Louise était de retour. Entre-temps, la terre s'était tournée vers l'obscurité. Les premières étoiles brillaient au ciel, la lune n'était pas encore levée. Quelques nuages noirs flottaient si bas au-dessus de la baie que le signal du phare les effleurait.

Léon ôta la casserole du feu. Il entendit, dans son dos, les graviers crisser sous les pas de Louise. Il ne se retourna pas vers elle.

— Le dîner est prêt. Tu as les éclairs ?

Elle ne répondit pas.

Léon touillait dans la casserole, dont il retira un peu de varech et une valve vide. Le bruit des pas de Louise ralentit et cessa. Il la sentit alors qui approchait par-derrière, et elle lui posa les mains sur les épaules. Ses cheveux frôlèrent la nuque de Léon, son souffle caressa son oreille droite.

— Tu m'as bien eue.

Sa main droite, quittant l'épaule de Léon, glissa sous son aisselle et lui pinça le nez.

— Tu as manigancé ça exprès et tu m'as menée par le bout du nez, comme un ours de cirque.

— Tu vas avoir les doigts qui vont pourrir et tomber, cette nuit.

— C'est vrai, ce que tu as écrit sur le papier ?

— Tout à fait. À jamais. Pour l'éternité.

Léon dégagea son nez, se retourna et la regarda dans les yeux, ces yeux verts qui brillaient à l'éclat du feu. Et ils se donnèrent un baiser.

6

Léon ne pouvait pas savoir que, au moment même où la corne de brume d'un paquebot le tirait du sommeil, un demi-million de soldats allemands exténués laçaient leurs bottes ; s'il l'avait su, peut-être serait-il resté calmement au côté de Louise et n'aurait-il pas bougé de la plage, et tout se serait passé autrement. L'air était frais et humide, le ciel blême et vaporeux. La marée était montée puis redescendue, les galets mouillés luisaient ; les peluches de la couverture en laine étaient perlées de rosée. Au loin, les espars d'un navire coulé pointaient hors de l'eau.

Léon leva les yeux vers les falaises crayeuses où nichaient les mouettes, le bec bien au chaud dans leur plumage, et il regarda, plus haut encore, l'arête bordée d'herbe au-dessus de laquelle le vent poussait des nuages d'un gris de plomb. D'ici à ce que le soleil se montre à cet endroit, vers midi, la plage, en bas, resterait fraîche et humide. À force de regarder vers le ciel, Léon eut la sensation de plus en plus nette que ce n'étaient pas les nuages qui passaient au-dessus de lui, mais lui-même qui, avec la plage et les falaises, avançait en dessous des nuages.

Appuyé sur les coudes, Léon contempla la fine silhouette de Louise qui, sous la couverture, se soulevait et retombait au rythme du ressac. Ses mèches noires en bataille ressemblaient au pelage d'un chat. Il s'écarta et se leva pour chercher du bois et faire repartir le feu. Quand les flammes jaillirent, il marcha sur la plage le long de l'eau, cherchant des objets que la mer aurait ramenés sur la grève durant la nuit. À l'extrémité est de la plage, il trouva une bouée rouge et blanc, et au retour, une planche de deux mètres de long et quatre coquilles Saint-Jacques. Il plaça tout cela près du feu. Comme Louise dormait encore, il redescendit jusqu'à la mer et se déshabilla, ne gardant que son caleçon.

L'eau était fraîche. Il pataugea pour s'éloigner du rivage, plongea sous un paquet de mer et nagea un peu. Il sentait sur les lèvres le goût du sel et le picotement familier dans les yeux, il se retourna sur le dos pour s'abandonner au doux balancement des vagues, laissant ses oreilles descendre sous l'eau – tandis qu'au même instant, au Chemin des Dames, pour la première fois depuis des mois l'odeur douceâtre de banane dégagée par le phosgène recommençait à serpenter dans les tranchées, à pénétrer dans les alvéoles pulmonaires des soldats où il se métamorphosait en acide chlorhydrique, faisant littéralement vomir leurs poumons à des dizaines de milliers de jeunes hommes et poussant les survivants, si tant est que l'artillerie ne les ait pas déchiquetés, à fuir, aveuglés, les yeux écarquillés et retournés par l'effroi, en direction de Paris tandis que leur peau empoisonnée et brûlée se détachait en lambeaux de leurs visages et de leurs mains.

Léon se balançait au gré des vagues, il savourait l'apesanteur et regardait le ciel encore assombri par les nuages. Au bout d'un moment, il entendit un sifflement – c'était Louise, elle s'était redressée et lui faisait signe. Il se laissa porter jusqu'à la plage par la vague suivante, passa sa chemise et son pantalon sur son corps mouillé et alla s'asseoir près du feu. Louise coupa le pain de la veille en tranches et les fit griller au-dessus des braises.

— Tu as un peu ronflé cette nuit, dit-elle.

— Et toi, tu as chuchoté mon nom dans ton sommeil, dit-il.

— Tu ne sais pas mentir, dit-elle. Bon, un café, ce serait bien.

— Il commence à pleuvoir.

— Ce n'est pas de la pluie, répondit-elle. Seulement un nuage qui vole trop bas.

— Si nous restons ici, ce nuage va nous mouiller.

Louise enroula les couvertures tandis que Léon nettoyait la casserole, puis ils poussèrent leurs bicyclettes jusqu'en ville. Un bistrot du port était déjà ouvert, le café du Commerce, comme le café habituel de Léon. Au comptoir, quatre hommes pas rasés et en costumes de lin fripés sirotaient leur café en faisant bien attention à ne pas se regarder. Léon et Louise prirent place à une table près de la fenêtre et commandèrent des cafés au lait.

— Oh, nous voilà en mauvaise compagnie !

De son croissant entamé, Louise désignait le comptoir.

— Regarde-moi ces crétins.

— Les crétins peuvent t'entendre.

— Ça ne fait rien. Plus nous parlerons fort, moins ils croiront que c'est d'eux qu'il s'agit. Des crétins de Parisiens typiques. Des petits crétins parisiens premier choix, tous les quatre.

— Tu t'y connais ?

— Celui avec les lunettes de soleil bleues, qui se cache derrière son chapeau, il se croit aussi célèbre que

Caruso ou Zola, mais en vrai il s'appelle Fournier ou quelque chose comme ça. Et celui avec la moustache qui lit les cours de la Bourse d'un air soucieux, sous prétexte qu'il possède trois actions des chemins de fer, il se prend pour Rockefeller.

— Et les deux autres ?

— Eux, ce sont simplement des crétins de crâneurs qui ne saluent personne et n'adressent la parole à personne pour qu'on ne s'aperçoive pas qu'ils sont des raseurs.

— Ça peut arriver qu'on s'ennuie, rétorqua Léon. Moi aussi je m'ennuie parfois. Pas toi ?

— C'est autre chose. Si nous nous ennuyons, toi ou moi, c'est en espérant que ça changera à un moment ou un autre. Mais ceux-là, ils s'ennuient parce qu'ils souhaitent que tout reste toujours tel quel.

— Tu sais, pour moi, ces quatre-là ont un air de pères de famille on ne peut plus normaux. Ils se sont glissés hors de chez eux sous prétexte d'aller à la boulangerie et ils s'accordent un petit quart d'heure de tranquillité avant de retourner dans leurs villas auprès de leurs épouses pas commodes et de leurs bambins qui les épuisent.

— Tu crois ?

— Celui avec les lunettes bleues, il s'est disputé toute la nuit avec sa femme parce qu'elle ne l'aime plus et surtout parce que lui, il ne veut pas le savoir. Et celui avec le journal, il redoute les après-midi interminables sur la plage où il est obligé de jouer avec ses enfants alors qu'il n'a aucune idée de comment s'y prendre.

— Alors on va au bistrot des pêcheurs ? demanda Louise.

— Nous ne sommes pas des pêcheurs.

— Ça ne fait rien.

— Pour nous oui, mais pas pour les pêcheurs. Ils vont nous prendre pour des crétins de Parisiens. Rien que parce que nous ne sommes pas des pêcheurs.

Léon écarta le voilage et regarda par la fenêtre.

— Le nuage de pluie est passé.

— Alors allons-y, dit Louise. Rentrons à la maison, Léon. Nous l'avons vue, la mer.

Pénétrés de soleil, de vent et d'averses, remplis d'air frais de l'océan, après une courte nuit Léon et Louise prirent le chemin du retour. Il les mena sur les routes, les collines et les villages qu'ils avaient vus la veille ; ils burent de l'eau à la fontaine du même village et achetèrent du pain à la même boulangerie. Leurs bicyclettes roulaient avec un murmure familier, et bientôt le soleil aussi se montra – tout était exactement comme la veille, sauf que tout paraissait désormais enchanté. Le ciel était plus vaste, l'air plus frais, l'avenir radieux, et Léon avait l'impression que, pour la première fois de sa vie, il était vraiment éveillé, qu'il était venu au monde dans un état de fatigue et que, jusque-là, sa vie s'était traînée avec lassitude d'une journée à l'autre pour arriver précisément à cette fin de semaine où il était enfin sorti de sa torpeur. Il y avait eu une vie avant Le Tréport, il y en avait une après Le Tréport.

À midi, ils mangèrent une soupe dans une auberge de campagne, puis se reposèrent dans une grange à foin sur le bord de la route – et tandis que tout ce qui s'est produit jusqu'ici est pure légende, c'est à ce midi-là, alors qu'ils dormaient dans le foin, que commence le récit qu'aimait nous faire mon grand-père des décennies plus tard, le récit de cette première et unique fois où il avait été pris dans la Grande Guerre en cette fin du mois de mai 1918. Son histoire, il la racontait toujours avec une réserve charmante ; il avait beau la répéter, il restait fidèle aux détails, et l'on pouvait le croire entièrement si l'on excepte une petite tromperie dont aucun membre de la famille n'était dupe, tromperie selon laquelle, pour des raisons de pudeur, il n'y avait pas de Louise dans le récit de mon grand-père, mais un camarade de travail prénommé Louis.

Et ainsi, alors que Léon et Louise – ou bien Louis, si l'on veut – se réveillèrent après avoir dormi une heure dans le foin, ils entendirent à travers le toit en tuiles un grondement lointain qu'ils prirent pour un orage. Ils descendirent à toute vitesse, poussèrent leurs bicyclettes à l'air libre et se mirent en route, les cheveux et vêtements encore pleins de paille, pour devancer le plus possible l'orage qui approchait et y échapper avant d'arriver à Saint-Luc.

Or ce tonnerre n'était en rien un phénomène atmosphérique. Il s'agissait des tirs de l'artillerie allemande. Peu à peu, le grondement se changea en détonations, puis l'air fut déchiré par des sifflements, des chuintements et des gémissements, et les premières colonnes de fumée apparurent derrière un bosquet. Pris de panique, Léon et Louise s'enfuirent sur la route tandis que derrière eux, devant eux et sur les côtés des colonnes de fumée s'élevaient, et voilà qu'ils longeaient déjà un cratère fumant qu'une bombe venait de creuser et sur le bord duquel un pommier arraché pointait ses racines vers le ciel. Une fumée âcre flottait dans l'air, les points cardinaux avaient disparu, on ne pouvait plus songer à revenir en arrière, à battre en retraite : le danger semblait venir de partout et de nulle part.

Plus vite, toujours plus vite, ils traversaient ce paysage en pleine explosion, Louise devant et Léon dans son sillage, et quand la distance qui les séparait augmentait et qu'elle se retournait avec un regard interrogateur, il lui faisait signe : Va, avance !, à un moment elle hésita et sembla l'attendre, alors, furieux, il lui cria : "Mais vas-y donc, bon sang !", sur quoi elle monta en danseuse et s'éloigna à toute vitesse.

Louise venait de disparaître derrière une colline lorsque, juste à cet endroit, un nuage d'explosion s'éleva. Léon poussa un cri et prit d'assaut la colline. Arrivé au sommet, la route explosa devant lui à un jet de pierre. Des gravats furent projetés plus haut que les arbres et une paroi de poussière brune se dressa. Surgit alors un avion de combat qui pilonna la route avant de rebrousser chemin tandis que Léon, atteint par deux balles dans le ventre, se précipita à l'aveuglette dans le cratère, où il perdit une molaire, ses esprits et quantité de sang dans les heures qui suivirent.

7

Le 17 septembre 1928 à cinq heures trente de l'après-midi, quand Léon Le Gall, comme à son habitude, accrocha son tablier de laboratoire dans la penderie, en sortit chapeau et manteau et se mit en route pour rentrer chez lui, il ignorait encore que sa vie prendrait un tour décisif quelques minutes plus tard. Comme il l'avait déjà fait mille fois, il longea la Seine sur le quai des Orfèvres en regardant machinalement, sans s'arrêter, les boîtes des bouquinistes, puis il traversa le pont pour gagner la rive gauche puis la place Saint-Michel.

Cette fois pourtant, exceptionnellement, il ne remonta pas le boulevard pour gagner le Quartier latin, il ne tourna pas dans la rue des Écoles où, au numéro 14, juste en face du Collège de France et de l'École polytechnique, il habitait au quatrième étage avec sa femme Yvonne et son fils de quatre ans Michel un appartement clair et neuf de trois pièces avec parquet et moulures au plafond – non, cette fois, déviant du chemin habituel pour rentrer chez lui, il s'engouffra dans la bouche de métro place Saint-Michel et alla deux stations plus loin en direction de Porte-d'Orléans acheter une charlotte aux fraises dans la pâtisserie préférée d'Yvonne. C'était l'heure où fermaient les banques, les bureaux et les grands magasins de la capitale, les rues et le métro étaient peuplés de milliers d'hommes se ressemblant comme des gouttes d'eau, tous vêtus de leur costume noir ou gris, leur chemise blanche et leur cravate discrète ; quelques-uns portaient un chapeau, la plupart la moustache, certains avaient une canne, beaucoup des guêtres, chacun marchait sur son sentier battu, de la table bien à lui de son bureau à la table bien à lui de sa cuisine, à laquelle après son souper bien à lui il tomberait d'abord dans son fauteuil à oreillettes bien à lui et ensuite dans son lit bien à lui où, avec un peu de chance, son épouse bien à lui lui tiendrait chaud toute la nuit avant que, une fois rasé de bon matin, il ne prenne son café dans sa tasse bien à lui et ne se remette en route pour retrouver la table bien à lui de son bureau.

Léon avait renoncé depuis longtemps à s'étonner de la banale absurdité de ces grandes migrations quotidiennes. Les premières années, après avoir succombé un temps à l'attraction de la capitale, il avait connu le mal du pays, il supportait difficilement les aboiements des citadins, le narcissisme agressif des Parisiens, le vacarme des voitures et la puanteur du chauffage au charbon, et jour après jour il s'étonnait de faire lui-même partie de ces hordes qui couraient constamment sur les trottoirs en exhibant leurs costumes neufs, en jouant des coudes ou en rasant les murs, pour certains cela ne durait que quelques mois, pour d'autres trente ou quarante ans au maximum, certains étaient convaincus que le monde n'attendait qu'eux, d'autres espéraient que le monde finirait bien par remarquer un jour leur présence, d'autres possédaient l'amer savoir que le monde, depuis qu'il existe, n'a jamais attendu personne.

À cette époque, Léon se sentait à l'écart du monde, reclus dans ses pensées, et c'était toujours pour lui une énigme que de voir tous les autres hommes avaler goulûment leur soupe et faire montre d'ambition dans des métiers absurdes, raconter des blagues idiotes et courtiser des fausses blondes sans se sentir à l'écart du monde ou reclus. Et puis son fils Michel avait vu le jour et, aussitôt, il lui avait fait bruyamment comprendre que dans la vie, il va de soi qu'il faut manger à sa faim, ce pourquoi une certaine dose d'ambition dans des métiers absurdes n'est pas a priori dépourvue de sens, et que cet effort est plus facilement supportable si on raconte de temps en temps des blagues idiotes et si on courtise des fausses blondes ; qui plus est, la paternité entraîna tant de devoirs domestiques que Léon n'eut tout bonnement plus le loisir de se sentir à l'écart du monde ni reclus dans ses pensées ; c'est pourquoi, assez vite, un nombre considérable de ses interrogations philosophiques se firent sensiblement moins pressantes.

Au lieu de cela, il apprit à aimer la tendresse d'un sourire dépourvu d'intentions ainsi que la délicieuse rareté d'une nuit de sommeil en continu et, après la première promenade printanière avec femme, enfant et landau dans le cocon ensoleillé du Jardin des plantes, il s'était même suffisamment réconcilié avec la vie dans la grande ville pour ne plus éprouver que très rarement la nostalgie de la plage de Cherbourg et ne désirer que dans des instants tranquilles remettre à flot le vieux voilier avec ses copains Patrice et Joël et parcourir la Manche avec eux.

Cependant, il continuait à penser tous les jours à Louise. Léon avait maintenant vingt-huit ans ; dix ans auparavant, il s'était retrouvé dans un cratère de bombe à mi-chemin entre Le Tréport et Saint-Luc. Jamais il n'avait pu savoir combien de temps il y était resté, trempé et dégoulinant après des heures de pluie, couvert de décombres, de boue et de son propre sang, tantôt s'évanouissant de douleur, tantôt tenu éveillé par cette même douleur, avant qu'au crépuscule, venant de l'est, un camion beige avec une croix rouge sur fond blanc s'approche en cahotant et s'arrête au bord du cratère. Deux infirmiers parlant un français bizarre, qui se révélèrent être canadiens, sortirent Léon de la boue en le soulevant avec des gestes exercés, lui posèrent une compresse sur le ventre et l'étendirent sur la benne entre une douzaine d'autres soldats blessés.

— Attendez, s'écria Léon en attrapant l'un des infirmiers par la manche. Il y a quelqu'un d'autre là-bas devant.

— Où donc ? demanda le soldat.

— Sur la route. Derrière la colline.

— Nous en venons. Il n'y a personne.

— Une fille.

Léon haletait, il avait du mal à parler.

— Ah oui ! Blonde ou brune ? Moi j'aime les rousses. C'est une rousse ?

— Avec un vélo.

— Elle a de jolies jambes ? Et les nichons ? Ils sont comment ses nichons, hein, camarade ? J'aime bien les nichons blancs et laiteux des rousses. Surtout quand les tétons louchent vers les côtés.

— Elle s'appelle Louise.

— Elle s'appelle comment, tu dis ? Parle plus fort, camarade. Je ne te comprends pas.

— Louise.

— Écoute, il n'y a pas de Louise là-bas, j'aurais remarqué. Je suis sûr que je l'aurais remarquée, une

Louise, bon sang, ça tu peux me croire. Avec des jolis nichons comme ça !

— Pas de vélo non plus ?

— Quel vélo ? Le tien ? Celui-là ? Il est fichu, camarade.

— La fille roulait à vélo.

— Louise la rousse ? Celle avec les nichons qui louchent ?

Léon ferma les yeux et acquiesça de la tête.

— Là-bas derrière la colline ? Désolé, il n'y a rien. Pas de nichons, pas de vélo.

— S'il vous plaît, dit Léon dans un souffle.

— Mais puisque je te le dis !

— Je vous en prie.

— Nom d'un chien. Mais bon, je vais retourner voir.

L'infirmier fit un signe au conducteur et retourna à pied de l'autre côté de la colline. Cinq minutes après, il était de retour.

— Je te l'ai déjà dit, il n'y a rien.

— Vraiment rien ?

— Une bicyclette cassée.

Le soldat se mit à rire et ouvrit la porte du passager.

— Mais pas de nichons ni de chatte. Hélas.

Sur ces entrefaites, le véhicule, qui semblait n'avoir plus ni suspensions ni embrayage, parcourut un trajet interminable pour retourner précisément à l'hôpital militaire canadien du Tréport. Les deux infirmiers transportèrent leurs treize marchandises humaines l'une après l'autre aux urgences, et peu après, sous la tente où l'on opérait, Léon fut placé sous gaz hilarant par un médecin taciturne et barbouillé de sang qui, après un coup de scalpel rapide et généreux, lui retira deux balles de mitraillette du corps puis lui sutura le ventre tout aussi vite et généreusement. Il devait apprendre par la suite que l'un des projectiles s'était fiché dans le poumon droit et que l'autre lui avait percé deux trous dans la paroi gastrique et avait été arrêté par la partie gauche de l'os iliaque.

Comme Léon avait perdu beaucoup de sang et que la cicatrice de l'opération avait trente centimètres de long, il dut rester plusieurs semaines à l'infirmerie. Lorsqu'il se réveilla de l'anesthésie, la première chose qu'il vit fut le visage rond, souriant et couvert de taches de rousseur d'une infirmière qui regardait sa montre, le front plissé, en lui pressant le poignet du bout des doigts et en bougeant les lèvres silencieusement.

— Pardon, mademoiselle. Est-ce qu'une jeune fille a été admise ici ?

— Une jeune fille ?

— Louise ? Yeux verts, cheveux noirs courts ?

L'infirmière éclata de rire, secoua ses boucles et appela un médecin. Comme ce dernier aussi secouait la tête, Léon passa la journée à interroger l'ensemble des infirmières, infirmiers, médecins et patients qui défilaient près de son lit, et comme tous se mettaient à rire et que nul ne pouvait le renseigner, le soir même il écrivit trois lettres adressées à Saint-Luc : l'une au maire, l'autre au chef de gare Barthélemy et la troisième au patron du café du Commerce. Et dès le lendemain, même s'il savait bien que la poste militaire travaillait lentement et qu'il ne pouvait pas compter recevoir une réponse avant des semaines ou des mois, il fit demander à l'administration de l'hôpital s'il y avait du courrier pour lui.

Trois semaines après l'opération, il put se lever seul pour la première fois ; et encore trois semaines plus tard, il fit ses premières promenades, le souffle court, jusqu'aux falaises. Il se rendit jusqu'à l'arête de la falaise avec, cent mètres plus bas à pic, la plage, il s'assit dans l'herbe à l'extrémité ouest et regarda les bancs noirs de moules, les restes du foyer et le petit endroit sableux entre les rochers où il avait passé une nuit avec Louise.

Cela remontait à quarante-deux jours, pas plus. La mer avait le même aspect pâteux et gris de plomb, le vent poussait les mêmes nuages de pluie au-dessus de la Manche, les mouettes jouaient exactement de la même façon avec le vent ascendant et le monde semblait n'être nullement perturbé par les horreurs qui s'étaient produites sur la terre ferme pendant ce temps ; demain aussi, après-demain aussi, les mouettes se laisseraient porter par le vent et elles continueraient à le faire quand bien même, au-delà des falaises, dans le Nord de la France, quelques centaines de milliers d'hommes ou même les peuples entiers de cette terre se rassembleraient pour se trucider mutuellement par milliards dans une ivresse sanguinaire qui serait vraiment la der des ders, et les mouettes ne cesseraient pas de pondre et de couver leurs œufs si un ultime flot de sang humain venait se déverser par-dessus cette falaise pour se répandre dans la mer – les mouettes continueraient éternellement à jouer avec le vent, simplement parce qu'elles étaient des mouettes et que, dans leurs existences de mouettes, elles n'avaient aucune raison de batailler contre les bêtises des hommes, des baleines à bosse et des musaraignes.

Léon, en tant que civil, n'était autorisé à utiliser le téléphone de service de l'hôpital sous aucun prétexte ; aussi se traîna-t-il trois jours plus tard, malgré l'interdiction expresse du médecin-chef, sur les quatre cents marches conduisant en ville où, une fois arrivé au bureau de poste, il demanda qu'on lui établisse une communication pour la mairie de Saint-Luc-sur-Oise ; comme personne ne décrochait, il appela la gare.

Après force grésillements et craquements et grâce à l'intercession de trois standardistes, ce fut finalement Mme Josiane qui décrocha, et Léon dut répéter son nom plusieurs fois avant qu'elle ne comprenne qui était à l'appareil. Elle entonna alors un chant de jubilation mêlé de pleurnichements, l'appela son ange chéri et voulut savoir où, au nom du ciel, il s'était caché tout ce temps, mais cela sans le laisser placer un mot et en lui intimant l'ordre de rentrer sur-le-champ, car tout le monde se faisait du souci pour lui, alors qu'à vrai dire on ne se faisait déjà plus de souci du tout, il devait bien le comprendre, car cinq semaines après avoir disparu sans laisser de trace ni donner de signe de vie, on était parti du fait que lui et la petite Louise, avec laquelle on l'avait bien vu quitter la ville, que lui, donc, ainsi que la pauvre petite Louise, dans la dernière offensive allemande fin mai, l'ultime offensive après quatre ans de guerre, tout de même, ce n'était pas de chance, car désormais c'était sûr, on les ferait retraverser le Rhin à coups de trique, aux Boches, c'était la vengeance pour mille huit cent soixante-dix, soixante et onze, l'issue de la guerre était claire, c'était pratiquement fini depuis que les Américains avec leurs chars et leurs soldats noirs...

— Et Louise ? demanda Léon.

Dans la bourgade, tout le monde avait supposé que Léon avait été pris dans l'offensive allemande du 30 mai et d'ailleurs, pour cette raison, et elle ne disait pas ça de gaieté de cœur, il avait bien fallu pourvoir son poste d'assistant télégraphiste, sûrement qu'il comprenait, le travail n'avait pas pu attendre, mais cela ne devait pas l'empêcher de rentrer tout de suite à la maison, Mme Josiane lui trouverait de la soupe et un endroit pour dormir, et pour le reste on s'arrangerait.

— Et Louise ? redemanda Léon.

— Merde, soupira Mme Josiane avec une désinvolture inhabituelle dans le choix du vocabulaire en étirant les voyelles comme si elle pouvait ainsi différer la réponse inéluctable.

— Et Louise ?

— Écoute, trésor, la petite Louise a trouvé la mort dans un bombardement.

— Non.

— Si.

— Merde.

— Oui.

— Où ?

— Je ne sais pas, mon chéri, personne ne sait. On a retrouvé son sac et sa carte d'identité sur la route entre Abbeville et Amiens. Aucune idée de ce qu'elle allait faire là-bas. Les gens disent que le sac était vide, mis à part une bouée et quatre coquilles Saint-Jacques, et qu'il y avait des taches de sang sur la carte d'identité. Je ne sais pas si c'est vrai, mon ange, tu sais bien comment sont les gens, on parle, on parle...

— Et le vélo ? demanda Léon en se repentant aussitôt de cette question inepte.

Mme Josiane elle aussi resta coite, puis continua doucement et avec tact.

— Nous sommes tous très tristes ici, mon petit Léon, tout le monde à Saint-Luc aimait beaucoup Louise. C'était une sainte, oui, tout à fait. Léon, tu es toujours là ?

— Oui.

— Alors tu vas rentrer à la maison, prunelle de mes yeux, d'accord ? Et tâche d'être là pour le dîner, j'ai fait de la ratatouille.

Et Léon arriva en effet à la gare de Saint-Luc à temps pour le dîner. Il laissa Mme Josiane l'embrasser, le nourrir et le couvrir de petits noms, puis elle l'habilla de vêtements propres et le gronda d'être pâle et maigre comme la mort. Le chef de gare Barthélemy, quant à lui, lorsque Josiane fut à la cuisine en train de faire la vaisselle, voulut voir les cicatrices toutes neuves de Léon et être informé en détail sur l'avion de combat allemand, sur le cratère de bombe qui avait coupé la route et sur la longueur de la jupe de l'uniforme que portaient les infirmières canadiennes.

Mais comme pas plus lui que Josiane ne pouvaient lui dire quoi que ce fût sur Louise, Léon s'excusa après le café et fit une promenade sur l'allée de platanes pour aller au café du Commerce interroger les palabreurs. Quand il entra dans le bistrot, ils lui firent fête comme s'il ressuscitait d'entre les morts, se mirent à parler et à brailler à tort et à travers en commandant des tournées de Pernod que plus personne ne voulut ensuite payer ; mais quand Léon amena la conversation sur Louise, ils devinrent laconiques, regardèrent ailleurs et s'occupèrent de leurs cigarettes et de leur tabac à pipe.

Le maire non plus, qu'il alla trouver le lendemain matin à l'hôtel de ville, ne put le renseigner.

— Je parle au nom de la ville entière et du ministère de la Guerre lorsque je te dis que nous sommes profondément affligés par le décès de la petite Louise, déclara-t-il sur son habituel ton officiel tout en lissant des deux mains comme une ménagère une nappe invisible qui aurait recouvert son bureau. Cette valeureuse jeune fille a beaucoup fait pour la patrie et pour les proches de nos héros de la guerre.

— Certainement, monsieur le maire, répondit Léon, qui n'en pouvait déjà plus des allures pompeuses que prenait le vieux, dont il remarquait pour la première fois qu'il avait un cou de dindon et un nez traversé de veines bleues comme son homologue de Cherbourg. Mais sait-on avec certitude…

— Hélas oui, mon fils, lui dit le maire auquel l'intérêt porté par le garçon à sa petite Louise semblait déplacé. Les faits sont là, tout doute est exclu.

— A-t-on… retrouvé son corps ?

Le maire s'effondra dans son fauteuil et souffla bruyamment, en partie à cause du regret que lui inspiraient les seins rondelets de la petite Louise, en partie parce qu'il était contrarié par l'entêtement de ce jouvenceau et jaloux de devoir partager ses tendres souvenirs avec lui.

— Ne te rebelle pas contre le destin, mon petit.

— A-t-on retrouvé son corps, monsieur le maire ?

— Nous-mêmes, jusqu'au bout, nous avons espéré…

— A-t-on retrouvé le corps de Louise, monsieur le maire ?

— Je n'ose pas supposer que tu mettes ma parole en doute, répliqua le maire avec une vivacité involontaire.

Et, pour faire taire le jeune homme et le battre une fois pour toutes, il lui expliqua, pris d'une inspiration subite, qu'on avait ramassé ce qui se trouvait de la petite Louise disséminé dans un large rayon autour de son sac et que, selon une information du ministère de la Guerre, on avait enseveli ses restes dans une fosse commune.

— Je vous remercie, monsieur le maire, murmura Léon.

Toute couleur avait disparu de son visage, et sa silhouette jusque-là tendue, prête à bondir, s'était affaissée.

— Et sait-on où la tombe se…

— Hélas non, dit le maire, pris soudain de pitié pour le jeune homme et déjà honteux de son triomphe infâme.

Il avait beau estimer qu'il n'avait pas menti, mais s'était contenté de donner pour un fait avéré une supposition confinant à la certitude, il était tout de même au fond de lui un homme sincère et il aurait donné beaucoup pour pouvoir reprendre les mots qui lui avaient échappé. Aussi tenta-t-il de sauver ce qui pouvait l'être.

— Dans la guerre, tout est sens dessus dessous, tu comprends ? Je dis toujours : gardons la tête haute. Oublions le passé, regardons vers l'avant, la vie doit continuer. Quels sont tes projets, où iras-tu ?

Léon ne répondit pas.

— Malheureusement, on a dû te remplacer à la gare, tu le comprendras. As-tu besoin de quelque chose d'autre, puis-je te venir en aide ?

Léon se leva et boutonna sa veste.

— Voyons un peu. J'ai reçu au courrier d'aujourd'hui la nouvelle liste d'offres d'emploi du ministère de la Guerre. Dis-moi, qu'est-ce que tu sais faire ?

Il se trouva que la police judiciaire du Quai des Orfèvres à Paris cherchait de manière urgente un spécialiste du télégraphe digne de confiance et possédant plusieurs années d'expérience du morse. Le poste était à pourvoir immédiatement. Le maire saisit son téléphone, et le lendemain matin, Léon prit le train de huit heures sept pour Paris.

8

Depuis ce jour-là, dix ans s'étaient écoulés. Léon, à vingt-huit ans, était toujours un jeune homme. Ses cheveux n'étaient peut-être plus aussi épais qu'autrefois, mais sa silhouette était légère et juvénile, et même quand il n'était pas pressé, il gravissait les marches des stations de métro deux par deux, parfois même trois par trois.

Après avoir mis la monnaie dans la coupe en laiton, il prit son ticket, passa devant le portillon automatique et descendit l'escalier jusqu'au tunnel carrelé en blanc. C'était l'heure à laquelle sa femme Yvonne, qui trente-trois ans plus tard deviendrait ma grand-mère, préparait le dîner et où son aîné, mon futur oncle Michel, jouait avec sa locomotive en fer-blanc dans le trapèze doré que le soleil dessinait sur le parquet du salon. Imaginant comme la charlotte aux fraises leur ferait plaisir, Léon s'abandonna à l'espoir d'une soirée tranquille.

Les semaines précédentes, rares avaient été les heures paisibles. Guère un soir sans un drame domestique s'abattant sur les époux sans raison manifeste, contre leur volonté et pour une raison futile ; quant aux week-ends, ils n'étaient qu'une succession d'instants malheureux vaillamment dissimulés, de jovialité excessive et feinte et de soudaines crises de sanglots. Tandis que le métro arrivait, Léon se remémora le drame de la veille. Il avait débuté après qu'il eut mis le petit au lit et lui ait, comme chaque soir, raconté une histoire pour qu'il s'endorme. Quand il était revenu au salon et avait pris dans l'armoire la boîte avec les pièces de l'horloge murale Napoléon III, une espèce de squelette rouillé qu'il avait acheté au marché aux puces et qu'il essayait depuis des mois de remettre en état de marche, Yvonne, sans raison apparente, l'avait traité de monstre indifférent et insensible avant de se précipiter en pantoufles hors de l'appartement et de dévaler l'escalier jusqu'à la rue des Écoles où, désemparée, aveuglée par ses larmes, elle était restée plantée dans le crépuscule jusqu'à ce que Léon vienne la chercher et la prenne par le bras pour la reconduire à l'appartement. Il l'avait amenée jusqu'au canapé, lui avait posé une couverture sur les épaules et avait mis des briquettes dans le poêle, avait fait disparaître la boîte contenant la pendule et préparé une infusion, après quoi il avait présenté à Yvonne des excuses mi-feintes mi-sincères pour avoir tant manqué d'attention et lui avait demandé ce qui l'avait attristée. Et comme elle ne savait que lui répondre, il était retourné à la cuisine chercher du chocolat tandis qu'elle, sur le canapé, s'était sentie inutile, stupide et laide.

— Dis-moi franchement, Léon, est-ce que je te plais encore ?

— Allons, Yvonne, tu es ma femme, tu le sais bien.

— J'ai des taches sur la figure et je porte des bas de contention contre les varices. Comme une vieille.

— Ça passera, ma chérie. Ça n'a pas d'importance, voyons.

— Tu vois, ça t'est égal.

— Mais non.

— Tu viens de dire que ça n'avait pas d'importance. D'ailleurs je te comprends, à moi aussi ce me serait bien égal.

— Mais qu'est-ce que tu racontes ? Ça ne m'est pas égal.

— Si j'étais toi, je me serais quittée depuis longtemps. Dis-moi franchement, Léon, est-ce qu'il y en a une autre ?

— Mais non. Je ne te trompe pas, tu le sais bien.

— Oui, exactement, je le sais bien, dit Yvonne en hochant la tête amèrement. Jamais tu ne ferais une chose pareille, pour la bonne et simple raison que ce ne serait pas comme il faut. Tu fais toujours tout comme il faut, n'est-ce pas ? Tu te domines toujours tellement que, tu aurais beau en avoir fortement envie, tu ne pourrais pas me tromper, mon cher, mon consciencieux Léon. Jamais il ne t'arrivera de faire une chose que tu ne considères pas comme il faut.

— Tu ne trouves pas comme il faut que je ne veuille pas faire ce qui n'est pas comme il faut ?

— Parfois je souhaiterais arriver à te déstabiliser un peu, tu comprends ? Je souhaiterais qu'une fois, une seule fois, tu perdes ta maîtrise de toi – que tu nous frappes, moi et le petit, que tu te saoules, que tu passes la nuit avec une prostituée.

— Tu souhaites des choses que tu ne veux pas, Yvonne.

— Dis-moi, pourquoi me traites-tu comme si j'étais ta mère ?

— Qu'entends-tu par là ?

— Pourquoi est-ce que tu ne me prends jamais dans tes bras et pourquoi, depuis des semaines, es-tu toujours couché tout au bord du lit ?

— Parce que dès que je t'embrasse, tu sursautes. Parce que dès que je te caresse les cheveux, tu fonds en larmes et tu me traites d'hypocrite. Parce que tu m'as traité au lit de chimpanzé asservi à ses pulsions et que tu m'as demandé de te laisser tranquille. C'est ce que j'ai fait, et voilà que tu te mets à pleurer justement pour ça. Dis-moi ce que je dois faire.

Yvonne éclata de rire et s'essuya les yeux du dos de la main.

— Tu n'as vraiment pas la partie facile, mon pauvre Léon. Allons, cessons de nous chamailler, d'accord ? Décidons de ne pas nous mentir et de ne pas nous jouer la comédie. Parlons ouvertement. Ce que je veux, je ne peux pas l'exiger de toi, et ce que tu veux, je ne peux pas te le donner.

— C'est insensé, Yvonne. Tu es mon épouse, et tu es une bonne épouse. Je suis ton mari et je m'efforce d'être un bon mari pour toi. Il n'y a que cela qui compte. Tout le reste finira bien par s'arranger.

— Non, ça ne s'arrangera pas, et tu le sais mieux que moi. Comment veux-tu arranger une chose qui n'existe pas ? On peut faire des efforts, oui, mais ce n'est pas ça qui exaucera les souhaits.

— Mais que souhaites-tu ? Dis-le-moi.

— Laissons cela, Léon. Je ne peux pas exiger de toi ce que je souhaite et moi je ne peux pas te donner ce que tu souhaites toi. Nous nous arrangeons bien comme ça, nous ne faisons pas de notre vie un enfer, mais nous ne sommes pas vraiment ensemble. Et nous devrons vivre avec ça jusqu'à la fin.

— Qu'est-ce qui te prend de parler de la mort, Yvonne, nous avons vingt-huit ans.

— Tu veux le divorce ? Dis-moi, tu veux le divorce ?

C'était sans arrêt ainsi. Aussi furent-ils carrément soulagés lorsque les débordements de sentiments auxquels Yvonne succombait le soir laissèrent place à une nausée du matin ; une visite chez le gynécologue l'avait rendue docile et penaude, elle avait demandé pardon à Léon, avait regardé son ventre avec étonnement et formulé la supposition que cet enfant-là serait sûrement une fille ; car trois ans plus tôt, elle s'en souvenait nettement, quand elle portait le petit Michel, elle était sereinement à l'écoute d'elle-même, une humeur qui, du reste, avait été, à l'avantage de Léon, épicée d'accès fréquents d'une lubricité animale qu'elle ne se connaissait pas auparavant.

Cette fois, il n'était pas question de lubricité animale, et Léon le prit avec philosophie. Il avait acquis une certaine expérience de la vie et il savait, au bout de cinq années de mariage, que l'âme d'une femme est mystérieusement reliée au déplacement des constellations, au mouvement des marées et aux cycles de son corps de femme, peut-être bien aussi aux coulées souterraines de lave, aux trajectoires des oiseaux migrateurs et aux horaires de chemins de fer français, ou même, qui sait, aux quotas d'exploitation des champs de pétrole de Bakou, aux fréquences cardiaques des colibris des rives de l'Amazone et au chant des cachalots sous la banquise de l'Antarctique.

Malgré tout, ces drames à répétition dont l'enjeu, à y regarder de près, était minime ou nul, avaient fini peu à peu par excéder ses forces. Il avait beau savoir que ces humeurs étaient passagères et qu'il était bon pour son couple qu'il ne prête pas toujours attention à ces accès d'imprévisibilité ou qu'il les oublie rapidement. “Il ne faut pas leur en vouloir”, lui avait prescrit son père un jour que, dans un moment de détresse, il lui avait demandé conseil par téléphone. “Elles n'y peuvent rien, c'est comme une forme douce d'épilepsie, tu comprends ?”

Toujours est-il qu'il répugnait à Léon d'interpréter comme une maladie chronique une caractéristique centrale du tempérament de sa femme. N'était-il pas de son devoir de prendre au sérieux les désarrois de sa compagne ? Lui qui avait juré devant l'autel nuptial de la respecter et de l'aimer jusqu'à la fin de ses jours, avait-il le droit de mépriser les tourments de sa femme en les considérant comme un simple écho du chant des baleines ?

Léon se boucha le nez dans le courant d'air chaud et douceâtre provoqué par l'arrivée du train et se laissa aller avec le flot humain qui s'approchait du bord du quai. Quelques années auparavant, quand il était encore célibataire et vivait dans une chambre mansardée aux Batignolles, il allait chaque jour au travail en métro et en était venu à haïr le crissement des roues d'acier, la chaleur et la puanteur dans les wagons, les sièges tachés, les sols humides et glissants et les barres poisseuses.

À cette époque, il avait acquis la malléabilité nécessaire à la survie du voyageur régulier qui se fraie son chemin dans la cohue la plus serrée sans bousculer ni cogner et laisse toujours passer poliment la personne qui est à côté de lui sans pour autant lui porter la moindre attention. Léon savait qu'il pouvait attendre des autres voyageurs la même attention concentrée et que les bousculades, les coups et les insultes surgissaient seulement quand un grand nombre de touristes ou des personnes d'un certain âge étaient dans les parages.

Il laissa passer l'homme qui était sur sa droite et se plaça dans l'espace qui se créait derrière lui, il fit de la place pour une femme avec landau, atteignit dans son sillage la porte coulissante et, en deux ou trois bonds en avant, la porte coulissante opposée où il trouva une place debout assez spacieuse. Il déboutonna son manteau et repoussa son chapeau en arrière, s'adossa dans le coin afin de ne pas devoir se tenir à une barre et enfouit les mains dans les poches de son manteau. Tandis que l'espace libre se remplissait rapidement devant lui, il s'assura, d'un regard circulaire évitant tout contact visuel, comme font les habitués, qu'il n'y avait rien à redouter.

Le train démarra, et Léon observa par la fenêtre les passagers attendant sur le quai d'en face, puis l'oscillation des câbles électriques le long des parois brunâtres du tunnel, le défilement des signaux rouges et blancs allumés et les trous béants des galeries latérales. La clarté revint à la station suivante, puis à nouveau l'obscurité, puis la clarté, il descendit alors du train et remonta vers la lumière du jour, acheta sa charlotte aux fraises, redescendit aussitôt dans le métro et arriva sur le quai juste au moment où entrait une rame en direction de la porte de Clignancourt.

Léon se laissa entraîner par le flot des voyageurs jusque dans un wagon, et se retrouva, près de la porte opposée, dans le même coin que celui où il avait voyagé à l'aller, et quand une rame arriva sur l'autre quai, il observa les voyageurs qui défilaient – les hommes avec leurs journaux, les mutilés de guerre avec leurs béquilles, les femmes avec leurs cabas. Les silhouettes incertaines et floues qui filaient devant lui prirent peu à peu des contours plus nets tandis que le train ralentissait, et quand il finit par s'immobiliser, Léon remarqua dans le coin près de la porte coulissante – à un mètre, peut-être un mètre cinquante de lui – une jeune femme.

Elle était vêtue d'un manteau noir, d'une jupe noire et d'un corsage bleu clair, elle avait les yeux verts, des taches de rousseur et une épaisse chevelure noire coupée droit dans la nuque d'un lobe d'oreille à l'autre, une grande bouche et un menton délicat, et elle fumait une cigarette en la tenant entre le pouce et l'index comme un gamin des rues. Dès la première seconde, Léon en fut convaincu : pas de doute, c'était sa Louise.

Bien sûr, elle avait changé pendant les dix années écoulées ; les traits encore enfantins du visage de jeune fille s'étaient accentués, ils étaient plus déterminés, c'étaient ceux d'une femme adulte. Sous les sourcils fins et droits brillaient deux yeux vifs attentifs et incorruptibles. Les commissures des lèvres avaient un aspect résolu qui était nouveau pour Léon. Et lorsque du bout des doigts de la main droite elle remit une mèche derrière l'oreille, ses ongles vernis étincelèrent.

Sortant enfin de son ébahissement, Léon leva la main et fit un signe. Il avança d'un pas pour se placer dans son champ de vision et toqua à la vitre, même si cela n'avait aucun sens. Mais elle, séparée de lui par seulement un mètre d'air et deux fois quinze millimètres de vitre, elle tira sur sa cigarette, rejeta la fumée vers le sol puis tapota sur sa cigarette pour faire tomber la cendre en regardant dans le vide. Il secoua la porte verrouillée qui le séparait de celle de Louise et tenta d'évaluer le temps qu'il lui faudrait pour prendre l'escalier et rejoindre le quai opposé. C'est alors que les portes se fermèrent lourdement, Léon était prisonnier. Il leva son chapeau et l'agita en l'air – alors enfin, elle se tourna vers lui.

Alors enfin leurs yeux se rencontrèrent, et les derniers doutes de Léon se dissipèrent lorsque l'expression interrogative des yeux verts céda la place à un étonnement incrédule, puis à la joie de la reconnaissance, et que le sourire fit apparaître un ruisseau du bonheur. Mais, au même instant, les deux trains démarrèrent en sens opposés, la distance qui séparait Louise de Léon augmenta, l'angle de vision se rétrécit, et déjà ils s'étaient reperdus de vue.

Tandis que Léon roulait sous le tunnel, il réfléchit dans une précipitation angoissée à ce qu'il fallait faire et en conclut à trois possibilités qui lui parurent également raisonnables. Premièrement, il pouvait retourner par le premier train à Saint-Sulpice en espérant qu'elle ferait de même, ou bien il pouvait aller une station au-delà de Saint-Sulpice en partant de l'idée qu'elle y était descendue et l'y attendait. Ou bien il pouvait lui-même attendre à la station suivante dans l'espoir qu'elle soit partie à sa recherche.

Dans tous les cas, c'était une entreprise quasiment vouée à l'échec que de retrouver aux heures de pointe dans les trains bondés, sur les quais ou dans les escaliers quelqu'un dont on ne savait même pas s'il attendait quelque part ou s'il courait lui-même dans les couloirs du métro en vous cherchant. Pour commencer, Léon retourna à Saint-Sulpice, monta sur un banc et, en dessous d'une affiche publicitaire pour un cabriolet 10 CV Citroën B14 rouge vif traversant un paysage de dunes, il essaya d'avoir, par-dessus les têtes, une vue d'ensemble sur les deux quais. Ne voyant que des chapeaux gris et des coiffures inconnues, il prit le train suivant pour Saint-Placide, pour le cas où Louise y serait descendue et n'en aurait pas bougé. Après quoi il retourna à Saint-Germain-des-Prés pour vérifier si Louise ne l'y cherchait pas, puis à nouveau à Saint-Sulpice et de là une seconde fois à Saint-Placide.

Après seize trajets de la sorte, Léon dut admettre qu'il ne trouverait jamais Louise de cette façon. Il était en sueur, épuisé, son costume le serrait, un liquide rose mêlé de jaune pâle coulait de la boîte du gâteau – la charlotte aux fraises n'avait pas peu souffert dans la cohue lors de cette odyssée de plusieurs heures entre les trois mêmes stations. Léon remonta lentement le boulevard Saint-Michel sous les platanes d'automne mordorés en clignant des yeux à la lumière des phares d'automobiles qui se réfléchissaient sur les pavés mouillés.

Il avait l'impression de sortir d'un rêve confus et d'un sommeil agité et s'étonna d'avoir pu passer la moitié de la soirée à pourchasser dans le métro une fille qu'il n'avait pas vue depuis dix ans et qui selon toute vraisemblance était morte. Certes, la jeune femme du métro avait une ressemblance frappante avec Louise, et elle lui avait souri comme si elle le reconnaissait. Mais combien y avait-il de jeunes femmes aux yeux verts à Paris – cent mille ? Et si un dixième d'entre elles avaient un espace entre les deux incisives supérieures et que, sur ce nombre, une sur cinquante se coupait elle-même les cheveux, il se pouvait bien que, sur les deux cents restantes, l'une ou l'autre, par pure gentillesse après une journée de travail qui s'était écoulée agréablement, adresse un sourire à un inconnu en train d'agiter son chapeau comme un clown dans le métro qui la ramenait chez elle.

Léon était maintenant persuadé qu'il avait poursuivi un fantôme – mais un fantôme qui l'accompagnait fidèlement depuis dix ans. C'était son vice secret : souvent, au petit matin, dès qu'il se levait, il avait devant les yeux l'image de Louise adossée à un platane et l'attendant, et l'après-midi, quand les heures passaient péniblement au labo, il se distrayait lui-même en se remémorant ce seul week-end au Tréport ; le soir enfin, solitaire sur son côté du lit matrimonial, il s'aidait à trouver le sommeil en pensant à sa première rencontre avec Louise et avec son vélo qui couinait.

Il tourna sans bruit la clé dans la serrure et tira doucement la porte derrière lui ; il ne parvenait pas souvent à passer inaperçu devant la loge de la concierge, qui depuis des années était pleine de tendresse pour lui après qu'il avait fabriqué pour ses deux filles, encore toutes petites, des figurines de lions, de girafes et d'hippopotames avec de la laine de bois et des restes de tissu. Le rideau de la loge était tiré, par la fente de la porte parvenaient un bruit de grésillement dans une poêle et une odeur d'oignons rissolés. Léon passa sur la pointe des pieds devant la porte en verre, arriva au pied de l'escalier et se crut en sécurité – mais alors la porte s'ouvrit et Mme Rossetos sortit, en jupe noire de veuve, coiffe noire de veuve et tablier de cuisine à fleurs bleues.

— Monsieur Le Gall, qu'est-ce que vous m'avez fait peur ! Se faufiler dans la maison comme un bandit, à une heure pareille !

— Excusez-moi, madame Rossetos.

— Vous rentrez tard aujourd'hui – au moins il ne vous est rien arrivé ?

La concierge pointait le bout du nez vers lui comme pour sentir le temps qu'il fait.

— Mais non ! que voudriez-vous qu'il m'arrive.

— Vous êtes pâle, monsieur Le Gall, vous avez une mine épouvantable. Et qu'est-ce que vous portez là comme horreur ? Donnez-moi ça. Allons, donnez, ne discutez pas, je vais vous réparer ça.

Et, se précipitant, elle prit à Léon le carton qu'il portait à la main puis rentra à reculons dans son réduit vitré, sans quitter Léon des yeux, comme une murène qui se retire dans son corail avec sa proie. Léon ne vit pas d'autre possibilité que de la suivre derrière la porte vitrée. Il pénétra dans les vapeurs d'oignon et la regarda poser le carton sur la table de la cuisine, en extraire la charlotte en piteux état et la poser sur une assiette à fleurs, avant de la remettre d'aplomb diligemment de ses doigts boudinés. Il respirait l'odeur d'oignon de son antre et celle de sueur aigre de sa jupe tendue sur son corps replet, il regarda son rouge à lèvres qui avait coulé dans les plis creusés par le souci autour de ses lèvres, puis son regard alla vers la statuette bariolée de la Vierge sur l'autel domestique et la bougie allumée sous la photographie coloriée de son mari en uniforme de sergent, puis vers le jeté en dentelle sur le fauteuil capitonné et le coin du plafond gris de suie au-dessus du poêle à charbon, et il écouta le grésillement du poêle et le souffle concentré qui sortait des narines dilatées de Mme Rossetos.

Une épaisse tenture séparait le séjour de la chambre où les deux fillettes, plongées dans le sommeil qui les conduirait jusqu'au lendemain matin, dans leurs lits de fer grinçants sous des couvertures rouge bordeaux, grandissaient chaque nuit d'un quart de millimètre avec la calme certitude qu'elles deviendraient dans un avenir point trop lointain de petites demoiselles épanouies et qu'à la première occasion elles échapperaient pour toujours à leur mère. Elles suivraient un séducteur qui leur aurait promis de la lingerie en soie, ou bien elles entreraient au service d'une dame qui les emploierait comme bonnes à Neuilly. Quant à Mme Rossetos, elle resterait seule, elle vivoterait quelque temps encore dans son cagibi, attendant les visites toujours plus rares de ses filles, et puis un jour, elle tomberait malade et se traînerait jusqu'à l'hôpital où bientôt, après un dernier regard pour les taches d'humidité au plafond, elle disparaîtrait de ce monde, humblement et sans résistance.

La concierge saupoudra la charlotte de sucre glace pour masquer les pires dégâts, s'essuya les mains sur son tablier et lança à Léon un regard où se trouvaient toute la simplicité et la vulnérabilité de la créature tourmentée.

— Tenez, monsieur Le Gall, on ne pourra pas faire mieux.

— Je vous remercie beaucoup.

— Allez-y maintenant, votre femme vous attend.

— Oui.

— Cela fait un moment.

— En effet.

— Deux heures. Vous êtes très en retard aujourd'hui.

— Oui.

— Je ne me souviens pas que vous soyez jamais rentré aussi tard. Madame doit se faire du souci.

— Vous avez raison.

— Le principal est qu'il ne soit rien arrivé. Moi, je vais mettre mon foie de bœuf dans la poêle. Je mange toujours une fois que les petites sont couchées, comme ça je suis tranquille. Vous aimez le foie de bœuf avec une sauce au vin rouge, monsieur Le Gall ?

— Oui, beaucoup.

— Avec des pommes sautées au romarin ?

— Je ferais des kilomètres pour en manger.

— Et pourtant vous avez chez vous tout ce qu'il vous faut, heureux homme. Vous êtes sûr qu'il ne vous est rien arrivé ?

— Mais non, que voudriez-vous qu'il m'arrive ? Je dois me dépêcher.

— Bien sûr, madame vous attend, et moi je vous retiens en plaisantant sur le foie de bœuf.

— Oh, madame Rossetos, ne dites pas cela. Le foie de bœuf avec une sauce au vin rouge, ce n'est pas une plaisanterie. C'est une chose très sérieuse. Surtout s'il y a des pommes sautées au romarin qui y mettent du leur.

— Comme vous parlez bien, monsieur Le Gall ! Vous êtes un homme cultivé, c'est toujours ce que je dis. Vous êtes sûr que vous ne voulez pas goûter ? Comme ça, en vitesse ?

— C'est tentant, mais…

— Bien sûr, madame a dû vous faire à dîner. Et moi qui jacasse et qui vous retiens !

— Une autre fois volontiers.

— Elle se fait sûrement déjà du mouron.

— Je dois y aller.

— Je vous souhaite une bonne soirée, et mon bonjour à madame !

9

Léon grimpa jusqu'au quatrième, l'assiette avec le gâteau à la main. L'escalier avait été ciré récemment, le tapis était propre et d'un rouge lumineux, les barres en laiton rutilaient. Il respira le parfum d'encaustique, qui lui donnait un sentiment de tranquillité, de constance et de familiarité, il prêta l'oreille au bruit des tuyaux dans la cage d'escalier et aux petits bruits venant des appartements, qui lui procuraient bien-être et sécurité.

Arrivé devant sa porte, il s'immobilisa. Ce qu'il entendait là, c'était sa femme Yvonne qui, de sa voix de jeune fille, claire et un peu voilée, chantait une chanson. "Si j'étais à ta place, si tu prenais la mienne…" Léon attendit que le chant cesse, puis il ouvrit la porte. Yvonne était dans l'entrée, en robe claire d'été bien trop légère pour la saison, en train d'arranger un bouquet d'asters dans un vase. Elle se tourna vers lui en souriant.

— Enfin te voilà ! Le dîner est sur la table. Le petit dort déjà. Je t'ai attendu pour manger et j'ai ouvert une bouteille.

Elle lui prit des mains l'assiette et s'amusa du triste état du gâteau, envoya son mari se laver les mains avec une sévérité feinte et, jetant un bref regard au miroir, elle arrangea sa coiffure. Léon n'en revenait pas ; ce n'était pas l'être désespéré, tourmenté et captif qu'il avait quitté le matin, mais la jeune fille riant et chantant dont il avait été amoureux jadis.

— Tu as un air bizarre, lui dit-elle après le repas après qu'ils furent passés au salon pour prendre le café avec le gâteau. Il est arrivé quelque chose ?

— Je suis allé à Saint-Sulpice acheter la charlotte aux fraises.

— Je sais, c'était très gentil à toi. Mais ça t'a pris bien longtemps, non ?

— Oui.

— Plus de deux heures. Tu as été retenu ?

— J'ai rencontré cette fille.

— Quelle fille ?

— Je ne suis pas sûr.

— Tu n'es pas sûr ? Tu rencontres une fille, mais tu n'es pas sûr et tu rentres avec deux heures de retard ?

— Oui.

— Mon cher, il me semble bien que nous ayons quelque chose à discuter.

— Je crois que c'était Louise.

— Quelle Louise ?

— La petite Louise de Saint-Luc-sur-Oise, tu sais bien.

— La morte ?

Léon acquiesça d'un signe de tête, et puis il raconta à sa femme avec tous les détails la rencontre dans le métro, son odyssée dans cet éternel boyau de métro, ses doutes sur le chemin du retour et les doutes qui lui étaient venus quant à ses propres doutes. Pour finir il raconta aussi sa visite chez la concierge et la montée de l'escalier qui avait suivi, et les larmes qui lui étaient venues aux yeux, des larmes de pitié pour

Mme Rossetos, mais aussi pour lui-même et pour le monde entier.

Quand il en eut fini, Yvonne se leva et s'approcha de la fenêtre, écarta le rideau et regarda en contrebas la rue plongée dans le calme de la nuit.

— Nous l'avons toujours su, toi et moi, que ce genre de chose arriverait un jour ou l'autre, n'est-ce pas ?

Sa voix était enjouée, un sourire flottait sur ses lèvres, et les reflets du réverbère qui se dressait devant la maison sous la pluie jouaient autour de sa silhouette.

— Tu vas la chercher, cette fille morte, il faut que tu aies une certitude.

— Elle n'existe plus, cette fille, Yvonne, d'une manière ou d'une autre. Cela fait si longtemps.

— Tu la chercheras quand même.

— Non, je ne la chercherai pas.

— Un jour ou l'autre tu la chercheras. Tu ne pourras pas vivre sans certitude.

— Les certitudes que j'ai me suffisent, répondit Léon. Je n'ai pas besoin de certitudes supplémentaires. Je ne cours pas après d'autres femmes, tu devrais le savoir.

— Parce que tu es marié avec moi ?

— Parce que je suis ton mari et que tu es ma femme.

— Tu ne veux pas faire ce qui ne se fait pas, et c'est à ton honneur, Léon. Et malgré tout, tant que tu n'iras pas au fond des choses, cette question continuera à te torturer. Je refuse d'assister à ce spectacle, et surtout, je refuse de me faire ça à moi. Il faut que tu cherches cette fille, je te l'ordonne.

Le lendemain matin, sur le chemin du travail, Léon lutta contre son désir de faire quelques allers et retours en métro pour tenter sa chance. Arrivé place Saint-Michel, il déposa les armes et passa sous les candélabres art nouveau pour descendre jusqu'au métro. Dans l'heure qui suivit, il croisa sous terre un grand nombre d'êtres de tous âges, de toutes couleurs de peau et des deux sexes, quelques chiens, un chat dans un panier en osier et même un paysan au regard jaune et trouble de chien accompagné de deux moutons vivants, qui avait dû garer sa charrette à la porte de Châtillon et se rendait aux Halles par voie souterraine. Mais quant à une jeune fille aux yeux verts, il n'en vit point.

Quand il arriva au travail, nul ne s'aperçut de son retard. Le laboratoire de chimie de la PJ se trouvait au quatrième étage du Quai des Orfèvres bien au-dessus des bureaux du commissariat dans lesquels on criait, on hurlait et on jurait à toute heure du jour et de la nuit. Dans le service de Léon, en revanche, le calme régnait. Cela ne sentait pas le manteau de police trempé par la pluie ni les sueurs angoissées de ceux qui subissaient un interrogatoire, ni la bière ni la choucroute, le sandwich ou les cigarettes des reporters à l'affût des nouvelles dans le couloir ; ici, il régnait une odeur de chlore, d'eau de Javel, d'éther et d'acétone. Il y avait du laiton, du verre et de l'acajou en quantité dans le laboratoire, et les employés y travaillaient calmement et dans la concentration en blouse blanche de chimiste dans le grésillement des becs Bunsen.

On marchait à pas feutrés et on discutait en chuchotant, et s'il arrivait qu'un stagiaire maladroit fasse s'entrechoquer deux tubes à essai ou deux vases d'Erlenmeyer, les employés plissaient le front d'un air contrarié. Ici, les supérieurs vouvoyaient les subalternes et donnaient leurs ordres courtoisement sous forme de question, chacun se préparait son café soi-même et il ne serait venu à l'esprit de personne de remarquer seulement le retard d'un collègue.

Dix ans plus tôt, Léon était arrivé au service des télécommunications de la police judiciaire, installé deux étages plus bas que le laboratoire et un étage au-dessus du commissariat. Les premières semaines, il avait eu du mal à remplir ses fonctions de spécialiste en morse, car ici, le travail accompli comptait, et Léon ne pouvait plus dissimuler son incompétence derrière un bel uniforme de cheminot et un drapeau rouge. Dès la première heure de travail, il était donc apparu que Léon n'avait pas la moindre idée de l'alphabet morse, ce qu'il avait péniblement justifié auprès de ses supérieurs en invoquant vaguement une abstinence de plusieurs années à la suite du service militaire et de la convalescence après une blessure au front ; il alla même jusqu'à sortir un jour sa chemise de son pantalon pour exhiber ses cicatrices.

Mais comme il mit beaucoup d'ardeur au travail, étudiant le soir jusqu'au-delà de minuit dans sa mansarde des Batignolles les manuels officiels des sociétés de télégraphe française et internationales, il eut tôt fait de rattraper son handicap et put faire office au bout de quelques mois de véritable spécialiste du télégraphe.

Cependant, il dut bien reconnaître ensuite que le morse, une fois qu'on le maîtrise, est une affaire monotone. Par bonheur pour lui, au bout de trois ans, le directeur adjoint du service scientifique, avec lequel il allait déjeuner de temps à autre, l'avait délivré du télégraphe en lui procurant un emploi d'assistant au laboratoire de chimie installé de fraîche date.

Certes, pour Léon, ce changement de poste signifiait qu'il retombait à nouveau dans un état de totale incompétence, car au lycée déjà, la chimie l'intéressait tellement peu qu'il était le dernier de sa classe ; et dans les années qui s'étaient écoulées depuis, il avait totalement oublié les connaissances rudimentaires qui lui étaient restées malgré lui.

Cependant, grâce à sa méthode plusieurs fois éprouvée qui consistait à commettre une imposture qu'on ne pouvait incriminer, il parvint cette fois encore à remédier assez vite à son ignorance. Si ses collègues lui pardonnèrent la maladresse de ses débuts, ce fut aussi parce qu'il était très avenant et ne disputait à personne sa position hiérarchique. Et finalement, en cet automne 1928 où le deuxième enfant était en route, il comptait déjà parmi les plus anciens du laboratoire, il n'avait plus à rendre compte de quoi que ce soit et avait des chances d'être nommé dans les prochaines années chef de service adjoint.

Ce matin-là, sa tâche était de rechercher d'éventuelles traces d'arsenic dans un échantillon de gratin dauphinois ; une procédure qu'il avait dû accomplir déjà une bonne centaine de fois. Il sortit de l'armoire en métal le récipient contenant le gratin supposément empoisonné, en dilua la pointe d'un couteau dans de l'hydrogène et versa la solution sur un morceau de papier-filtre sur lequel il avait déposé une solution de chloro-aurate de sodium. Le moindre geste avait beau lui être familier à force d'être répété, Léon manipulait toujours avec la prudence nécessaire ces échantillons dont, en moyenne annuelle, un sur deux ou sur trois révélait effectivement la présence de toxines en quantités nocives. Cette fois, le résultat fut négatif, le chloro-aurate de sodium ne prit pas une teinte violette sous l'influence de la préparation de gratin, mais garda sa teinte marron. Léon alla à l'évier laver son matériel, s'assit à son bureau et tapa son rapport pour le juge d'instruction en quatre exemplaires sur une Remington noir et or.

Léon, les premières années, s'était encore intéressé aux serments d'amour rompus et aux passions refroidies, causes de ces gratins dauphinois et côtelettes de porc empoisonnés, ainsi qu'aux histoires de rapacité, d'escroquerie et de vengeance : il avait essayé de se représenter le désespoir des empoisonneuses – c'étaient les femmes, pour la plupart, qui recouraient à la mort-aux-rats, les hommes disposaient en général d'autres armes dans leur lutte pour la vie – et il avait tenté d'éprouver lui-même le sentiment de déception soulagée de ces maris qui avaient d'abord pris pour des symptômes d'empoisonnement leurs crampes d'estomac, vertiges et sueurs ; il allait trouver au rez-de-chaussée les commissaires chargés des dossiers et bavardait avec eux dans le couloir pour avoir des détails sur les destinées de ces êtres que lui, Léon Le Gall, en agitant ses baguettes et pipettes, avait propulsés vers la liberté, le cachot ou l'échafaud. Il lui était même parfois arrivé, officieusement et contre l'avis de ses collègues, de se rendre sur les lieux de crime ou au domicile des empoisonneuses, il avait rendu sa visite de politesse aux victimes entreposées à la morgue et regardé les criminelles dans les yeux au moment où on leur lisait la sentence.

Mais, au fil du temps, il s'était aperçu que la plupart de ces drames se ressemblaient avec une banalité navrante et que les mêmes histoires d'avidité, de grossièreté et de stupidité du cœur se répétaient à l'infini avec des variations minimes. Aussi se limita-t-il, au plus tard à partir de sa troisième année dans ces fonctions, à rechercher de l'arsenic, de la mort-aux-rats ou du cyanure, comme l'exigeait la loi, et il abandonna à d'autres tout ce qui touchait à la culpabilité, au sens et au destin ainsi qu'au châtiment, à l'expiation et au pardon : il laissa cela aux juges dans leurs toges pleines de dignité ou au Seigneur dans le ciel ou au petit homme de la rue ou aux buveurs de bière à la table des habitués. Cette attitude professionnelle d'engagement mêlé de résignation lui avait d'ailleurs été conseillée dès le début par ses collègues plus expérimentés.

Quoi qu'il en soit, il pouvait presque toujours donner une réponse claire, sans ambiguïté et exhaustive aux questions simples dont il avait à s'occuper au labo : de l'arsenic, oui ou non ? Du cyanure, oui ou non ? Et il aimait cette clarté. Quant au principe moral qui était à la base de son travail – principe selon lequel il n'était pas bien de faire passer des hommes de vie à trépas –, il y souscrivait encore même après des années et les innombrables cas qu'il avait eus à traiter.

De ce point de vue, démontrer à des empoisonneuses potentielles qu'elles ne s'en tireraient peut-être pas si facilement continuait d'apparaître à ses yeux comme une tâche bonne, juste et importante. Quant au caractère répétitif de son quotidien au travail, qu'il supportait mal certains jours, il s'en consolait en songeant à son bon salaire, grâce auquel, après son mariage, il avait pu se permettre de déménager des Batignolles à la rue des Écoles, et il espérait que le cours des choses lui serait un jour favorable et qu'il serait promu à une position moins monotone.

Après le gratin dauphinois, Léon entreprit de rechercher des traces de cyanure dans un verre de bordeaux blanc, arriva à nouveau à un résultat négatif et sortit du réfrigérateur le roquefort où il devait rechercher de la mort-aux-rats. Un regard à la pendule accrochée au-dessus de la porte lui indiqua qu'il était déjà onze heures. Il se réserverait le roquefort pour l'après-midi et déjeunerait exceptionnellement chez lui ; et comme il était tôt, il mettrait à profit ce moment de liberté pour faire en rentrant chez lui quelques allers-retours en métro entre les stations Saint-Michel et Saint-Sulpice.

Le ciel couvert se dégagea au moment où Léon tournait du boulevard Saint-Michel dans la rue des Écoles. Devant lui, la Sorbonne prit cette couleur blanche radieuse qu'on ne trouve que dans les rues de Paris et le ciel fut subitement aussi éclatant que s'il contenait de la poussière d'or. Tout à coup, les merles se mirent à chanter dans les arbres, les moteurs des automobiles à produire un bruit plus gai, les talons des dames un son plus clair, et les sifflets des gendarmes se firent plus aimables.

Au bout de quelques pas, il sembla à Léon entendre de loin, à travers la rumeur de la rue, les braillements de bonheur de son fils Michel. En s'approchant, il vit qu'il ne s'était pas trompé – le petit se trouvait en effet dans l'espace vert que les jardiniers municipaux avaient aménagé quelques semaines plus tôt près du Collège de France juste sous les fenêtres de leur salle de séjour. Ses joues étaient rubicondes, ses yeux brillaient, et avec toute la joie de vivre d'un enfant de quatre ans, assis dans une voiture à pédales rouge vif ayant la forme d'un véhicule de sapeurs-pompiers et disposant de tout l'équipement, échelle pivotante, klaxon et phare orientable, il tournait et tournait autour du buste de pierre du poète sourd Pierre de Ronsard qui se dressait au milieu du jardin.

Sur un banc de pierre était affalée sa femme Yvonne. Son bras gauche pendait derrière l'accoudoir, son avant-bras droit reposait à l'horizontale sur le haut de sa tête, elle avait les jambes allongées et était perdue dans le spectacle de ce bonheur enfantin, satisfaite comme une maman chat ayant abondamment nourri son petit. Elle portait une longue robe en lin blanc que Léon n'avait jamais vue sur elle et sous laquelle se dessinait avec assurance son petit ventre qui grossissait, ainsi qu'un joli petit chapeau de paille et des lunettes de soleil à verres roses qui conféraient une touche d'audace à cet accoutrement estival.

Léon n'en revenait pas. Ce n'était pas la jeune fille fredonnant des chansons à succès qu'il avait quittée le matin même ni l'être tourmenté par la captivité domestique qu'il avait eu à son côté tous ces derniers mois – cette femme-là, il ne l'avait jamais vue. Elle aurait pu être une de ces aristocrates russes qui se promenaient pendant des heures au jardin du Luxembourg, ou une actrice de cinéma américain qui en était à son troisième whisky.

Yvonne, l'apercevant, lui fit signe de la main droite en bougeant séparément les cinq doigts. Il lui rendit son salut, puis alla s'accroupir près de son petit garçon pour qu'il lui montre le klaxon et la boîte à gants.

— Léon, quelle joie que tu viennes déjeuner à la maison pour une fois ! s'écria Yvonne quand il s'assit près d'elle.

Lorsqu'il l'embrassa pour lui dire bonjour, il sentit son corps se blottir souplement contre le sien, comme cela n'était plus arrivé depuis longtemps.

— Pardon pour la question, mais tu es bien extravagante ce matin ?

Yvonne se mit à rire.

— Tu dis ça à cause de ces choses neuves ? Nous sommes allés faire des emplettes aux Galeries Lafayette, le petit Michel et moi.

— Tous ces trucs-là sont neufs ?

— Comme tu vois. Regarde comme le petit est heureux. Le klaxon est en laiton massif, tu sais. Michel, mon chéri, fais encore une fois marcher le pin-pon pour ton papa.

Le petit actionna le klaxon au point que les passants qui marchaient sur le trottoir opposé, surpris, regardèrent dans sa direction. Léon se força à sourire devant ce bonheur enfantin, puis il se tourna à nouveau vers sa femme.

— Peux-tu me dire combien cette voiture de pompiers…

— Elle te plaît ?

— … ce que cette voiture a coûté ?

— Aucune idée, c'est écrit sur la facture. Sûrement un peu plus que ce que tu gagnes par mois. Au fait, combien gagnes-tu ?

— Yvonne…

— C'est une Renault, tu sais.

— Mais tu es complètement folle !

— Une authentique petite Renault, fabriquée à l'usine de montage de Boulogne-Billancourt, tu saisis ? Le vendeur me l'a expliqué. L'énergie passe des pédales à l'essieu arrière par le cardan comme dans une vraie Renault, il faut que tu voies ça.

— Yvonne…

— Tu sais ce qu'est un cardan ?

— Oui.

— C'est quoi ?

— Un dispositif d'engrenage transmettant le mouvement moteur.

— Exact. Et que dis-tu de ma robe ?

— Écoute-moi.

— Les lunettes de soleil sont un peu ridicules, je te l'accorde.

— Tu veux bien m'écouter ?

— Non, Léon, maintenant c'est toi qui vas m'écouter. Vas-tu m'écouter ?

— Bien sûr.

— Que veux-tu me dire – que j'ai fait une bêtise ?

— En effet.

— Alors tu vois, nous sommes d'accord : j'ai fait une bêtise. Mais toi aussi tu en as fait une.

— Tu sais que tu nous ruines avec ton arbre à transmission.

— Et toi tu as pas mal roulé en métro aujourd'hui, non ?

Léon ne dit mot.

— Je te connais bien, tu sais. Je savais que tu allais le faire avant même que toi tu le saches. Je l'ai vu, ce matin, quand tu es sorti de la maison. Je l'ai vu au dandinement penaud de ton joli petit derrière de jeune homme, que tu allais prendre le métro aujourd'hui.

— Et c'est pour ça que tu as couru aux Galeries Lafayette avec le petit ?

— Exactement.

— Excuse-moi, mais je ne vois pas le rapport.

— Léon, ces voyages en métro, c'est une honte, une vexation – pour toi et pour moi et pour nous deux. Je ne veux pas que tu commettes ces misérables petites bêtises. Tu te rends ridicule, et moi, tu fais de moi un objet de moquerie à mes propres yeux. Il faut que ça cesse. Soit tu cherches cette fille morte, soit tu ne la cherches pas.

— Tu as raison.

— Mais si tu la cherches, il faut que tu le fasses comme il faut. Sinon, je vais te montrer, moi, comment on fait des bêtises, pas ces misérables petites bêtises, mais de vraiment grosses bêtises, tu verras. Si tu continues à faire tes misérables petites allées et venues en métro, moi je ferai des bêtises à t'en faire perdre l'ouïe et la vue.

Elle prit la main droite de Léon dans ses deux mains et les coinça entre ses genoux, puis elle appuya la tête contre l'épaule de Léon.

— Dis, Léon, je vais te perdre ?

La voix d'Yvonne n'était soudain qu'un filet, et son visage semblait avoir mal comme si elle s'épilait les sourcils ou si elle s'arrachait de la cire à épiler des jambes.

— Tu vas partir ? Je vais te perdre ?

— Comment peux-tu poser une question pareille ? Je n'ai pas du tout l'intention de partir, c'est totalement exclu.

— Tu es gentil de dire ça. Mais toi et moi, nous ne sommes pas dupes, n'est-ce pas ? Tu ne partiras très probablement pas, c'est vrai. Mais en fait, je t'ai déjà perdu – ou bien je ne t'ai jamais eu. C'est comme ça. Et maintenant, ça peut aller soit encore plus mal, soit un peu mieux. Ça dépend entièrement de nous deux.

— Yvonne, je suis assis ici avec toi. Tu vois bien. Et c'est parce que je le veux. Je ne partirai pas, je te le jure.

— Et tu tiens toujours tes serments, je sais.

Elle soupira et lui flatta le flanc comme à un chien.

— Malgré tout, tu ne devrais pas perdre de temps, Léon. Lance-toi dans la recherche tant que la piste est fraîche.

— Ça n'a aucun sens.

— Je te l'ordonne. Réfléchis à la façon dont tu peux trouver cette femme. Après tout, tu es dans la police.

Ils restèrent un moment assis en silence à regarder le petit Michel qui roulait en rond sur le chemin de gravier dans sa voiture de pompiers. Quand elle desserra les genoux, Léon lui prit la main droite et la pressa fort contre ses lèvres. Il se détacha d'elle et fit un signe de tête, comme s'il devait se confirmer à lui-même une décision prise. Puis il s'en alla sans un mot de plus, d'un pas rapide et résolu. On aurait dit que ce n'était pas lui-même qui s'éloignait, mais que la rue des Écoles s'effaçait derrière lui.

10

Le rapide à destination de Boulogne roulait vers la Picardie. Seul dans un compartiment de deuxième classe surchauffé, Léon essayait de lire l'édition de l'après-midi de *L'Aurore* mais son regard se portait souvent vers la fenêtre et le paysage d'un brun automnal. Après avoir laissé sa femme au jardin public et être retourné boulevard Saint-Michel, il n'avait pas envisagé plus d'un bref instant qu'il pourrait aller voir ses collègues du commissariat pour leur demander de rechercher Louise par des moyens de police ; il lui était vite apparu qu'il n'en sortirait rien de bon. D'abord, il serait devenu la risée de ses collègues ; ensuite, si sa requête, contre toute attente, avait été acceptée, elle serait très vraisemblablement restée sans résultat, et enfin, Louise, si tant est qu'on ait vraiment fini par la dénicher, n'aurait sûrement pas trouvé très romantique que l'ami de jeunesse perdu depuis si longtemps lui donne un premier signe de vie après dix ans de séparation en lançant sur elle une horde de policiers en uniforme.

Voilà pourquoi Léon avait décidé de rechercher Louise par ses propres moyens. Comme il passait ses journées dans la solitude de son laboratoire, il n'avait qu'une vague idée des méthodes de la police judiciaire ; mais une règle de base de la criminalistique lui était familière : l'auteur du crime revient souvent sur le lieu du crime. Et comme Louise et lui, dans ce cas, étaient en quelque sorte tous deux aussi bien auteurs que complices, victimes qu'enquêteurs, il avait pris le métro pour la gare du Nord et avait pris un billet pour Le Tréport. Le trajet direct *via* Épinay étant fermé pour travaux en ce mois de septembre 1928, il dut faire un détour par Amiens et Abbeville.

Léon ne quittait pas plus souvent la ville que la plupart des citadins. Bien sûr, comme tout Parisien qui se respecte, il ne perdait pas une occasion d'assurer qu'il renoncerait sans pincement de cœur au bruit, à la saleté et au rythme trépidant de la Ville Lumière si seulement cela lui était possible, qu'il préférerait de loin une vie calme et paisible quelque part en province et qu'il échangerait avec plaisir l'Opéra, la Bibliothèque nationale et tous les cinémas de Paris contre un verre de rosé au soleil du Midi, une partie de pétanque entre amis et une longue promenade à travers les forêts et les coteaux avec le chien qu'il ne manquerait pas d'avoir et qui serait par exemple un cocker noir et blanc répondant au nom de Casimir ou Patapouf.

Mais il n'y avait pas de travail pour Léon dans les vignobles du Midi et il savait bien en son for intérieur, comme tous les Parisiens, qu'il aurait vite fait de s'ennuyer mortellement en province, il persévérait donc dans cette odieuse ville. Une ou deux fois à la belle saison, avec sa femme et son fils, il prenait un bateau-mouche et descendait la Seine et ils pique-niquaient dans la forêt de Saint-Germain-en-Laye, et entre Noël et le Jour de l'an, il allait en train à Cherbourg rendre visite à ses parents. Les trois cent cinquante jours restants, il les passait *intra muros*, et durant trois cents jours environ, il ne voyait de la ville guère autre chose que les quelques rues situées entre la rue des Écoles et le quai des Orfèvres.

Une fois de plus, Léon fut surpris de voir à quel point la mer d'habitations cessait brusquement en bordure de la ville pour laisser place aux ondoiements verts et bruns des prés, prairies et champs. À la porte de la Chapelle, il y avait encore quelques usines et entrepôts le long des voies, quelques appentis et granges sur les berges de la Seine ; mais une fois passé les gazomètres de Saint-Denis, où une épaisse fumée s'élevait lentement des cheminées, on pouvait apercevoir un petit paysan menant ses vaches paître, une allée de peupliers toute droite gagnant l'horizon et les saules jaune doré ployant sous le vent vif du nord-est.

Léon éprouva le désir instant de descendre à la gare suivante, d'acheter une bicyclette – ou mieux encore de la voler – et de partir vers la mer sous le ciel, au grand air, dans la pluie et contre le vent. Son postérieur lui ferait mal comme jadis, il en aurait des courbatures comme jadis, il ramasserait en route des trucs bizarres et garderait l'horizon à l'œil avec l'espoir fou de voir surgir une jeune fille en chemisier blanc à pois rouges sur une bicyclette qui grinçait. Il achèterait du pain et du jambon et boirait aux fontaines, il se soulagerait derrière une haie comme un garçon de la campagne et chercherait refuge en cas d'orage dans des granges vides, comme un vagabond – et tout cela serait absurde et vain, ce serait une misérable petite bêtise indigne de son Yvonne, indigne de sa Louise et indigne de lui.

Le voyage dura deux heures trente-cinq. Entre Amiens et Abbeville, la voie longeait la route pavée, celle-là même sur laquelle avaient roulé Louise et

Léon. Il crut se souvenir de cette ferme, de ce moulin, peut-être aussi d'un tilleul solitaire ou d'une villa particulièrement jolie, et il cherchait intensément des yeux cet alignement de collines de part et d'autre duquel Louise et lui, à un jet de pierre l'un de l'autre, s'étaient retrouvés gisant dans un cratère de bombe. Durant les dix ans qui s'étaient écoulés depuis la fin de la guerre, les traces les plus visibles de la dévastation avaient disparu ; les hommes avaient réparé les routes et reconstruit les maisons, la nature avait comblé les tranchées et charitablement recouvert d'herbe verte les cratères de bombes.

À Abbeville, il descendit pour prendre le petit train pour touristes qui l'amena en cahotant jusqu'au Tréport. Il était l'unique passager à part quelques écoliers et une jeune fille en sabots tenant sur ses genoux un panier rempli de choux. L'état des voitures laissait voir que les estivants de Paris s'étaient faits rares durant les années de guerre puis d'inflation et de crise économique ; le tissu violet des sièges était élimé et les vitres ternies, les sangles de cuir fendillées et les barres en chrome abîmées, les rails étaient tordus et la voie envahie de chiendent. Personne ne monta en route et personne ne descendit. Il fallut attendre le terminus du quai François-Ier pour que les écoliers s'évadent bruyamment, suivis de la jeune fille traînant ses sabots.

Arrivé au port, Léon regarda autour de lui comme s'il y avait le moindre espoir qu'une jeune fille aux yeux verts apparaisse à la sortie d'une ruelle, à une fenêtre ou à bord d'un canot de pêche. C'était à ce réverbère, là-bas, qu'ils avaient appuyé leurs bicyclettes, c'était à peu près à la hauteur de ce bollard qu'elle avait passé son bras sous le sien. Ici elle avait jeté le gras du jambon de son sandwich dans le bassin du port, et là elle lui avait mis dans la bouche, du bout des doigts, sa dernière bouchée, et là-bas elle avait pesté contre les estivants avec leur tête de bouffis pomponnés. À cette fontaine elle avait bu, et avec ses souliers à lacets noirs et fatigués elle avait foulé ces pavés herbeux et moussus.

Les bateaux pour touristes qui jadis arrivaient et partaient en feulant et en envoyant la vapeur étaient maintenant solidement amarrés aux parois du bassin, leurs coques étaient couvertes d'algues et les écoutilles fermées par des planches. Sur le quai, pas une seule ombrelle blanche, pas de bottines roses ni de guêtres rutilantes, rien que des mouettes effarouchées, des chiens hirsutes et une horde de gamins nu-pieds jouant au football avec une boîte de conserve vide. Seuls les pêcheurs étaient encore là, réparant leurs filets, fumant la pipe et passant une main noueuse sur leur nuque burinée.

Léon s'avança jusqu'au phare, s'assit sur le muret et glissa sur la droite et la gauche jusqu'à ce qu'il ait la nette sensation d'avoir trouvé la place qu'avait occupée Louise. Puis il posa les mains sur les pierres et les caressa. Tout d'un coup, il s'aperçut qu'il avait faim ; il n'avait rien mangé depuis le petit-déjeuner.

Le café du Commerce où Louise lui avait expliqué la différence entre raseurs riches et raseurs pauvres était fermé. Il y avait des grilles aux fenêtres et aux portes, le sol devant l'entrée était jonché de feuilles d'automne poussées là par le vent et de journaux jaunis. Un chien jaune longea le mur en bombant le dos, leva la patte arrière et urina avant de poursuivre en boitant sur trois pattes.

Léon le dépassa et continua son chemin, longeant un magasin de dentelles et un kiosque fermés, une maison d'habitation à l'air penché et une boutique peinte de toutes les couleurs à l'enseigne *Aux Quatre Vents*, qui jadis avait vendu des jouets de plage. Derrière, se trouvait une quincaillerie où l'on apercevait de la lumière. Léon poussa la porte et entra, acheta une casserole en émail bleu et remonta la rue de Paris jusqu'à l'endroit où jadis il s'était procuré du pain, du vin et des légumes.

Une heure plus tard, il était assis entre les deux rochers, massifs, inamovibles, inchangés à l'extrémité de la plage. C'était la marée basse, le ressac montait faiblement et de mauvaise grâce sur la plage de galets gris et les mouettes jouaient avec le vent ascendant. Alors seulement, Léon s'aperçut à quel point leurs cris lui avaient manqué, et depuis si longtemps. Il attisa les braises de son feu de camp, y rajouta du bois flotté et touilla dans sa casserole remplie à ras bord de moules, carottes, oignons et eau de mer.

Cinq heures sonnèrent à l'église, puis le sifflement du train lui parvint ; Léon avait étudié les horaires, il savait que c'était le dernier train de la journée qui arrivait et que le dernier train pour Paris partirait dans une heure tout juste.

Il observa la plage de galets sur laquelle les cabines de plage, autrefois blanches, à la peinture écaillée, pourrissaient désormais, couvertes d'algues. Au-delà se trouvaient les villas chic, encore chaulées de frais, gardant fière allure, mais leurs fenêtres closes et leurs rideaux tombant tout droit leur donnaient l'air d'avoir le souffle coupé tant était effrayant le cours des choses. À l'extrémité opposée de l'esplanade, dans l'espace vide entre l'hôtel des Anglais et le casino, Louise devrait surgir d'une minute à l'autre si elle voulait encore manger des moules aujourd'hui.

Quand cinq heures et quart eurent sonné à l'église, Léon retira la casserole du feu et commença à manger. Avec hésitation d'abord et en lançant souvent des regards de côté vers l'esplanade, puis plus vite et plus énergiquement. Les coquilles vides, il les jetait sur la plage. Puis il s'approcha de l'eau, lava la casserole et la posa à l'envers près du feu.

Il rentra en ville sans passer par la plage et retourna directement par l'esplanade à la rue de Paris d'où il monta jusqu'à l'église Saint-Jacques. La Vierge était toujours là dans sa niche à droite de l'entrée. Ses joues rouges étaient les mêmes que jadis, tout comme ses yeux noirs ronds, seul le manteau bleu et or était terni, et la statue n'était plus piquée de petits papiers pliés et roulés ; la nouveauté était, à ses pieds, un tronc dans lequel on pouvait faire des dons pour les veuves des marins noyés.

Léon songea à s'agenouiller devant la Vierge et à tenter de marmonner une prière ; mais il n'était même pas sûr de pouvoir réciter le Notre-Père jusqu'au bout, il renonça et jeta une pièce dans le tronc. Puis il sortit son bloc-notes, griffonna quelques lignes, arracha la page, la roula et, exactement comme la première fois, la fixa sous l'aisselle droite de la Vierge.

Comme son petit papier était le seul, on aurait dit que la Vierge avait un thermomètre sous l'aisselle – la Mère de Dieu semblait avoir la fièvre. Il retira alors le rouleau et le plaça derrière l'oreille, mais on aurait dit alors un crayon de menuisier. Dans le drapé du vêtement bleu, il ressemblait à un poignard, entre les lèvres de la Vierge à une cigarette et à ses pieds on aurait dit un os rapporté par un chien. Léon finit par replacer le papier sous l'aisselle droite, puis il ressortit et descendit au port. Il fallait qu'il se dépêche s'il voulait attraper le dernier train.

Trois jours plus tard, bien avant l'heure dite, Léon était attablé à la terrasse du café de Flore. C'était un samedi après-midi, le boulevard Saint-Germain grouillait de flâneurs et de touristes. Léon en était à sa troisième tasse de café, il avait déjà survolé cinq journaux et il lui restait tout de même encore vingt minutes à tuer avant dix-sept heures. Il boutonnait son veston, le déboutonnait, étendait les jambes puis les ramenait sous sa chaise. Il demanda l'heure exacte à son voisin et régla sa montre de gousset avec trois minutes de retard. Puis il replia soigneusement les journaux et les empila, sans perdre un seul moment de vue le flot des passants.

À vrai dire, il était là à contrecœur. C'était sa femme Yvonne qui l'avait obligé à se rendre à ce rendez-vous dont il ignorait même si c'en était un. Deux jours plus tôt, rentrant rue des Écoles en fin de soirée au retour du Tréport, il avait réussi, contre toute attente, à se faufiler devant la loge de la concierge sans se faire remarquer. Mais dans la cage d'escalier, à l'entresol, l'attendait Yvonne, chapeautée, avec son manteau et sa valise à ses pieds, prête à partir, serrant dans le poing un mouchoir froissé qu'elle pressait devant sa bouche.

Une fois de plus, Léon n'en revenait pas ; ce n'était plus la bambocheuse éméchée à lunettes de soleil roses qu'il avait quittée le matin même au jardin public, ni la jeune fille fredonnant, non plus que la femme au foyer angoissée – Yvonne était cette fois une héroïne tragique grecque prête à tous les sacrifices.

— Alors ? lui avait-elle demandé.

— Rien, avait-il répondu en lui prenant sa valise. Je suis un imbécile, pardonne-moi.

— Quoi ?

— Je suis allé à la gare du Tréport. Comme autrefois, tu comprends. C'était une idée comme ça. Allons, rentrons.

Et après qu'il lui eut tout raconté, elle s'était essuyé les yeux avec son mouchoir et avait dit :

— Après-demain à cinq heures au café de Flore ?

— Oui, mais…

— Pas de mais. Tu iras, Léon, m'entends-tu ? Ne serait-ce que pour être sûr. Il faut que tu le fasses, je le veux.

Il était déjà cinq heures dix lorsqu'il sentit que Louise était là. Il ne pouvait ni la voir ni l'entendre, seulement la percevoir comme un courant d'air dans la rue ou comme une lueur qui tombe sur les maisons quand les nuages s'éloignent. Léon scruta les alentours, examina les clients à l'intérieur du café, promena son regard sur les fenêtres de la façade opposée sans perdre de vue les passants qui marchaient sur le trottoir.

Il remarqua alors une jolie voiture un peu cabossée arrêtée, moteur en marche, de l'autre côté du boulevard, place du Québec. C'était une Peugeot Torpédo, type 172 vert amande, facile à reconnaître avec l'arrière effilé auquel elle devait son nom. Quelques années plus tôt, Léon s'était entiché de cette voiture biplace élégante et rapide très en vogue dans les rues de Paris, et pendant quelque temps, il avait secrètement calculé pendant combien de mois il lui faudrait mettre de côté un quart, un tiers ou un cinquième de son salaire pour se permettre un tel achat.

Mais, en homme raisonnable qu'il était, il n'avait jamais perdu de vue le fait qu'il était indéfendable, en tant que père de famille, de dépenser un quart, un tiers ou un cinquième de son salaire pour une biplace. Sa femme se moquait de temps en temps des yeux langoureux avec lesquels il suivait les Torpédo qui passaient et il avait toujours affirmé que ses regards ne s'adressaient pas à la voiture, mais à une jolie femme qui marchait sur le trottoir opposé.

Léon n'avait pas vu arriver la Peugeot 172, qui devait donc être là depuis quelque temps. La capote était fermée, l'échappement fumait, derrière les reflets sur le pare-brise se dessinait une vague silhouette. Les petits phares ronds au-dessus des garde-boue cabossés semblaient lui faire signe, le petit trou rond de la calandre tordue lui crier quelque chose, et la petite voiture tout entière semblait frémir d'impatience dans l'attente que Léon quitte sa chaise et traverse la rue pour monter.

Il se leva, posa d'une main la monnaie sur la table et leva l'autre pour tenter un salut – sur quoi la portière cabossée s'ouvrit du côté passager et, depuis le siège du conducteur, un bras de femme lui fit signe de s'approcher.

Léon n'avait qu'un pied dans la voiture et l'autre encore sur le marchepied lorsque la Peugeot Torpédo démarra avant de se faufiler élégamment dans le flux de circulation du boulevard Saint-Germain. En se laissant tomber sur le siège, il ouvrit la bouche pour dire bonjour à Louise, mais pas un son ne passa ses lèvres, car un simple "Bonjour" ou "Salut" de tous les jours lui semblait trop banal dans une situation si exceptionnelle.

Ce fut donc Louise qui prit la parole.

— Nous n'allons pas nous donner des bisous. Nous n'allons pas nous sauter au cou, d'accord ? Nous n'allons pas avoir le visage trempé de larmes et nous n'allons pas sécher nos larmes réciproquement, et nous n'allons pas graver des cœurs dans le tronc de tilleuls millénaires en nous promettant un amour éternel.

— Comme tu voudras, dit Léon.

Louise portait une casquette en cuir et des lunettes de pilote vertes. Elle accéléra vigoureusement, passa énergiquement de seconde en troisième et prit un virage serré pour tourner à droite dans la rue Bonaparte.

Comme la Torpédo patinait un peu sur les pavés mouillés, Léon cala bras et jambes entre le tableau de bord et la portière. À ses pieds, il y avait une casserole bleue émaillée un peu noircie. Louise conduisait la voiture avec des gestes nets et vifs, son visage était lumineux.

— Arrête de faire ces yeux ronds. Regarde plutôt la rue.

— Je ne fais pas les yeux ronds, je regarde. Elle est chic, ta voiture.

— Quatre cylindres, elle monte à soixante kilomètres à l'heure sans problème.

— Je sais. La Torpédo a gagné la coupe des Alpes il y a quelques années.

— Deux fois de suite. Je me la suis offerte pour un anniversaire à chiffre rond à la Banque de France. Elle n'était pas chère, il faut dire qu'elle était déjà un peu cabossée.

— Mais le nom ne va pas vraiment.

— Comment ça ?

— Parce qu'une Torpédo a la pointe à l'avant et pas à l'arrière.

— Si tu veux, je peux m'amuser à rouler en marche arrière.

— Tu travailles à la Banque de France ?

— Depuis cinq ans.

— Chapeau.

— Pas de quoi. On me traite comme la dernière des dactylos.

— Comment ça ?

— Parce que je suis la dernière des dactylos. Je passe mes jours à recopier à la machine des tableaux de calcul et il m'arrive de devoir en faire cinq exemplaires.

— Alors ça explique la Torpédo.

— Exact.

— Tu ne roules plus à bicyclette ?

— Si je dois aller quelque part, je prends la voiture. Et si je ne dois aller nulle part, je prends aussi la voiture.

— Et quand tu vas à la mer ?

— Alors là à tous les coups je prends la voiture.

— Et pourquoi est-ce que je t'ai vue dans le métro ?

— La voiture était au garage.

— Tu travailles au siège ?

— Place des Victoires.

— Moi, je suis depuis dix ans au Quai des Orfèvres. C'est à quelques centaines de mètres.

— Eh oui. Alors pendant plusieurs années, nous avons usé nos fonds de culotte assez près l'un de l'autre. Ça s'appelle la malchance.

— Oui.

— Bon maintenant, taisons-nous. On va faire un bout de chemin hors de la ville, si ça te va. Et nous parlerons plus tard.

Louise passa de troisième en quatrième, longea le jardin du Luxembourg le pied appuyé sur la pédale d'accélération, puis continua vers le sud, passant devant l'Observatoire pour gagner l'avenue d'Orléans. Elle laissait pendre la main par-dessus la portière et tenait le volant de la main droite, dépassait des attelages et des autobus à droite ou à gauche, là où il y avait la place pour passer, et aux carrefours, elle se glissait à toute vitesse entre les piétons, les cyclistes et les voitures. Quand un autobus ou un camion ne la laissait pas passer, elle appuyait sur l'avertisseur et se mettait à jurer, à crier et à rouspéter jusqu'à ce qu'il s'écarte, effrayé, et quand elle pouvait enfin s'engager dans la brèche, elle tendait le bras par la fenêtre et adressait au conducteur qu'elle dépassait des gestes qui provoquent d'habitude une bagarre quand ils sont échangés entre hommes.

Léon regardait avec horreur et enthousiasme les obstacles mortels qui surgissaient et disparaissaient à toute vitesse à droite et à gauche de la Torpédo, il lançait des regards de côté à Louise qui, maintenant que la circulation n'était plus aussi dense et que la route allait vers des prés et des champs, avait rejeté sa belle tête en arrière et, paupières mi-closes, regardait droit devant elle.

Elle avait ôté sa casquette de cuir et ses lunettes. Aux coins de sa bouche se dessinait un sourire, son menton s'avançait, frémissant d'impatience, et son cou avait un aspect lisse qu'il n'avait pas jadis. Une petite ride descendait du creux de l'oreille à la gorge, ce qui, ajouté à la fine mèche grise au-dessus de la tempe, conférait un air de dignité féminine à sa silhouette qui était encore celle d'une jeune fille. Ses yeux avaient des clignements d'ironie dont Léon aurait bien aimé savoir s'ils s'adressaient aux passagers des autres voitures ou s'ils tenaient à leur subite proximité dans l'exiguïté de la petite voiture de sport. Ses mains reposaient maintenant sur le volant. Léon remarqua qu'elle ne portait pas d'alliance.

— Mais est-ce que tu vas arrêter de faire ces yeux ronds, dit-elle en mettant une cigarette entre ses lèvres. Dans une demi-heure nous nous arrêterons, et là, nous pourrons parler.

11

La forêt de Fontainebleau toute proche formait une ligne noire sous le ciel nocturne, de petits villages se blottissaient dans la plaine, éclairés seulement, à cette heure tardive, de quelques lumières çà et là. À l'auberge *Le Relais du Midi*, sise sur le bord de la route entre deux localités sans nom, des routiers et des voyageurs de commerce buvaient des bières dans une pièce au milieu de laquelle le poêle à charbon répandait une chaleur accablante.

Louise et Léon étaient assis côte à côte dans un coin près de la fenêtre. Léon avait le bras droit autour de la taille de Louise, elle avait la tête appuyée sur son épaule et, de la main gauche, tenait la main droite de Léon. Un courant d'air froid passait par les interstices des fenêtres, faisant flotter la fumée de leurs cigarettes à l'horizontale en direction du poêle.

— Nous n'avons toujours pas parlé, dit-il.

— Tu veux parler ?

— Non. Toi ?

— Nous avons quand même déjà un peu parlé.

— Mais pas de ça.

— Non.

— Seulement de voitures.

— Et de *Metropolis*.

— De Kellogg, de Fitzmaurice.

— Des jupes Chanel, de ces chapeaux cloches ridicules. De ta concierge, d'une charlotte aux fraises malmenée.

— De l'inflation, de ta Banque de France.

— Et des éléphants. C'était quoi, déjà, la blague sur les éléphants ?

— Tu lis encore les romans de Colette ?

— Ah, l'idiote. Jamais personne ne m'a autant déçue. Je n'ai plus de cigarettes.

— Il y en a encore à l'étage ?

— Dans la voiture.

— Je vais te les chercher.

— Reste ici, dit-elle en lui pressant la main. Ne t'en va pas. Pas encore.

Il l'attira vers lui et lui donna un baiser.

— J'ai faim, dit-elle. Commandons avant que la cuisine ferme.

— Pour moi ce sera un steak frites, dit-il.

— Pour moi aussi.

Léon fit un signe au patron et passa la commande. Puis, pour faire rire Louise, il raconta une histoire, celle de ce clochard assis bon an mal an chaque jour devant le musée de Cluny, son chapeau posé devant lui, dans lequel Léon déposait une pièce le matin en allant au travail. L'homme sentait le vin, mais il était en général rasé de frais et faisait manifestement des efforts pour que ses vêtements usés soient propres. Ils se saluaient toujours affablement, échangeaient parfois quelques mots et se disaient au revoir en se souhaitant une bonne journée.

De temps en temps, tous les quelques mois, Léon, en se rendant au travail, trouvait le seuil du musée désert ; il s'inquiétait : serait-il arrivé quelque chose au clochard pendant la nuit ? Et à midi, quand il le retrouvait à sa place, il lui faisait signe, soulagé. Au fil des ans, Léon avait pris l'homme en affection, il veillait sur lui comme sur un de ces oncles au deuxième degré dont on ne se sent pas vraiment proche mais qui font tout de même partie de la famille.

Léon ignorait son nom et ne voulait pas le connaître, il ne voulait pas non plus savoir où il passait ses nuits ni s'il avait de la famille quelque part ; cela ne l'avait pas empêché de collecter petit à petit quelques informations. Ainsi savait-il que le clochard avait un goût prononcé pour le foie gras et qu'il souffrait en hiver d'un méchant rhumatisme des hanches, qu'il avait eu une femme prénommée Virginie et un emploi de sacristain avec appartement de fonction dans une église quelque part en banlieue avant de perdre, par sa faute ou celle d'autrui, d'abord sa femme ou son emploi ou son appartement, l'un des trois, et ensuite le reste de cette trinité petite-bourgeoise, qui ne pouvait exister que complète ou pas du tout.

À l'inverse, le clochard non plus n'ignorait pas tout de Léon : s'il y avait une vague de grippe, il s'enquérait de la santé de sa progéniture et de son épouse, et quand la manchette des journaux annonçait un crime par empoisonnement, il lui souhaitait bonne chance au laboratoire.

Ainsi ce clochard était-il devenu au fil du temps l'un des êtres les plus importants dans la vie de Léon qui avait peu de personnes avec lesquelles il échangeait quelques mots quotidiennement dont il puisse supposer en confiance qu'elles lui veuillent du bien sans arrière-pensées. Le temps passant, le clochard était devenu le clochard personnel de Léon, à tel point que s'il arrivait qu'un autre passant pose de l'argent dans son chapeau sous les yeux de Léon, ce dernier était presque jaloux.

Trois jours de suite en octobre de l'année précédente, le clochard était resté invisible. Le quatrième jour, quand Léon avait eu le soulagement de le retrouver à sa place, il l'avait invité à boire un café au bistrot le plus proche. Le clochard lui avait alors raconté ce qui s'était passé : quatre nuits auparavant, alors qu'un vent du nord cinglant faisait s'engouffrer des giboulées dans les rues du Quartier latin et que, fortement aviné, il cherchait un endroit pour dormir, ses pas l'avaient mené dans les parages de la gare de Lyon où il avait fini par trouver un wagon à bestiaux vide accessible. Il avait poussé la porte coulissante, s'était introduit dans l'obscurité bienfaisante à l'abri du vent, avait verrouillé la porte, s'était emmitouflé dans sa couverture sur la paille et était tombé aussitôt dans les bras de Morphée.

Si profond avait été son sommeil qu'il ne s'était pas réveillé quand le wagon à bestiaux s'était ébranlé avec une secousse, et il dormait encore au petit matin quand le train avec sa locomotive et ses vingt wagons à bestiaux vides avait quitté la gare de Lyon pour se diriger vers le sud ; anesthésié qu'il était par les litres de piquette ingurgités, les cahots et brinquebalements continus l'avaient laissé toute la journée dans ce profond sommeil comme un nourrisson dans son berceau, tandis que le train parcourait sans s'arrêter les étendues interminables de la bienheureuse province française. Le clochard dormait tandis que le train traversait la Bourgogne du nord au sud, il dormait au milieu des vignobles des Côtes-du-Rhône, il dormait encore tandis que, au crépuscule, le train passait devant les chevaux sauvages de Provence, et il dormait toujours dans le Languedoc, le Roussillon et au pied des Pyrénées, et ne s'était pas réveillé avant le lendemain matin, avec la gueule de bois et la langue râpeuse, alors que son wagon à bestiaux était arrêté depuis belle lurette et s'était fortement réchauffé sous le soleil du Sud.

S'extirpant de sa paille et s'essuyant la sueur du visage avec la manche, il avait fait coulisser la porte et, une fois que ses yeux se furent habitués à la lumière éblouissante, avait aperçu une gare de chargement de bestiaux, mais sans humains ni animaux, et, au-delà, s'étendant jusqu'à l'horizon, une plaine scintillante nue et déserte à l'exception de quelques cactus épars. Il lui fallut un moment pour comprendre qu'il n'était plus à Paris ni dans le Nord de la France, mais quelque part loin dans le Midi, sans argent, sans papiers, dans un endroit dont il ignorait probablement même la langue.

Poussé par de violents maux de tête, tenaillé par la soif, il était alors descendu sur le ballast et il lui avait fallu marcher pendant une heure et demie le long des voies en direction du nord-est pour atteindre la gare suivante où un garde-barrière nu-pieds vêtu d'un uniforme d'opérette l'avait informé dans un français incertain qu'il se trouvait non loin de Pampelune, au bord d'une rivière nommée Arga.

Louise riait. Le dîner arriva.

Du week-end qu'ils avaient passé tous les deux au Tréport dix ans plus tôt ils ne parlèrent plus, ni de la nuit sur la plage, ni de la pluie de bombes le lendemain, et tout aussi peu des années durant lesquelles ils avaient été séparés.

En début de soirée, alors qu'ils étaient encore au lit et qu'à la lumière blême des réverbères chacun avait exploré sur le corps de l'autre les cicatrices de balles de mitraillettes, d'éclats d'obus et de scalpel, Louise lui avait raconté avoir été ramassée par un négociant en vins de Metz, pris lui aussi dans les bombardements, qui l'avait transportée dans sa camionnette jusqu'à l'hôpital pour femmes d'Amiens où, après une opération en urgence, elle était restée un mois entier parmi les cas désespérés, avait contracté une pneumonie et la grippe espagnole et, guérie tant bien que mal, n'avait pu sortir que six mois après la fin de la guerre.

Elle était alors retournée tout droit à Saint-Luc-sur-Oise rendre visite au maire, qui l'avait accueillie joyeusement et lui avait raconté sans détour que Léon lui aussi s'était manifesté quelques mois plus tôt et qu'il avait paru fort heureusement en excellente forme ; il s'était assis précisément dans le fauteuil où se trouvait Louise et avait parlé de son accident, mais tout à coup il avait bondi de son siège et avait disparu à jamais.

Quand Louise demanda au maire s'il connaissait par hasard l'adresse de Léon, il avait haussé les épaules d'un air de regret, et lorsque, surmontant sa pudeur, elle voulut savoir si vraiment Léon n'avait pas demandé de ses nouvelles, le maire lui avait tapoté la main et avait secoué la tête en proférant une formule creuse sur la frivolité de la jeunesse en général et sur l'inconstance des jeunes hommes en particulier.

Quand Léon commanda deux cafés après le repas, le patron lorgna ostensiblement vers la pendule et, après avoir apporté les tasses, il fit le tour du restaurant pour encaisser et plaça les chaises vides les pieds en l'air sur les tables. Léon et Louise discutaient à voix basse en se dévisageant comme s'ils étaient plongés dans de difficiles négociations devant mener à de difficiles décisions de grande portée ; or ils ne parlaient que de futilités et évitaient soigneusement tout sujet grave et pesant.

Léon évoqua le gigantesque dirigeable passé récemment devant sa fenêtre du laboratoire du Quai des Orfèvres, si près qu'on aurait pu le toucher, puis Louise raconta que sa Torpédo était tombée en panne au retour du Tréport et qu'elle l'avait fait redémarrer en nettoyant le filtre à air de la poussière de la route avec un peu d'essence prise dans le jerrican de secours. Cela les conduisit à des considérations sur les avantages et inconvénients respectifs des routes goudronnées et des routes pavées, puis Louise raconta que son trajet pour aller travailler passait par la place de Clichy, récemment repavée, et où, d'ailleurs, les prostituées étaient toutes vêtues de deuil depuis la guerre ; elle voulut savoir si, selon Léon, elles étaient vraiment toutes des veuves de soldats morts au front. Sans doute que oui, répondit Léon, un peu surpris, à quoi Louise rétorqua qu'elle l'espérait bien ; car si la seule autre explication possible était vraie – en l'occurrence que la voilette de veuvage des putains n'était qu'un costume pour faire marcher les affaires parce que les soldats revenus du front prenaient leur pied à l'idée de baiser la femme d'un camarade mort –, si cela était vrai, alors plus jamais elle ne voulait avoir affaire à un homme. À quoi Léon répondit qu'il était incapable d'en juger, ne disposant pas de statistique parlante sur les putes de la place de Clichy ni sur la psychologie des soldats rentrés du front ; ce qu'il savait avec certitude, en tout cas, c'est que lui n'y prendrait plaisir en aucun cas.

— Je sais bien, répondit Louise avant de lui raconter en peu de mots avoir dérapé un jour place de l'Étoile sous la pluie verglaçante et avoir failli passer sous l'Arc de Triomphe et rouler sur la tombe du Soldat inconnu.

Peu après minuit, la Torpédo était de nouveau sur la route. Louise conduisait lentement, et Léon lui caressait la nuque, les yeux fixés sur les deux faisceaux lumineux jaunes qui éclairaient la route. Ils ne parlaient plus, ils restèrent longtemps sans dire un mot. Puis Louise se racla la gorge et dit d'un ton subitement durci :

— Écoute, Léon, dans une heure nous serons rentrés à Paris. Il faut que tu me promettes quelque chose.

— Quoi donc ?

— Je ne veux pas que tu m'espionnes.

— Quoi ?

— Tu me comprends. Nous ne nous reverrons pas, ça n'aurait aucun sens et puis ça ne mènerait à rien. Tu ignores où j'habite et je ne te le dirai pas. Mais tu sais où je travaille.

— Et alors ?

— Arrête de faire l'idiot, ça ne te va pas. Je ne veux pas que tu traînailles devant la Banque de France pour me voir. Tu ne te baladeras pas des heures ni rue de Rivoli ni place des Victoires. Tu ne me lanceras pas de chien policier sur les talons, tu ne me croiseras pas par hasard au marché aux légumes pendant que je serai en train d'acheter une livre de pommes de terre et tu ne te retrouveras pas par hasard au cinéma en même temps que moi. Tu ne feras jamais ça, tu me le promets ?

— Le hasard existe, répondit Léon. Paris n'est pas si grand qu'on croit, tu sais ? Il peut toujours arriver qu'on se croise. Dans le métro, dans la rue, chez le boucher…

— Arrête ces fadaises, rétorqua-t-elle vivement. Nous n'avons pas de temps pour ça. Promets-moi de ne pas faire de bêtises. Jamais, pas une seule fois. S'il arrive que nous nous croisions par hasard, nous pourrons nous saluer, d'accord, mais sans nous arrêter. Moi, de mon côté, je te promets que je n'irai jamais rue des Écoles ni quai des Orfèvres. Il n'y a que le boulevard Saint-Michel, je ne peux pas complètement te l'abandonner, car je suis obligée de passer par là de temps en temps.

— Moi aussi. Deux fois par jour. Minimum.

— Sois un homme, Léon. Promets-le-moi.

Détachant sa main du volant, elle la lui tendit.

— Tu le promets ?

Léon tourna les yeux vers Louise et sourit comme pour dire : Mais comprends-moi ! Puis il lui prit la main et regarda par la fenêtre en disant :

— Non.

Louise continua à rouler sans un mot dans la nuit pendant quelques secondes, avant de freiner et de mettre au point mort, et une fois la voiture arrêtée, elle tira le frein à main, sortit et contourna le capot jusqu'à la portière du passager.

— Passe de l'autre côté, c'est à toi de conduire !

— Louise, je n'ai jamais…

— Allez, vas-y !

— Je ne sais pas conduire.

— Alors tu vas apprendre maintenant, allez, glisse sur l'autre siège ! À partir de maintenant, c'est toi qui conduis la voiture, sinon nous allons jacasser et jacasser et nous pourrions bien finir par chialer. Là, c'est la pédale d'accélération, et là, c'est le frein, je m'occupe de l'embrayage pour l'instant. Alors accélère un peu, rien qu'un peu, oui, comme ça, et maintenant, lâche la pédale et puis embraye, tu vois, c'est la première, j'enlève le frein à main, et toi tu débrayes lentement en même temps que tu accélères doucement, tout doux, tout doux…

Une fois en troisième, Léon roula à cinquante kilomètres à l'heure au milieu de la route qui les conduisait dans la nuit vers le nord, vers la ville. Histoire de s'exercer, il éteignit et ralluma les phares, appuya sur l'avertisseur et laissa pendre le bras gauche dehors ; dans les virages serrés, Louise s'emparait du volant pour l'aider à tourner, et quand la route grimpait, elle agrippait le levier de vitesse et passait à la vitesse inférieure. Arrivés au sommet de l'une des dernières collines avant les abords de la ville, ils virent surgir au nord-ouest la tour Eiffel ornée de guirlandes lumineuses tandis qu'au nord-est la lune se levait au-dessus de la ligne noire d'une forêt.

— Regarde, dit Léon, c'est un quartier exact. Tu sais ce que ça veut dire.

— Quoi donc ?

— Ça veut dire que la lune se trouve à cet instant exactement à l'endroit du système solaire où nous nous trouvions il y a quatre heures.

— Comment ça ?

— La planète terre se trouvait il y a juste quatre heures à l'endroit où la lune se trouve actuellement.

— Il y a quatre heures, nous étions là-haut ?

— Exactement là-haut..., dit Léon en jetant un regard à sa montre-bracelet, il y a quatre heures, j'étais en train d'arracher ton dernier bouton de chemisier.

Ils roulèrent un temps dans la nuit en silence en regardant la lune à travers le pare-brise.

— Maintenant, elle s'est un peu déplacée, dit-il. La voilà à l'endroit où ta culotte...

— Laisse ma culotte tranquille, l'interrompit-elle.

Léon expliqua à Louise qu'au moment du premier quartier de lune, la terre, la lune et le soleil se trouvaient exactement à angle droit l'un par rapport à l’autre, ce qui signifiait que la lune, dans sa trajectoire autour du soleil, courait en quelque sorte derrière la terre, et cela à une distance moyenne de trois cent quatre-vingt-quatre mille kilomètres et à une vitesse de cent mille kilomètres à l’heure.

— Cela signifie qu’il y a quatre heures, nous étions là-bas, et que dans quatre heures, la lune sera ici.

— Quatre heures ? Attends, laisse-moi calculer.

Elle rejeta la tête en arrière et regarda le ciel tandis que la Torpédo glissait paisiblement dans la nuit avec un bruit régulier. Au bout d’un moment, elle dit :

— En effet. Trois heures, cinquante-deux minutes et quelques secondes. Quand la lune est croissante ou décroissante ?

Léon se mit à rire, surpris, puis pressa le menton sur la poitrine, dubitatif.

— Aucune idée. Peut-être que ça dépend de la position de l’observateur, dans l’hémisphère nord ou dans l’hémisphère sud.

— Mais non ! En matière d’astronomie au moins, tous les hommes sont frères.

— En tout cas il y a deux possibilités : soit la lune nous court après avec quatre heures d’intervalle, soit elle nous précède de quatre heures.

— Alors elle serait là où nous serons dans quatre heures.

— Je ne veux pas le savoir, dit Léon. Disons qu’elle nous court après.

— Les chances sont cinquante-cinquante. Alors elle en serait où, la lune, maintenant ? demanda Louise.

— À l’endroit où je t’ai portée de la table jusqu’au lit.

— Et en route, nous nous sommes arrêtés près des vêtements accrochés.

— À la patère.

— Qui n'était pas bien fixée.

Pendant un moment, ils regardèrent en silence la lune qui s'éloignait de l'horizon avec une rapidité étonnante.

— En fait, on n'a pas besoin de fusée pour aller sur la lune, dit Louise. Il suffit de rester pendant quatre heures au même endroit.

— On fait un bond, on reste en l'air et on laisse la terre continuer sa route.

— Et on attend la lune.

— Et puis on monte.

— Dis-moi, Léon, où est la lune maintenant ?

— À l'endroit où la lampe de chevet s'est cassée en tombant par terre. À ce moment, tu as commencé à répéter mon nom.

— Toi, tu n'es qu'un poseur imbu de ta personne.

— Je l'ai encore dans l'oreille. Et dans le nez aussi. Je nous sens tous les deux. Tiens, sens.

Elle renifla le cou, l'épaule de Léon puis son propre avant-bras.

— Nous sentons exactement pareil.

— Nos odeurs se sont mélangées.

— Je voudrais que ça reste comme ça.

— À jamais.

Louise se mit à rire.

— Tu ne le fais pas à moins, hein ?

Elle défit le bouton le plus bas de sa chemise et le caressa de la main droite.

— Tu es bien satisfait de toi et tu te considères comme un sacré mec, non ?

Léon acquiesça.

— Alors est-ce que tu sais aussi, maître du monde, où se trouve le frein dans une voiture ?

— Je sais accélérer, allumer les phares et klaxonner. Mais freiner, ça non, je ne veux pas savoir.

— Moi si. Mais appuie donc sur le frein, splendeur de la Création ! Allez, tout de suite ! Vite, vas-y ! Lâche la pédale, embraye, et maintenant, le levier de vitesse. Non, pas celui-là, ça, c'est le frein à main, et maintenant freine, la pédale juste à côté de l'accélérateur. Va vers la droite. Allez, vas-y. Vite.

Tandis que Léon en était encore à s'occuper du volant, de l'embrayage et du frein, Louise se mit à l'embrasser et à tirailler ses vêtements jusqu'à ce que la voiture, en zigzaguant et cahotant, finisse par s'immobiliser. Le moteur vrombissait doucement sous le capot. Au loin, le cri d'une chouette retentit. Un banc de brouillard traversait le vallon juste avant les abords de la ville. Ils prirent deux couvertures en laine dans le coffre et marchèrent étroitement enlacés jusqu'à l'orée du bois où, dans l'herbe molle, entre deux buissons, ils s'aimèrent jusqu'à l'aube aux rayons de la lune.

12

Durant les onze ans, huit mois, vingt-trois jours, quatorze heures et dix-huit minutes qui suivirent, Louise et Léon ne se revirent pas, ils ne se reparlèrent pas, ils restèrent sans nouvelles l'un de l'autre. Léon Le Gall tint la promesse qu'il s'était refusé à faire et ne s'approcha jamais, pas une seule fois, de la Banque de France, il ne se lança pas non plus dans des expéditions insensées en métro et il ne flâna pas inutilement sur le boulevard Saint-Michel.

Il n'en était pas moins incontournable de se rendre le matin au travail et de revenir chez lui le soir, et quand il marchait, il lui fallait bien garder les yeux ouverts ; il ne pouvait donc manquer d'apercevoir de temps à autre sur le boulevard Saint-Michel des yeux verts ou une nuque au-dessus de laquelle des cheveux foncés avaient été coupés droit d'une oreille à l'autre, ce qui faisait battre plus vite son cœur. Même des années plus tard, il tressaillait dès qu'une Peugeot Torpédo 172 tournait au coin d'une rue ou qu'il apercevait dans le métro une silhouette féminine en imperméable fumant une cigarette debout dans un coin.

Un jour, il sortit de son laboratoire en pleine journée de travail, monta sur le toit du palais de Justice et découvrit, dans la charpente noircie par la poussière des siècles et blanche de toiles d'araignée, une lucarne orientée vers le nord-ouest. L'ayant ouverte, il fut tranquillisé en constatant que la vue était dégagée au-dessus de la Seine mais que la Banque de France elle-même, sur la rive droite, était cachée par plusieurs rangées d'immeubles.

Un jeudi soir, place Saint-Michel, alors qu'il rentrait chez lui, il lui sembla voir disparaître sous ses yeux derrière un kiosque circulaire une forme dont il fut sûr et certain, l'espace d'une seconde, que ce devait être Louise. Il courut jusqu'au kiosque et en fit deux fois le tour, examinant tous les gens qui passaient devant d'un pas pressé, puis il refit le tour du kiosque en sens inverse – mais la silhouette était demeurée mystérieusement introuvable, comme si elle s'était évanouie dans le ciel ou engloutie dans le sol par une trappe dérobée.

La nuit, avant de s'endormir, Léon ne cessait de revivre en pensée le trajet en Torpédo, les moments passés avec Louise au Relais du Midi et les dernières heures, jusqu'à l'aube, en lisière de cette forêt d'où l'on apercevait la tour Eiffel. Il eut la surprise de constater que ses souvenirs ne s'estompaient pas au fil des semaines, des mois et des années ; au contraire, ils devenaient de plus en plus puissants, de plus en plus vivants. D'une année sur l'autre, Léon sentait les lèvres de Louise plus ardentes sur son cou, et il était traversé d'un frisson toujours plus intense en songeant à la façon dont Louise lui murmurait à l'oreille "Là, touche-moi, là" ; il respirait son parfum, qui lui paraissait de plus en plus suave, et il sentait présent sous ses mains le corps de Louise, souple, vigoureux, mais aussi exigeant et ne cédant jamais, contrastant avec la chaleureuse mollesse du corps de sa femme ; il gardait dans son cœur la sensation qu'il n'avait jamais éprouvée qu'en compagnie de Louise – celle d'être totalement uni, en accord avec lui-même, le monde et la brièveté du temps qui nous est imparti.

La journée, il allait consciencieusement travailler, et le soir il plaisantait avec sa femme et se montrait auprès de ses enfants un père plein de tendresse ; mais au fond, les moments où il était le plus vivant étaient ceux où, tel un vieillard, il s'abandonnait totalement à ses souvenirs. Extérieurement, il n'avait guère changé pendant les douze années passées depuis l'excursion avec Louise ; il n'avait ni grossi ni maigri, et si son front se dégarnissait, son corps de quarante ans était à peine différent de celui qu'il avait eu dix ou vingt ans plus tôt.

Mais depuis peu, il sentait que, décidément, il n'était plus un jeune homme. Il n'avait pas encore de douleurs ici ou là, il n'avait aucune propension à la mélancolie, sa mémoire ne flanchait pas et il continuait d'être pris de fébrilité à la vue de belles jambes de femme. Pourtant, il sentait que le soleil avait passé son zénith. D'ailleurs, il ne tenait plus à paraître jeune et n'avait plus le besoin de faire l'intéressant en portant des guêtres rutilantes et un insolent chapeau melon ; peu auparavant, s'achetant pour la première fois un costume classique en tweed, il avait constaté à l'essayage, avec une surprise mêlée d'amusement, qu'il ressemblait à s'y méprendre au père de son enfance.

Sa femme Yvonne ne se plaignait pas. Ce dimanche matin où il avait donné un dernier baiser à Louise place Saint-Michel et était descendu de la Torpédo pour se traîner vers la rue des Écoles comme un condamné à mort marchant à l'échafaud, elle avait fait comme s'il avait non pas passé la nuit ailleurs, mais qu'il revenait de la boulangerie ou de chez

Mme Rossetos à laquelle il aurait porté des chemises à repasser. La porte de l'appartement était ouverte, une odeur de café se répandait depuis la cuisine, et quand il avait voulu lui prendre la main et se lancer dans une explication, elle avait retiré sa main et dit : "Laissons, nous savons, toi comme moi. Nous n'allons pas nous perdre en paroles inutiles."

Le dimanche agréable et paisible qu'ils passèrent, comme la plus heureuse des familles, provoqua chez Léon un étonnement sans limites : ils se promenèrent au Jardin des plantes et montrèrent au petit Michel les mammouths et machairodus empaillés du Muséum d'histoire naturelle, ils dégustèrent une glace au citron à la brasserie du Vieux-Soldat et firent faire un tour de moto à leur fiston sur le manège placé à l'entrée du jardin du Luxembourg, et tout ce temps-là, Yvonne avait le bras passé sous le sien et, câline comme une chatte, suivait le moindre des mouvements de son mari avec la douceur de ses hanches qui abritaient la vie, comme si tous deux avaient eu de tout temps exactement les mêmes buts, les mêmes désirs et les mêmes intentions.

Léon fut tout d'abord déconcerté par l'absence d'un drame qu'il aurait cru inévitable. Il s'étonnait, d'un côté de voir Yvonne si magnanime, d'un autre d'avoir pu lui-même être si vite infidèle à sa propre infidélité ; puis il comprit qu'Yvonne avait su le vaincre en faisant sien son écart de conduite, en en faisant un épisode de leur mariage. À l'avenir, ses retrouvailles avec Louise ne les sépareraient plus, elles demeureraient un souvenir commun. Néanmoins, il était conscient que cette générosité renvoyait tout compte fait à un rigorisme cruel : à la certitude qu'Yvonne avait besoin de lui pour le meilleur et pour le pire et qu'un être aussi moral que Léon serait incapable en temps de crise et d'inflation dans un pays catholique comme la France de quitter son fils aîné et l'épouse dont Dieu lui avait confié la garde, enceinte de cinq mois, pour la seule et unique raison qu'il voulait chercher son bonheur au côté d'une autre femme.

Et en effet, rester avec Yvonne allait tellement de soi pour Léon que ce n'était même pas un devoir ; il n'avait même pas à y réfléchir. Ils resteraient ensemble, jamais ils ne divorceraient, d'abord car il leur manquait à tous deux non pas le caractère passionnel nécessaire pour la catastrophe finale, mais le manque de scrupules et l'égoïsme inhérents à tous les drames conjugaux ; ensuite, si leur union était marquée par la distance et le détachement, elle n'en était pas moins fondée aussi sur des sentiments d'affection, de bienveillance et de respect tels qu'ils peuvent exister entre un frère et une sœur, des sentiments que ni Léon ni Yvonne n'avaient jamais trahis ; et c'est pour cette raison même qu'ils n'avaient encore jamais vraiment éprouvé ce lien primordial qui fait tenir le plus fortement la plupart des couples, c'est-à-dire la crainte de se retrouver pauvre et affamé dans la solitude d'une mansarde sans chauffage.

Il faisait déjà sombre lorsqu'ils revinrent de leur excursion dominicale. Ils mangèrent dans la cuisine, du jambon et des œufs au plat avec du pain, mirent au lit le petit Michel et allèrent se coucher eux aussi. Sous la couverture, ils se retrouvèrent, dans un bonheur attristé, proches l'un de l'autre comme ils ne l'avaient plus été depuis longtemps, et Léon, même s'il avait le cœur lourd, se sentit lié à sa femme par la destinée. Mais lorsqu'il se rapprocha d'elle un peu plus et souleva l'ourlet de sa chemise de nuit, elle l'interrompit : "Non, Léon. Pas ça. Plus de ça, désormais."

Le lendemain matin, il partit au travail comme il l'avait fait des milliers de matins déjà. Le gazon du jardin public était couvert d'un duvet de neige, les rues étaient mouillées et les platanes noirs, et le métro grondait sous les racines des arbres. À Noël 1928, il dépensa toutes ses économies en achetant rue de Rennes pour Yvonne un bracelet de perles qu'elle avait toujours regardé avec une convoitise désespérée ces dernières semaines, ce dont Léon était censé ne pas s'apercevoir. À une Saint-Sylvestre printanière succéda l'hiver rigoureux de 1929 ; en avril, quand Yvonne mit au monde un garçon plein de santé qui fut prénommé Marc, une neige encore gelée, noircie par la poussière de charbon, recouvrait encore la rue des Écoles.

Trois mois plus tard, un vendredi matin, la mère de Léon mourut sans qu'on s'y attende alors qu'elle était en train d'acheter du loup de mer au marché aux poissons de Cherbourg pour le dîner. Elle venait de prendre le poisson emballé dans du papier journal lorsqu'un caillot de sang obstrua une artère importante de son cerveau qui avait fonctionné remarquablement cinquante-huit ans durant. Elle s'écria "Aïe ! Qu'est-ce que c'est que ça ?", porta la main gauche à la tempe et s'assit sur le pavé mouillé par la glace pilée qui sentait le poisson en faisant s'écrouler une bourriche pleine d'huîtres. Quand la poissonnière, effrayée par le teint livide de sa cliente, cria à tue-tête pour appeler un médecin, la vieille femme fit un signe de dénégation et dit simplement : "Laissez, ce ne sera pas nécessaire. Appelez plutôt la police, elle avisera le médecin de garde et les..." Sur quoi elle ferma les yeux et la bouche comme si tout était vu et dit, s'étendit sur le côté et mourut.

L'enterrement eut lieu par un matin venteux, les pétales des fleurs de cerisiers tournoyaient comme des flocons. Debout devant la fosse ouverte, Léon s'étonna de ce rituel qui s'accomplissait sans aspérités – elle était presque offensante, la simplicité avec laquelle un être pouvait être enterré comme si de rien n'était, comme si cet être n'avait pas, après tout, aimé et haï durant une vie ou n'avait pas été, au moins, utile à ses proches d'une manière ou d'une autre ; un dossier classé qu'on expurgeait sans façon du quotidien.

Léon repartit dès le lendemain, même si c'était samedi et qu'il aurait pu rester. Il s'étonna lui-même d'être si pressé de rentrer à Paris et s'énerva de ne trouver rien d'autre pour l'expliquer à son père que des excuses d'un gamin de seize ans qui fait l'école buissonnière ; il lui fallut quelque temps avant de comprendre que la mort de sa mère avait marqué la fin de sa jeunesse et signifiait que l'homme qu'il était bel et bien devenu n'avait plus de lien avec Cherbourg.

Yvonne resta quelques semaines à Cherbourg avec les garçons pour aider son beau-père veuf à vider la maison et à emménager dans un appartement plus petit près du port.

À son retour à Paris, elle avait une nouvelle habitude qui dérouta Léon. Cette habitude tenait en un cahier en toile cirée noire avec des feuilles à lignes rouges dans lequel Yvonne notait ses rêves chaque matin avant de se lever. Léon soupçonna la toile cirée d'être le signe annonciateur de nouvelles turbulences conjugales ; mais, celles-ci ne survenant pas, il en conclut qu'il s'agissait soit d'une conséquence tardive de l'accouchement, soit des frémissements tardifs de son escapade extraconjugale.

Yvonne, quant à elle, ne faisait ni étalage ni mystère de ce cahier, le laissant posé toujours ouvert sur sa table de nuit ; Léon en vint donc à supposer qu'il contenait des messages à son adresse. Aussi, quand Yvonne n'était pas à la maison, lui arrivait-il de le prendre et de le feuilleter. "Voyage en train de nuit dans un paysage enneigé, quelque chose avec un cheval, et puis papa sur le canapé", y lisait-il par exemple. Et à une autre date : "Léon s'exerce au tir dans le jardin – quel jardin, d'où vient ce pistolet, et sur quoi tire-t-il ?" Ou encore : "Moi et les petits dans le métro. Une chaussette trouée et Michel hurle comme si on l'égorgeait. Regards méchants. Horriblement gênée. Le train roule interminablement dans le tunnel noir, il ne veut pas s'arrêter. Retour dans le giron de la terre mère ?"

Voilà à quoi ressemblaient les fragments que la mémoire d'Yvonne conservait à l'état de veille. Certains jours, rien de plus ne figurait dans le cahier que : "Rien de rien. Est-il possible que la nuit entière ait été toute noire, sans plus ?" Léon faisait des efforts sincères pour s'intéresser aux tribulations nocturnes de la psyché de son épouse, et au début, il essaya même d'interpréter ces symboles et métaphores dont la signification était d'une consternante évidence et d'en tirer des conclusions sur le bien-être psychologique d'Yvonne, sur l'état de leur mariage ainsi que sur l'image qu'Yvonne se faisait de lui. Mais comme il n'apprit jamais quoi que ce fût de vraiment nouveau, il en conclut que les rêves n'étaient rien que des substances éliminées par le métabolisme psychologique, substances qui peuvent éveiller quelque temps la curiosité d'une très jeune fille ; mais qu'Yvonne s'intéresse de manière si obsessionnelle à ses chimères nocturnes, voilà qui le déconcertait.

En été 1931, le petit Marc, qui n'avait pas prononcé un mot bien au-delà de son deuxième anniversaire – et vraiment pas un mot, même pas "maman" ou "papa", ce pourquoi le médecin de famille plissait déjà le front d'un air soucieux –, articula enfin, à haute et intelligible voix, avec des voyelles allongées et un *r* guttural authentiquement parisien le beau mot de "roquefort".

Ce fut aussi cet été-là que la crise économique mondiale commença à faire rage en France, avec quelque retard, et que la police judiciaire dut réduire de vingt pour cent son personnel sur ordre ministériel ; Léon échappa au licenciement parce qu'il avait deux enfants à nourrir et que sa femme, qui, par son bon naturel, par plaisir de pardonner, et aussi dans son propre intérêt, ne s'était pas obstinée à refuser le devoir conjugal, était enceinte.

En avril 1932 vint au monde leur troisième fils, qui reçut le nom de Robert, et au début des grandes vacances, le deuxième week-end de juillet, le père de Léon, à Cherbourg, fut retraité après exactement quarante ans de service accompli dans la même salle de classe sur la même chaise derrière le même pupitre. Dix jours plus tard, il mit fin à son veuvage solitaire d'une manière à la fois discrète et agressive en se procurant un cercueil à sa taille, qu'il installa dans son séjour. Il revêtit une chemise de nuit blanche, but une bonne gorgée d'huile de ricin et, après s'être bien purgé aux toilettes, il avala une dose suffisante de barbituriques, s'allongea dans le cercueil, il tira le couvercle au-dessus de lui, ferma les yeux et joignit les mains. La gouvernante le trouva le lendemain matin. Sur le cercueil était posé un mot pour elle avec une pièce de cinq francs censée la dédommager pour sa frayeur, ainsi qu'un testament notarié qui réglait sa succession et donnait tous les détails de l'enterrement, déjà organisé et payé.

À nouveau, Yvonne passa l'été à Cherbourg avec les enfants pour transformer l'appartement de son beau-père en appartement de vacances et entrer en possession de l'héritage, qui se révéla assez important ; une fois tous les frais payés, il resta à Léon et Yvonne un joli matelas déposé à la Société Générale, correspondant à plusieurs mois de salaire, une somme qui, gérée par eux d'une manière avisée, devait rester intacte à d'infimes variations près au cours des décennies et leur permettre de mener, à leur modeste niveau, une vie exempte de soucis pécuniaires.

Peu avant de rentrer à Paris, Yvonne fit la connaissance pendant une promenade d'un bellâtre aux yeux noirs prénommé Raoul, qui n'avait pas de métier précis, lui demanda de l'argent au bout de quelques minutes et eut l'audace, le soir même, alors que les enfants dormaient, de venir lui rendre visite dans l'appartement presque vide du défunt beau-père. Elle coucha avec lui, tout comme les deux soirs suivants, faisant des choses qu'elle n'eût jamais faites dans le lit conjugal avec son Léon.

Durant le voyage de retour, elle se fit de violents reproches, se demandant si elle avait commis cet adultère pour se venger de la liaison de Léon avec la petite Louise ou par vanité féminine et peur de vieillir ; en effet, l'expérience du premier soir avait pu lui prouver que, pour ce qui était de la recherche du pur plaisir, cela n'en valait pas la peine. Lorsque le train entra en gare Saint-Lazare, elle était encore convaincue qu'elle confesserait tout à Léon ; mais quand elle l'aperçut sur le quai, ne se doutant de rien, avec ses yeux bleus et son costume fripé après deux mois de célibat, elle n'en eut pas la force, se précipita vers lui et se réfugia dans une étreinte dont la durée et l'intensité auraient dû alerter Léon. Trente ans presque devaient s'écouler avant que, face à la mort, elle lui avoue cet écart de conduite, qui resta le seul.

En mai 1936, le Front populaire remporta les élections, Léon eut droit pour la première fois à des congés payés. Avec les garçons et Yvonne, qui avait accouché peu avant d'une fille nommée Muriel, il alla passer deux semaines à Cherbourg où, s'il ne retrouva plus ses copains de jeunesse, il loua une yole et fit avec sa famille des excursions jusqu'aux îles Anglo-Normandes ; Yvonne, tout au long de ces deux semaines, ne resta pas un seul instant sans craindre de voir surgir le beau Raoul et ne respira que lorsque leur train pour Paris démarra.

Un soir d'avril 1937, la rue des Écoles fut le théâtre d'une grande agitation. C'était en début de soirée, peu avant le dîner, Mme Rossetos parcourait l'immeuble en hurlant à la recherche de ses deux filles, qui, à quatorze et dix-sept ans, venaient de disparaître sans laisser de traces, emportant leurs draps, leurs vêtements et les économies de leur mère, que celle-ci gardait depuis des années dans une boîte à sucre dans le buffet de cuisine.

En janvier 1938, Léon Le Gall fut nommé directeur adjoint du laboratoire du service scientifique de la police judiciaire et le 1er septembre 1939, le jour où l'Allemagne envahit la Pologne, il était à la Salpêtrière pour se faire enlever des hémorroïdes.

Le jour où Louise devait lui envoyer pour la première fois un nouveau signe de vie commença comme l'une des journées les plus bizarres de l'histoire de France. C'était un vendredi, le 14 juin 1940. Ce premier printemps depuis le début de la guerre, une guerre qui jusque-là ne se remarquait pas beaucoup à Paris, respirait une beauté et une joie de vivre jamais vues auparavant. Durant tout le mois d'avril, alors qu'à nouveau des centaines de milliers de jeunes gens croupissaient à l'Est, les femmes avaient porté des jupes courtes à fleurs sous un ciel intensément bleu et les cheveux dégagés leur tombant sur les épaules, les terrasses des cafés étaient bondées jusqu'à une heure tardive, car les boulevards brûlaient de la chaleur du soleil emmagasinée pendant la journée comme si un animal gigantesque au sang chaud se cachait et respirait insensiblement sous les pavés.

Lucienne Delyle chantait à la radio la nostalgique *Sérénade sans espoir* et aux Galeries Lafayette, à la Samaritaine, les clients s'arrachaient costumes en lin blanc et tenues de plage ; partout il flottait des effluves de parfums coûteux contenus dans de minuscules flacons et, à la tombée du jour, les ombres des amoureux se confondaient dans les jardins publics avec celles des platanes et des marronniers en fleurs. Certes, entre deux baisers ou deux verres, on avait çà et là une pensée pour les boucheries qui s'étaient passées ailleurs ; mais était-ce une raison pour boire un verre de moins, donner un baiser de moins, danser une danse de moins ? Cela aurait-il servi à quiconque ?

Le doux rêve de ce printemps se termina abruptement lorsqu'il apparut que la ligne Maginot ne pourrait pas contenir cette fois les assauts des Huns. Après le 10 mai, les Belges et les Luxembourgeois fuirent par dizaines de milliers les gigantesques libellules d'acier de la Luftwaffe et les sauriens des batteries blindées allemandes qui s'abattaient sur le pays comme des fléaux préhistoriques à une vitesse effroyable et avec un bruit assourdissant, projetant leur poison de plomb sur les flots de fugitifs ; et quand à Sedan aussi les colonnes blindées franchirent tout ce qui se mettait en travers de leur chemin, Paris fut le théâtre d'un sauve-qui-peut général où se lancèrent en premier le gouvernement, ses généraux, ses ministres et les industriels qui prirent la poudre d'escampette en emportant les salaires de leurs ouvriers, suivis des parlementaires, des fonctionnaires et des flagorneurs, des diplomates, hommes d'affaires et lèche-bottes ainsi que des restes de l'armée, puis aussi du beau monde – journalistes, artistes et lettrés qui, pour le bien de l'humanité et dans l'intérêt de l'avenir, se sentaient également contraints de sauver leur peau par tous les moyens et de toute urgence.

En même temps qu'eux, femmes, enfants et vieillards fuirent par centaines de milliers vers le sud, dans des trains bondés et sur des routes encombrées, à pied et à bicyclette, en taxi et dans des voitures qui avançaient pare-chocs contre pare-chocs ou que la pénurie de carburant obligeait parfois à se faire tirer par des bœufs, avec matelas, bicyclettes et fauteuils en cuir sur les toits, sur des carrioles tirées par un cheval, sur les plateaux des camions et dans les brouettes où s'amoncelait le contenu de maisonnées entières, d'ateliers d'artisans, de boutiques diverses.

Quand ce fleuve de fugitifs se tarit au bout de trois semaines, Paris s'était dépeuplé d'un tiers. N'y restaient que les plus riches entre les riches et les plus pauvres entre les pauvres, ainsi que ceux auxquels la loi, pour des raisons professionnelles, interdisait de déserter : les employés des hôpitaux, des finances et du fisc, les fonctionnaires des Postes et Télégraphes et du métro, le personnel des centrales électriques et usines à gaz ainsi que les pompiers et les vingt mille policiers.

Aussi Léon se rendait-il jour après jour au travail comme si de rien n'était, tandis que les journaux annonçaient la retraite de l'armée vers Dunkerque, le blocage de la circulation ferroviaire, la capitulation de l'armée belge. Le commissariat lui envoyait la même chose qu'en temps de paix – des gâteaux aux amandes au cyanure, du champagne à la mort-aux-rats, de l'amanite phalloïde dans le risotto aux cèpes. Il eut la surprise de constater que, même si Paris s'était dépeuplé d'un tiers, les cas de soupçon d'empoisonnement étaient non pas moins nombreux, mais bien plus nombreux ; on avait l'impression que les heures de chaos et de panique de masse avaient poussé à passer à l'acte maintes empoisonneuses qui avaient manqué de courage en des temps plus stables.

Le lundi 10 mai 1940, cependant, la routine professionnelle de mon grand-père fut abruptement interrompue. Lorsqu'il arriva au travail, à huit heures et quart, comme de coutume, il découvrit le quai des Orfèvres envahi par les fonctionnaires de la police judiciaire ; gendarmes en uniforme, inspecteurs en civil, chimistes de la police, médecins légistes et employés de bureau étaient debout sur le pavé, l'air mécontent, sous le soleil matinal et fumaient, formaient de petits groupes qui discutaient tout bas ou lisaient le journal à l'ombre des entrées et des auvents. Les portes étaient closes, l'intérieur du bâtiment était éclairé.

— Que se passe-t-il ? Pourquoi est-ce que personne n'entre ? demanda Léon à un jeune collègue qu'il connaissait vaguement pour avoir bu un café avec lui.

— Aucune idée. Il paraît qu'il faut vider le bureau 205.

— Le ministère de la Honte ?
— Il semblerait.
— Il va être fermé ?
— Non, on va seulement évacuer les archives.
— Tous les fichiers des étrangers ?
— C'est un sacré boulot. Nous allons devoir donner un coup de main.
— Alors donnez-le, ce coup de main. Moi, j'ai à faire au labo.
— Je ne crois pas que tu doives travailler aujourd'hui. Ordre exceptionnel. Tous les services sont dispensés de leurs tâches habituelles et doivent mettre la main à la pâte.
— Bon. Comme ça, nous ne laissons pas les archives aux nazis. Un acte d'humanité.
— D'humanité, mon cul ! s'écria le jeune collègue en jetant son mégot dans la Seine. Ils veulent mettre leurs fichiers à l'abri, c'est tout.
— À l'abri des nazis ?
— Ils ont peur que les Allemands chamboulent le bel ordonnancement du bureau 205. Puisqu'ils ne parlent même pas français, les Allemands.
— Non !
— Si.
— Eh bien, tu vois.
— Le bureau 205 a encore plus le goût de l'ordre que les Allemands.

Le service des Étrangers, le bureau 205 chargé du contrôle des étrangers et des réfugiés, était devenu célèbre bien au-delà des frontières nationales sous le nom de ministère de la Honte. Il se composait d'une centaine de ronds-de-cuir dont la tâche exclusive était d'espionner, de contrôler et de harceler tous les réfugiés et expatriés cherchant l'asile au pays des droits de l'homme et de leur rendre la plus difficile possible l'obtention d'une carte de séjour permanent. Créé avec de nobles motivations comme organisation d'assistance aux débris humains de la Première Guerre mondiale, le service des Étrangers s'était transformé au fil des ans, apparemment tout seul et sans intervention extérieure, en une espèce de monstre qui, au cœur de la police judiciaire, se nourrissait du sang de ceux qu'il était censé protéger et dont le but suprême était de tout savoir à tout moment sur quiconque n'était pas franco-français de pure souche.

Les plus somptueux hôtels parisiens et les pensions de banlieue les plus miteuses devaient remettre quotidiennement leurs fiches de déclaration au bureau 205, chaque bureau de placement devait déclarer les étrangers, chaque autorité judiciaire procéder à toutes les déclarations utiles, et tous les délateurs anonymes trouvaient là l'oreille ouverte de fonctionnaires consciencieux qui reportaient soigneusement sur une fiche la moindre calomnie et l'enregistraient ainsi à jamais.

Il y avait des millions de fiches rouges pour l'enregistrement de la population étrangère par rue, des millions de fiches grises pour le recensement par nationalité, des millions de fiches jaunes comportant les informations politiques ; les juifs, les communistes et les francs-maçons étaient inscrits dans des fichiers séparés. Ces fichiers étaient si nombreux qu'il fallait les rassembler dans des fichiers centraux qui, à leur tour, étaient fondus dans un grand fichier général, et tous ces fichiers et registres étaient rangés méthodiquement au bureau 205 dans des dossiers suspendus et des caisses en bois sur des rayonnages hauts jusqu'au plafond et recouvrant tous les murs de la vaste salle de ce bureau.

Dehors, devant la porte du bureau 205, se trouvaient des bancs de bois rutilants sur lesquels avaient usé leurs fonds de culotte, au fil des ans, des centaines de milliers de juifs polonais, de communistes allemands et d'antifascistes italiens, passant là des heures, des jours, des semaines, dans l'attente anxieuse d'entendre leur nom enfin appelé et d'être introduits dans le bureau 205 où un petit fonctionnaire les toiserait d'un regard méfiant par-dessus le bord de ses lunettes, consulterait des fiches rouges et grises et, après avoir longuement froncé les sourcils, daignerait apposer son tampon et, espérait-on, prolongerait son permis de séjour d'une semaine, voire d'un mois.

Notre-Dame sonnait huit heures et demie quand une Citroën traction avant noire vint s'arrêter devant le Quai des Orfèvres. La porte s'ouvrit du côté du passager, le préfet de police de Paris, Roger Langeron, descendit et, par-dessus le toit de la voiture, s'adressa avec un mégaphone à l'armée des hommes qui attendaient.

> "MESSIEURS, VOTRE ATTENTION S'IL VOUS PLAÎT. INTERVENTION SPÉCIALE DE TOUS LES FONCTIONNAIRES DE LA POLICE JUDICIAIRE SELON LE DROIT DE GUERRE. TOUT LE MONDE AU PREMIER ÉTAGE PAR L'ESCALIER F POUR SE TENIR PRÊT DANS LE COULOIR DEVANT LE BUREAU 205 ! DÉPÊCHEZ-VOUS, S'IL VOUS PLAÎT, LE TEMPS PRESSE, LES ALLEMANDS SONT DÉJÀ DEVANT COMPIÈGNE !"

Léon gravit l'escalier F au côté de son jeune collègue et s'assit sur le banc du couloir du premier étage. La porte du bureau 205 était ouverte. La pièce, réputée pour son silence monacal et la précision quasi mécanique avec laquelle le travail s'y déroulait, était envahie d'un brouhaha et d'une agitation dignes d'un marché aux puces. Juchés sur des échelles, des hommes avec des manchettes de protection extrayaient des fichiers des rayonnages et les passaient à d'autres hommes avec manchettes qui les portaient au centre de la pièce jusqu'à un grand bureau derrière lequel avait pris place le préfet de police en personne. Il examinait chacun des fichiers puis le poussait soit vers l'extrémité gauche, soit vers l'extrémité droite de la table. Ceux qui se retrouvaient à gauche étaient destinés à la destruction immédiate, les fichiers déposés de l'autre côté devaient être mis à l'abri.

Deux chaînes humaines se formèrent, une à chacune des extrémités de la table, et procédèrent à l'évacuation des fichiers. Elles sortaient parallèlement du bureau et rejoignaient l'escalier F pour descendre jusqu'au rez-de-chaussée, franchir le portail puis traverser le quai des Orfèvres jusqu'à la berge de la Seine. Les dossiers devant être détruits étaient jetés dans l'eau à quelques pas de là en aval, et les feuilles se détachaient avant de descendre le courant comme de grandes feuilles d'automne ; les fichiers devant être conservés étaient chargés, un peu en amont, dans deux péniches réquisitionnées pour l'occasion.

Léon se plaça dans la file qui menait les fichiers à la destruction. Huit heures durant, il resta debout dans l'escalier à passer des milliers de boîtes, de caisses et de classeurs dans lesquels reposaient par millions des témoignages sur des vies humaines, qui, charriés par les eaux troubles de la Seine, se détacheraient et, trempés, couleraient au fond du fleuve où des mollusques les absorberaient et les digéreraient avant de les restituer au cycle de la vie.

On parlait peu, les supérieurs pressaient la cadence. Le soir du deuxième jour, le bureau 205 était vide, et la nuit suivante, on vida les caves des dernières archives. À huit heures trente le lendemain matin, très exactement quarante-huit heures avant le début de l'opération, les péniches quittèrent la berge, et disparurent en amont, après être passées sous le pont Saint-Michel, pour gagner le Sud du pays, la France libre, par les rivières et les canaux.

Trois jours plus tard, le vendredi 14 juin – le jour, donc, où Louise lui envoya un signe de vie –, Léon se réveilla comme d'habitude bien avant l'aube. Il écouta le tic-tac du réveil et la respiration régulière de sa femme, et quand la lumière matinale passa du bleu clair à l'orange et au rose sur les voilages blanchis, il sortit discrètement du lit, se faufila jusqu'au couloir avec ses vêtements en boule sous le bras, et fit du bruit en laissant tomber de la monnaie de sa poche de pantalon. À la cuisine, il alluma le gaz et mit de l'eau à chauffer, puis il se rasa et se lava à l'évier. Quand il voulut prendre *L'Aurore* devant sa porte, il s'étonna de ne pas voir le journal posé sur son paillasson. Cela n'était jamais arrivé.

À la place, Léon prit les journaux des trois derniers jours sur le porte-chapeaux, retourna à la table de la cuisine, ouvrit le premier journal et lut un article sur l'élevage de moutons dans les Hébrides extérieures, qu'il avait sauté la veille. Peu avant sept heures, il prépara, comme à son habitude, dix tartines au beurre pour toute la famille. Le premier à arriver, les yeux encore ensommeillés, fut son fils aîné Michel, désormais un lycéen de seize ans. Tandis que Léon versait du café dans deux tasses, le cadet, Marc, marchait d'un pas incertain vers les toilettes.

Léon posa sur la plaque de cuisson une casserole pour chauffer du lait. Quand Yvonne entra peu après dans la cuisine, avec la petite Muriel, quatre ans, sur le bras, et tenant Robert, huit ans, par la main, Léon se retrouva à l'étroit entre la cuisinière et l'évier. Il embrassa sa femme sur un coin de la bouche et la petite sur les cheveux, puis il se retira avec sa deuxième tasse de café jusqu'au fauteuil placé près de la fenêtre du séjour, d'où il avait une belle vue sur la rue des Écoles et, en face, sur l'École polytechnique.

À peine se fut-il assis qu'il remarqua, dans le petit jardin public d'en face, un soldat assis sur un banc, jambes écartées, qui clignait des yeux dans le soleil matinal en mordant dans une pomme et un gros morceau de pain. Jambes tendues, les bottes loin du corps, il avait posé son casque à côté de lui sur le banc et son fusil avec le canon dirigé vers le gravier. Un appareil photo cubique lui pendait autour du cou et, à la ceinture, un étui à revolver démesuré.

— Yvonne ! appela Léon tout en se retirant derrière le voilage pour ne plus être visible du dehors. Viens voir ça.

— Quoi donc ?

— Ce soldat, là en face.

— Bizarre.

— Ne reste pas à la fenêtre.

— D'où sort-il cette pomme ?

— Comme ça, cette pomme ?

— À cette saison, on ne trouve plus une seule pomme dans tout Paris. La nouvelle récolte n'arrive pas avant fin juillet.

— Moi, je vois surtout le casque et l'uniforme.

— Regarde, le voilà qui sort une deuxième pomme. Et il donne du pain aux pigeons. C'est peut-être bien du vrai pain à la farine de blé.

— L'uniforme, Yvonne.

— Nous, nous mangeons du carton à la sciure de bois qui n'a de pain que le nom, et ce gars donne du bon pain aux pigeons. Et si nous voulons de la viande, nous devons faire la chasse aux écureuils dans le jardin du Luxembourg.

— J'ai entendu dire que les écureuils sont déjà exterminés.

— Tant mieux.

— Oublie les pommes et les écureuils, Yvonne. Regarde l'uniforme.

— Oui, et alors ?

— Il est gris. Les nôtres sont kaki.

— Ce… ce n'est pas possible.

— Je descends à la boulangerie et je jette un coup d'œil.

Les deux boulangeries les plus proches étaient fermées, mais après un tour dans le Quartier latin, Léon avait compris. Dans cette nuit d'été précoce, la Wehrmacht était arrivée à Paris sur la pointe des pieds. Pas un coup de feu n'avait été tiré, pas un ordre n'avait été hurlé, pas une bombe n'avait explosé. Au petit matin, les Allemands étaient là, tout simplement, comme s'il s'agissait d'un événement revenant annuellement, comme les hirondelles, par exemple, qui arrivent d'Afrique en mai, ou comme le beaujolais nouveau avec lequel les patrons de restaurant grugent les touristes à l'automne, ou comme le dernier roman de Georges Simenon.

Ils s'étaient tout naturellement intégrés au réseau des rues de la ville désertée et, avec leurs casques en acier et leurs Mauser, ils faisaient la queue au pied de la tour Eiffel comme des touristes, étaient assis dans le métro à lire le Baedeker avec, pendus au cou, des appareils photo dans des étuis de cuir marron et, seuls ou en groupe, ils posaient devant Notre-Dame et le Sacré-Cœur.

Des soldats aguerris, en uniforme de combat, aidaient galamment les dames d'un certain âge à monter dans l'autobus, des fantassins joyeux buveurs de bière mangeaient des steaks frites dans les restaurants, félicitaient le cuisinier et dégrafaient leur ceinturon en donnant de généreux pourboires aux serveurs. De fringants officiers de la Luftwaffe auxquels on aurait tout aussi bien pu servir du jus de tomate vidaient les dernières réserves de châteauneuf-du-pape et nombre d'entre eux, étant autrichiens, parlaient un français étonnamment châtié. La seule chose par laquelle la puissance occupante se faisait désagréablement remarquer était son défilé quotidien, à midi et demi pile, sur les Champs-Élysées.

— Ils sont partout, chuchota Léon à Yvonne lorsqu'il revint avec deux baguettes, tournant le dos aux enfants pour ne pas les inquiéter. Il y en a deux assis dans une voiture place Champollion, un qui boit son café à une terrasse rue Valette. Le Panthéon et la Sorbonne sont pavoisés de drapeaux à croix gammée géants. En revenant, j'en ai même bousculé un à un coin de rue, épaule contre épaule, et tu sais quoi ? Le gars s'est excusé. En français.

— Et qu'allons-nous faire, nous, maintenant ? demanda Yvonne.

Léon haussa les épaules.

— Je vais au labo, les enfants vont à l'école.

— Tu vas travailler ?

— C'est le service, Yvonne. Allons, nous en avons déjà discuté.

— Nous pourrions nous enfuir.

— Où ? À Cherbourg ? Premièrement les Allemands seront bientôt partout s'ils n'y sont pas déjà, et deuxièmement la police m'arrêterait tout de suite – la police française, pas l'allemande. Et troisièmement, si je me retrouvais en prison, toi tu serais à la rue d'ici un mois avec les petits sans rien à manger.

— Nous pourrions nous cacher ici dans l'appartement.

— Sous le canapé ?

— Léon…

— Quoi ?

— Réfléchissons-y encore.

— Mais à quoi veux-tu réfléchir ? Il n'y a pas à réfléchir. On ne peut réfléchir que si on dispose d'informations. Mais nous ne savons rien du tout. Nous ne voyons rien, nous n'entendons rien, nous n'avons pas la moindre idée de ce qui se passe. Nous ne savons pas ce qui s'est passé hier et nous pouvons encore moins savoir de quoi demain sera fait.

— On voit quand même déjà un petit peu, répondit Yvonne en désignant la fenêtre.

— Quoi, le soldat ? Un soldat de la Wehrmacht qui croque deux pommes à la suite et profite du soleil. Bon. Et qu'est-ce que cela nous apprend ?

— Que les Allemands sont là.

— Tout à fait. Et puis nous pouvons supposer que s'il mange une troisième pomme, ce gars aura la diarrhée. Mais au-delà de ça, rien. Nous ne savons pas combien ils sont, nous ignorons leurs intentions. Vont-ils rester ? Vont-ils passer leur chemin ? Les

Britanniques finiront-ils par nous secourir ou bien les Allemands ont-ils déjà atterri en Angleterre ? Paris sera-t-il rasé ou épargné ? Nous ne savons rien. Les événements dépassent notre horizon. Cela n'a aucun sens de réfléchir et de discuter.

— Mais cela pourrait devenir dangereux. Pour nous et pour les enfants.

— Peut-être. Mais partir quelque part à l'aveuglette, c'est ça qui serait très probablement la chose la plus dangereuse que nous puissions faire. Voilà pourquoi les petits doivent aller se brosser les dents et se laver la figure. Moi, je m'en vais, j'ai beaucoup de travail qui m'attend au labo.

Au même instant, en bas dans la rue, une voiture avec haut-parleur passa, annonçant à la population au nom des autorités d'occupation allemande que, pour des raisons de sécurité, les habitants ne devaient pas quitter leurs appartements pendant quarante-huit heures, que la France était désormais à l'heure allemande et qu'il fallait donc avancer toutes les montres d'une heure.

13

Au petit matin, lorsque son horloge intérieure le réveilla, ce ne fut pas un désagrément pour Léon de constater qu'il était une heure plus tard que d'habitude. Et le deuxième matin non plus, puisqu'il ne trouva pas non plus *L'Aurore* posée devant sa porte et qu'il aurait donc trouvé le temps long à la table de la cuisine ; c'était une sensation agréable que de ne pas devoir errer dans la nuit comme un mort vivant, pour une fois, mais de pouvoir rester au lit aussi longtemps que sa femme et ses enfants dans le silence inaccoutumé qui s'était posé sur la ville. De plus, les deux jours d'assignation à résidence imposés par la puissance occupante étaient suffisamment longs en eux-mêmes. La famille Le Gall les passa en lisant, en mangeant et en jouant aux cartes. Michel, le fils aîné, qui ressemblait désormais – au point que c'en était risible – au gamin que Léon avait été à l'époque de ses escapades à la voile sur la Manche, manipula pendant des heures le bouton de réglage de fréquences de la radio à la recherche d'informations, alors que toutes les stations jouaient uniquement de la musique. Léon et Yvonne tentaient de dissimuler leur inquiétude derrière une jovialité exagérée et provoquaient l'inquiétude des enfants en les embrassant aux moments les plus inappropriés.

Quand Léon se mettait à la fenêtre, Michel quittait le poste de radio et s'approchait en silence de son père, croisait les mains dans le dos, se mordait la lèvre inférieure comme son père et regardait, comme lui, la rue pavée où passaient tantôt un camion militaire allemand, tantôt une ambulance, un corbillard ou une voiture de police, et même, une fois, une voiture d'assainissement accomplissant une tâche qu'elle ne pouvait différer.

Il régnait dehors un tel silence que, lorsque passait une patrouille, on percevait le piétinement des bottes des soldats à travers les fenêtres fermées. Et comme ce matin-là, pour la première fois après presque deux mois de soleil ininterrompu, le ciel s'était couvert de légers nuages, les oiseaux s'étaient tus comme s'ils se pliaient eux aussi aux ordres des Allemands.

Toutes les deux ou trois heures, Léon se glissait hors de l'étroitesse de l'appartement, descendait l'escalier et osait un pas sur le trottoir pour jeter un coup d'œil vers la droite et la gauche, pour prêter l'oreille au silence et pour flairer l'atmosphère ; mais il n'y avait jamais rien à voir, rien à entendre ni à sentir qui ait pu le renseigner d'une quelconque manière sur l'état des choses dans le monde.

Le troisième matin, l'assignation à domicile levée, Paris se réveilla. Léon réfléchit, à l'aube, s'il était plus sage d'aller travailler, conformément aux instructions, ou s'il passerait encore une journée à l'abri chez lui. On entendait, montant de la rue, un petit bruit de moteur et çà et là un bruit de sabots. Pour ne pas réveiller Yvonne, Léon se glissa sur la pointe des pieds jusqu'à la fenêtre et écarta le rideau ; un taxi passa, puis un camion Leclanché et une femme à bicyclette ; un gars poilu en marcel poussait sur les pavés une voiture de marchand des quatre-saisons.

Mais on ne voyait encore aucun signe de la guerre – le ciel n'était pas noirci par des nuages de fumée, aucun engin de guerre n'était stationné rue des Écoles, les magnolias étaient en fleur dans le jardin public d'en face, il n'y avait pas de tranchées, et nulle part on ne voyait de soldat ni une quelconque marque de combat ni de destruction.

"Les Allemands se font invisibles, songea Léon. Ou bien ils sont déjà partis. En tout cas, ça n'a pas l'air vraiment dangereux, dehors."

Il décida de se rendre au travail ; il eût été probablement plus dangereux de rester à la maison et de risquer d'encourir une procédure pour avoir manqué à ses obligations de service en temps de guerre. Ce matin-là, Léon se rasa un peu plus soigneusement qu'à l'ordinaire, passa du linge propre et mit son costume neuf en tweed ; il voulait faire bonne figure au cas où il lui arriverait quelque chose, que ce fût à l'hôpital, en prison ou à la morgue. Tout en buvant son café à la cuisine, il écrivit un mot à Yvonne, prit manteau et chapeau et tira doucement la porte de l'appartement derrière lui.

Au rez-de-chaussée, il remarqua que la porte vitrée de Mme Rossetos était entrebâillée. Il s'arrêta, tendit l'oreille. N'entendant rien, il s'approcha et appela la concierge par son nom. Puis il toqua et poussa la porte. La loge était plongée dans la pénombre et avait été vidée. Dans un coin, il y avait un balai, un seau et, dessus, une serpillière étalée pour sécher. À l'endroit où était accroché auparavant le portrait de feu le sergent Rossetos, un rectangle resplendissait sur le papier peint à fleurs. Il flottait dans l'air une odeur d'oignons étuvés et de détergent âcre, l'éternel tablier de Mme Rossetos était pendu à un crochet derrière la porte. Un lourd trousseau de clés était posé sur la plaque refroidie du fourneau et, à côté, un papier :

Merci de détruire sans le lire tout courrier qui pourrait arriver, je compte sur votre discrétion. Vous pouvez enfin aller vous faire foutre tous tant que vous êtes, espèces de constipés bouffis, péteurs de mes deux.

Veuillez agréer, Madame, Monsieur, l'assurance de ma considération illimitée.

JOSIANE ROSSETOS,
concierge de l'immeuble
sis 14, rue des Écoles
du 23 octobre 1917
au 16 juin 1940
à six heures du matin.

Le Quai des Orfèvres n'était pas pavoisé de drapeaux à croix gammée, aucun SS ne déambulait sans manières dans les couloirs. Il régnait au labo le même silence assidu qu'à l'ordinaire, et les collègues étaient tous à leur poste.

Léon eut la surprise de constater que la chambre froide était remplie de prélèvements de tissus, ce qui ne s'était encore jamais produit depuis quatorze ans qu'il était employé ici ; quand il en parla à ses collègues, ceux-ci haussèrent les épaules en lui indiquant qu'on avait dû improviser un réfrigérateur supplémentaire dans une penderie, qui elle-même était déjà pleine à craquer.

Le fait est que les médecins légistes parisiens, dans les deux jours qui avaient suivi l'entrée des troupes allemandes, avaient constaté dans trois cent soixante-dix-sept cas de décès des signes d'empoisonnement sans intervention d'autrui ; à tous ces morts, dont on pouvait supposer qu'ils s'étaient volontairement levés de la table de la vie afin d'échapper à l'amertume d'entremets faits d'humiliation, d'avilissement et de tourments, les médecins avaient prélevé un morceau de foie gros comme un œuf de poule et l'avaient expédié dans un bocal au service scientifique de la police judiciaire. Il fallut à Léon Le Gall et ses collègues trois semaines pour venir à bout de cette montagne de tissus humains, où ils décelèrent trois cent douze fois du cyanure, vingt-trois fois de la strychnine, trente-huit fois de la mort-aux-rats et trois fois du curare ; un unique échantillon se refusa à révéler avec quoi le désespéré s'était donné la mort, pas un seul ne donna de résultat négatif.

Après une journée au labo studieuse mais pauvre en événements, Léon prit le chemin du retour. Dans les rues, les véhicules étaient inhabituellement rares, comme si on était un dimanche et non un jour ouvrable, sur les trottoirs la masse des hommes rentrant à leur foyer était moins dense que d'habitude, les autobus étaient à moitié vides ; les bouquinistes n'avaient pas déverrouillé leurs boîtes, les chaises et les tables n'avaient pas été sorties sur les terrasses des cafés, les grilles des boutiques étaient baissées ; libraires et flâneurs, cafetiers, serveurs et clients – tous avaient disparu ; pourtant, on n'apercevait pas un seul barrage, ni char, ni mitraillette, la vie semblait prendre son cours habituel, bien français – à une petite différence près, c'est que sur les bancs publics et dans les bateaux-mouches étaient assis désormais des soldats allemands.

La porte en bois à ferrures du musée de Cluny était close elle aussi. Sur le seuil, Léon vit comme à l'ordinaire son clochard personnel, dans le chapeau duquel, le matin même, il avait déjà déposé sa pièce habituelle.

Léon lui fit un salut de la main et allait le dépasser lorsque le clochard le héla :

— Monsieur Le Gall ! S'il vous plaît, monsieur Le Gall !

Léon n'en revint pas. Que l'homme connaisse son nom, c'était inhabituel, cela contrevenait aux règles du jeu ; qu'il lui adresse la parole, qu'il l'appelle pour le retenir, cela ne se faisait tout bonnement pas. De mauvaise grâce, tournant sur ses talons, Léon s'approcha de lui. Le clochard se mit sur ses pieds et leva son béret.

— Excusez le dérangement, monsieur Le Gall, ça ne prendra qu'une minute.

— De quoi s'agit-il ?

— J'ai du culot, mais dans la détresse…

— Mais je vous ai déjà donné quelque chose ce matin, vous vous souvenez ?

— Justement, monsieur, c'est pour cela que j'implore votre indulgence et que je me permets de vous demander poliment si…

— Mais qu'est-ce que vous voulez, dites-le, ne perdons pas de temps.

— Vous avez raison, monsieur, le temps presse. Bref, je voulais vous demander : est-ce que demain matin aussi vous me redonnerez cinquante centimes.

— Quelle question !

— Et après-demain ?

— Vous êtes drôle, vous ! Vous devenez vraiment insolent ! Est-ce que vous ne seriez pas saoul ?

— Et la semaine prochaine, monsieur ? Est-ce que la semaine prochaine, et dans un mois, je recevrai aussi tous les jours cinquante centimes de vous ?

— Non mais ça suffit, qu'est-ce que vous vous permettez !

Léon, ayant le sentiment qu'on se moquait de sa bonté régulière, se tourna pour partir.

— Monsieur Le Gall, encore une seconde, je vous en prie ! Je suis tout à fait conscient de mon insolence, mais c'est la détresse qui m'y pousse.

— Dites donc, que se passe-t-il, allez-y, parlez.

— Eh bien, les nazis sont arrivés.

— J'ai vu.

— Et donc vous avez dû apprendre ce qu'ils font de nous autres en Allemagne.

Léon fit oui de la tête.

— Vous voyez, monsieur Le Gall, c'est pour ça que je dois partir, je ne peux pas rester ici.

— Où voulez-vous donc aller ?

— À la gare routière Jaurès, il y a des bus pour Marseille et Bordeaux.

— Et alors ?

— Si vous pouviez me faire une petite avance sur les pièces que vous me donneriez dans les temps qui viennent…

— Mais c'est… combien de temps allez-vous vous absenter ?

— Qui peut savoir ? La guerre va durer, je le crains. Trois ans, peut-être quatre.

— Et tu veux tes cinquante centimes quotidiens pour toute cette durée ?

Le clochard sourit et haussa les épaules pour demander l'indulgence.

— Quatre ans à deux cents jours ouvrés, cela fait huit cents fois cinquante centimes.

— Exactement comme vous dites, monsieur Le Gall. Bien entendu, une somme bien moindre m'aiderait aussi à sortir de la mouise.

Léon se frotta la nuque en pointant les lèvres et en regardant intensément le bout de ses chaussures. Puis il dit, comme s'il se parlait à lui-même :

— Si j'y réfléchis bien, je ne vois aucune raison de ne rien te donner.

— Monsieur…

Le clochard avait baissé les yeux et attendait en pétrissant humblement son béret. Léon lui aussi ôta son chapeau et se mit à regarder à droite et à gauche comme s'il attendait que quelqu'un lui porte conseil. Il finit par remettre son chapeau en disant :

— Débrouille-toi pour être ici demain un peu avant midi. Je t'apporterai l'argent.

— Je vous remercie, monsieur Le Gall. Et vous-même ? Qu'allez-vous faire ?

— Je vais voir. Toi, va d'abord à Jaurès. Au fait, je m'appelle Léon, c'est comme ça que m'appellent mes amis – que m'appelaient mes amis, quand j'en avais encore.

— Moi je m'appelle Martin.

— Martin, enchanté.

Les deux hommes se serrèrent la main.

— Alors à demain, fais attention à toi !

— Toi aussi, Léon, à demain !

Et puis – ni l'un ni l'autre ne put dire par la suite comment ceci avait pu arriver – ils firent chacun un pas vers l'autre et s'embrassèrent.

À son retour chez lui, Léon constata avec étonnement à quel point l'absence de Mme Rossetos se faisait déjà sentir. Devant l'entrée, le sol était jonché de mégots, de plumes de pigeons et de crottin de cheval, quelqu'un avait déposé dans le hall un sac d'ordures nauséabond. Cinq bonbonnes de gaz barraient la route de l'escalier. Le courrier du jour, personne n'étant plus là pour le distribuer aux étages et la plupart des locataires ayant fui vers le sud, était posé sur le grand radiateur près de la porte du fond, qui conduisait à la cour.

Port de Lorient,
à bord du croiseur auxiliaire
Victor Schœlcher.

14 juin 1940

Léon, mon chéri !

C'est moi, ta Louise, qui t'écris. Cela t'étonne ? C'est moi qui m'étonne. Je me suis beaucoup étonnée moi-même en m'apercevant à quel point j'ai eu besoin de t'écrire d'urgence à peine ai-je appris que j'allais quitter Paris et que je resterais loin pendant longtemps. Depuis une semaine, j'emploie la moindre minute de liberté à noter des choses confuses que je te destine ; j'espère que cette version-ci, au moins, sera plus ou moins au propre et pourra être mise au courrier demain ou après-demain.

Ne va pas croire que j'ai jamais arrêté de penser à toi pendant ces douze dernières années. En fait, on ne peut pas rester plus de quelques mois dans cet état, il arrive un moment où on bute sur ses propres limites. Et puis, soudain, sans crier gare, vient le moment – par exemple pendant la pause déjeuner – où on inspire profondément et où on se fait une raison, et, à partir de là, on continue son petit bonhomme de chemin, on a ses petits plaisirs, on va le samedi au cinéma et le dimanche à la campagne, on se commande une andouillette dans une auberge de village.

Comment je vis, depuis ? Pendant quelque temps, j'ai eu un chat nommé Staline, mais il a glissé sur le rebord en zinc de la fenêtre, il est tombé du quatrième étage et s'est empalé sur une pique de la clôture en fer forgé ; au musée de l'Homme, il y a un très jeune homme avec l'expression d'un singe qui aurait mal à l'estomac, il parle comme un torrent, il me prend pour une dame et, les jours d'hiver, quand il fait froid, il me court après pour m'offrir une infusion. De temps à autre, il m'écrit des lettres d'amour, courtoises et jamais trop longues, et quand je suis envahie de doutes sur le sens de la vie, sur ma force de séduction féminine ou sur l'humanité entière, il vient se promener avec moi et me gave de chocolat.

Je vis bien, tu ne me manques pas, comprends-tu ? Tu es seulement un de ces points vides parmi tant d'autres, de ces blancs que je transporte à travers ma vie ; après tout, je ne suis pas devenue pilote de course automobile ni ballerine, je ne dessine pas et je ne chante pas aussi bien que je le désirais, et je ne lirai jamais Tchekhov en russe. Il y a belle lurette que j'ai cessé de trouver dramatique que tous les rêves ne se réalisent pas dans la vraie vie ; ça pourrait vite devenir un peu trop.

On s'y fait, à ces blancs, on vit avec, ils font partie de vous et on ne voudrait pas se priver d'eux ; si je devais me décrire, la première chose qui me viendrait à l'esprit, c'est que je ne parle pas russe et que je ne sais pas faire de pirouettes. Et comme ça, ces blancs deviennent des signes caractéristiques et ils se remplissent pour ainsi dire eux-mêmes. Toi aussi, le désir que j'ai de toi – ou seulement le fait de savoir que tu existes – continue de me remplir.

Pourquoi ? Aucune idée. On s'y habitue, c'est comme ça.

J'ai donc été d'autant plus surprise quand, dans le taxi qui me conduisait gare Montparnasse, j'ai éprouvé tout d'un coup le désir de t'écrire, et j'étais aussi excitée qu'une jouvencelle avant son premier rendez-vous. Et je me suis encore plus surprise moi-même quand, sur la banquette arrière, je me suis entendue prononcer ton nom tout bas, alors même que j'étais sur le point de partir loin de toi. Je me suis traitée d'idiote, ce qui ne m'a pas empêchée de sortir quand même du papier à lettres et un stylo-plume, et ensuite, pendant l'interminable voyage en train dans un compartiment surpeuplé et surchauffé, jusqu'ici, au port de Lorient, j'ai essayé de mettre par écrit ce qui me venait à l'esprit te concernant.

Je suis maintenant sur le bord du lit de ma cabine, le bloc-notes sur les genoux, dans une chaleur de fournaise, derrière la porte soigneusement verrouillée, et je ne sais toujours pas ce que je veux te dire. Ou bien si : tout et rien, ni plus ni moins. Mais il y a une chose que je sais : cette lettre, je ne la posterai qu'au dernier moment, quand le facteur quittera le bateau et que les machines seront déjà en marche, quand on rompra les amarres et que je serai sûre que nous allons gagner le large et qu'il sera totalement exclu qu'on puisse me ramener sur la terre ferme puis à Paris.

Tu dois lire ces lignes debout sur le paillasson devant la porte de chez toi, en te grattant la nuque. J'imagine la concierge qui t'aura remis en main cette lettre en plissant le front avec un air de conspiratrice et après, en montant l'escalier, tu auras lu, incrédule, le nom de l'expéditrice, et de l'index droit tu auras déchiré l'enveloppe. Dans un instant, Yvonne va surgir dans la fente de la porte et demander si tu ne veux pas entrer. Elle est sûrement inquiète de te savoir là avec une enveloppe à la main, elle redoute peut-être un faire-part de décès, ou bien un ordre de marche, ou bien elle a peur qu'on t'ait renvoyé de l'appartement ou de ton travail. Alors tu lui tends la lettre, sans un mot, je suppose, puis tu la suis dans l'entrée et tu fermes la porte derrière vous.

(Salut, Yvonne, c'est moi, la petite Louise de Saint-Luc-sur-Oise, pas de quoi s'inquiéter. J'écris de très loin et j'envoie la lettre volontairement rue des Écoles, pour couper court à toutes les cachotteries.)

Tu sais, Léon, j'admire ta femme pour son intelligence diplomatique, mais aussi pour le courage avec lequel elle accepte ta bonne conduite disciplinée. Moi, à sa place, il y a belle lurette que je t'aurais envoyé au diable, sans doute pas pour mon bien ; je n'aurais pas supporté longtemps tant de gentillesse.

Car tu t'es vraiment toujours bien conduit pendant ces douze années, il faut le reconnaître. Tu ne m'as jamais espionnée, tu n'as jamais essayé de me courir après, tu n'as pas téléphoné à la Banque de France et tu ne m'as pas envoyé de lettre au bureau ; et pourtant, tu as souffert autant que moi, j'en suis sûre.

Évidemment, ça aurait été puéril de se livrer en secret à tous les petits rituels des amoureux, ça n'aurait servi à rien, ça nous aurait fait du mal à tous et je t'en aurais voulu si tu n'avais pas pu te retenir ; d'un autre côté, il m'est arrivé de me demander si, justement, je ne devrais pas t'en vouloir un peu d'avoir si bien respecté, sans faire la moindre vague, le silence radio que je t'avais imposé. Moi, d'ailleurs, je n'ai pas été aussi sage que toi. On a une belle vue dans ta salle de séjour depuis le jardin public au pied de l'École polytechnique, tu sais ? Quatorze fois pendant ces douze années, je me suis permis d'aller là-bas le soir observer tes fenêtres éclairées, comme on regarde à l'intérieur d'une maison de poupée ; la première fois, c'était le soir même de notre excursion ensemble, la deuxième fois le dimanche suivant et ensuite à intervalles irréguliers, en gros une fois par an. Toujours en hiver, parce que j'avais besoin d'être à l'abri dans l'obscurité, je sais les dates par cœur ; les huit dernières fois, j'avais pris des jumelles avec moi.

J'avais un peu l'impression d'être une sotte, c'est vrai, cachée derrière un tronc d'arbre à jouer au détective, mais les jumelles m'ont permis de tout voir : tes trois garçons jouant aux soldats dans la pièce, ta petite Muriel avec ses dents manquantes, et même une fois la belle poitrine de ta femme ; et puis aussi la nouvelle bibliothèque, et j'ai vu que tu portes maintenant des lunettes quand tu bricoles tes drôles de trucs. Ah, Léon, toi et tes drôles de trucs ! Je crois bien que c'est aussi un peu à cause de ça que je suis tombée amoureuse de toi, à l'époque. Une fourche à fumier rouillée, une croisée de fenêtre vermoulue et un jerrican de pétrole à moitié plein… il faut le chercher, celui qui en ferait autant.

D'ailleurs, je ne suis jamais restée plus d'un quart d'heure ou vingt minutes plantée derrière mon arbre ; ce n'était jamais possible plus longtemps ; chaque fois, la nouvelle qu'une femme seule se trouvait dans l'obscurité d'un jardin public semblait se répandre comme une traînée de poudre parmi tous les solitaires et les débauchés du Quartier latin. Une fois, j'ai dû expliquer à un gendarme ce que je cherchais avec mes jumelles dans un jardin public à l'heure où les bonnes gens dorment ; je m'en suis tirée grâce à l'ornithologie en lui racontant je ne sais trop quelles sottises sur les moineaux qui dorment en hiver blottis les uns contre les autres dans les arbres pour se tenir chaud, l'un montant toujours la garde, à tour de rôle.

En tout cas, c'était bien, de te voir dans le cercle de famille. Chaque fois, c'était une incursion dans une autre dimension, un aperçu sur un univers parallèle ou sur la vie que j'aurais peut-être eue s'il n'y avait pas eu à l'époque ce cratère de bombe sur la route ou si le maire de Saint-Luc ne s'était pas entiché de mon cou de cygne d'une incomparable élégance : ta famille, c'est pour moi la forme du possible, faite chair, c'est le mode de l'irréel en trois dimensions, c'est une crèche sécularisée, une maison de poupée animée et de taille humaine – le seul inconvénient, c'est que je ne peux pas jouer avec elle.

Ne te méprends pas, je suis satisfaite de ma vie et je n'en cherche pas une autre ; je ne saurais pas non plus pour quoi j'opterais si j'avais le choix entre l'indicatif et le conditionnel. Et puis de toute façon, la question ne se pose pas, puisque personne n'a ce choix.

Léon, tu as une belle famille et tu es un bel homme, ça te va bien, de vieillir. Autrefois, quand tu étais plus jeune, on aurait pu te trouver un peu fade tellement tu es sérieux, mais maintenant, ce sérieux te va à ravir. Est-ce que tu n'aurais pas commencé à boire un peu ? Il me semble t'avoir aperçu la plupart du temps avec un verre de Ricard à la main. Ou bien était-ce un Pernod ? Quant au fait que tu fumes la pipe depuis l'hiver dernier, je n'en dirais rien. Ça te vieillit un peu beaucoup. Si tu étais mon mari, je te l'interdirais, au moins dans l'appartement. Moi, au fait, je fume toujours des Turmac ; on verra si on peut s'en procurer, là où je vais. Sinon, il faudra que tu m'en envoies.

C'est bizarre : c'est seulement maintenant que tant de choses nous séparent – un océan, une guerre, peut-être un continent ou deux, sans oublier les années qui sont déjà passées et celles qui passeront – que j'arrive à être proche de toi. Maintenant que quelques milliers de kilomètres nous mettent à l'abri des cachotteries, des mensonges et des bassesses, maintenant qu'il est pratiquement sûr que nous ne nous verrons pas pendant longtemps, je me sens tout près de toi. Très loin de toi, je suis tout à fait moi-même, je peux oser m'ouvrir à toi sans me perdre, tu comprends ? Bien sûr que tu comprends, tu es un gars intelligent, même si ce genre de dilemmes et de paradoxes féminins sont étrangers à ton cœur d'homme.

Pour toi, je sais, les lignes sont plus droites. Tu fais ce que tu dois faire, et ce que tu ne dois pas faire, tu ne le fais pas. Et s'il t'arrive exceptionnellement de faire quelque chose que tu ne devrais pas faire, cela ne t'empêche pas d'être en paix avec toi-même parce que, en tant qu'homme, on peut bien, à l'occasion, faire quelque chose qu'on ne devrait pas faire. Dans ce cas-là, tu assumes, tu prends tes responsabilités et tu fais en sorte que la vie continue.

D'ailleurs, ce n'est pas vrai, que tu ne m'as pas vue pendant toutes ces années ; je suis sûre que tu m'as reconnue, cette fois-là, place Saint-Michel, quand tu m'as poursuivie en faisant le tour du kiosque. Simplement, j'ai couru plus vite que toi – de nous deux, j'ai toujours été la plus rapide, non ? –, jusqu'à ce que ce soit moi qui te poursuive et plus l'inverse. Quand tu t'es arrêté pour scruter la place Saint-Michel, j'étais juste derrière toi ; j'aurais pu te mettre la main devant les yeux et te crier : "Coucou !" Quand tu t'es retourné, je me suis simplement tournée avec toi en restant dans ton dos. C'était comme dans un film de Charlot, les gens riaient. Sauf toi, tu n'avais rien remarqué.

Maintenant, je m'en vais outre-mer. Je n'ai pas la moindre idée de l'endroit où le voyage m'emmènera, je ne sais pas si ce sera dangereux ni quand ni si je reviendrai, mais on ne m'a pas encore expliqué ce qu'on attend de moi ; disons que je devrai jouer la dactylo quelque part, quoi d'autre.

Samedi dernier encore, comme d'habitude, je suis allée au travail avec ma Torpédo, qui a pris de l'âge ; les roulements et la boîte de vitesses sont morts, le joint de culasse doit être changé et l'essieu arrière est tordu. À peine avais-je franchi l'entrée principale que notre directeur général, M. Touvier, m'a arrêtée. Il est le dieu parmi les demi-dieux à l'étage noble de la Banque de France – en général, il ne remarque même pas la présence d'une vile bestiole comme une petite dactylo du rez-de-chaussée. Mais cette fois-là, non seulement il m'a attrapée par le bras, mais en plus, inclinant vers moi sa tête de titan, il m'a murmuré de sa voix basse qui est habituée à donner des ordres :

— Vous êtes bien Mlle Janvier, n'est-ce pas ? Rentrez tout de suite chez vous et faites vos bagages. Prenez un taxi, vous laissez votre voiture ici.

— Bien, monsieur. Tout de suite ?

— Sur-le-champ. Vous avez une heure devant vous. Peu de bagages pour un long voyage.

— Combien de temps ?

— Un très long voyage. Votre bail a été résilié, nous nous occupons de vos meubles.

— Et ma voiture ?

— Nous vous dédommagerons, ne vous inquiétez pas. On vous attend dans une heure gare Montparnasse.

Ce n'était pas un ordre, mais un constat. Je suis donc retournée chez moi, j'ai mis des vêtements et quelques livres dans un sac et j'ai pris congé de mes biens de ce monde. Je ne peux pas dire que j'aie abandonné grand-chose, un bon lit en bois de noisetier avec un matelas en crin et un duvet en plume d'oie, une commode, un fauteuil en cuir et quelques ustensiles de cuisine ; mais pas de cœur brisé, au cas où cela t'intéresserait, et pas d'âme qui attende fidèlement.

Bien sûr, au fil des ans, j'ai eu quelques amourettes et aventures, car après tout, on ne veut pas s'ennuyer dans la vie ; malheureusement, elles se sont toujours bien vite éventées et affadies. Et avec le temps, je me suis aperçue que je m'ennuie moins avec moi-même qu'en compagnie d'un monsieur qui ne me plaît pas complètement.

Me voici donc, comme on dit, toujours célibataire : c'est sans doute aussi parce que, par un miracle de la nature, je ne suis jamais tombée enceinte. D'ailleurs, il est étonnant de constater combien il est facile de vivre dix ou vingt ans dans Paris au milieu de quatre millions d'habitants sans rencontrer personne d'autre que le vendeur des quatre-saisons au coin de la rue et le cordonnier qui te cloue deux fois l'an des talons neufs à tes chaussures.

Et puis, je ne sais pas, mon cher Léon, mais il n'y a jamais que toi qui m'aies plu. Comprends-tu cela ? Moi non. Et qu'en penses-tu : crois-tu que cela aurait marché entre nous si nous avions eu plus de temps ensemble ? Ma tête répond que non, mon cœur dit que oui. Tu sens les choses de la même façon, non ? Je le sais.

Sur le chemin de la gare, les rues étaient bouchées par les fugitifs. Tant de gens totalement paniqués ! Je me demande où ils veulent tous aller. Impossible qu'il y ait assez de bateaux pour eux tous, ni de rivages assez lointains pour que la guerre ne les y rattrape pas. La gare et tous les trains étaient bondés, et si notre train pour Lorient a pu avancer sur son trajet, c'est uniquement parce que le transport spécial de la Banque de France était prioritaire sur l'ensemble du réseau ferré.

Tandis que je suis dans ma cabine à t'écrire, des soldats déchargent notre train de marchandises. Tu ne me croiras pas, mais dans mes bagages se trouve une grande partie des réserves d'or de la banque nationale française, et aussi trente tonnes d'or de la banque de Pologne et deux cents de la banque de Belgique, déposées chez nous voici quelques mois pour être à l'abri. Deux ou trois mille tonnes d'or en tout, je dirais ; et nous devons mettre tout ça à l'abri des Allemands.

Notre cargo, le *Victor Schœlcher*, est un bananier réquisitionné par la marine de guerre et transformé en croiseur auxiliaire. Pour un navire de guerre, il a toujours un air assez caribéen, avec beaucoup de peinture verte, jaune et rouge partout ; la seule couleur gris marine, c'est un imbécile de petit canon sur le gaillard d'avant. Comme je suis la seule dame à bord, ma cabine se trouve à l'avant près du banc de quart, juste derrière celle du capitaine.

L'air est irrespirable là-dedans, on dirait que nous sommes déjà au Congo ou à la Guadeloupe. L'humidité de l'air se condense sur les cloisons en acier laquées vert tilleul et de petits ruisseaux s'écoulent sur le sol d'acier peint en rouge pour former de petites flaques violettes irisées. Toutes les dix secondes, il sort de l'écoulement du lavabo des cafards gras comme on n'en trouve que hors de l'Europe, j'essaie de les écraser avec ma chaussure droite. Je t'épargne la description des toilettes que je partage avec le capitaine. J'ai entendu dire qu'il y a sur le pont inférieur un autre

W.-C. pour les quatre-vingt-cinq hommes que compte l'équipage ; Dieu fasse que je ne sois jamais en situation de devoir m'en approcher.

Nous sommes censés appareiller cette nuit même, au plus tard demain matin, tout le monde se dépêche. Les tanks allemands sont déjà à Rennes, dit-on, des Messerschmitt et des Stukas ont volé au-dessus de nos têtes il y a quelques heures et ont jeté des mines dans la sortie du port pour nous empêcher de gagner le large. Le capitaine veut attendre la marée haute de quatre heures trente et sortir en pleine mer à l'aube en naviguant sur l'extrême bord du chenal entre les mines et les bancs de vase.

Évidemment, tout cela est hautement confidentiel, je ne devrais rien te révéler ; mais dis-moi, qui s'intéresserait sur cette terre à ce qui se trouve dans la lettre qu'une petite dactylo écrit à un fonctionnaire de la police parisienne ? Quoi que je dise, c'est très probablement déjà faux aujourd'hui et donc futile, et demain ce sera sûrement du passé, oublié et dépourvu d'importance. À cela s'ajoute que rien de ce que je vois ne peut rester secret, de toute façon. Ou bien crois-tu qu'on puisse garder secrète l'existence de douze millions de gens en fuite ? Deux mille tonnes d'or peuvent-elles passer inaperçues ? Les Messerschmitt et les Stukas qui tombent du ciel avec des hurlements à déchirer les oreilles peuvent-ils rester secrets ? À quoi bon dissimuler si tout le monde voit tout et que personne ne comprend rien ? La cloche sonne, c'est l'heure du repas, je cours !

Dans l'intervalle, la nuit est tombée. J'ai mangé un morceau au mess des officiers avec le capitaine, les officiers et mes trois supérieurs de la banque. Il y avait du bar et des pommes sautées, la conversation a tourné autour des troupes de la Wehrmacht qui, paraît-il, avancent vers nous rapidement et sont attendues ici au plus tard demain après-midi ; et puis j'ai appris que ce Victor Schœlcher auquel notre navire doit son nom est cet homme qui a aboli l'esclavage en France et dans les colonies françaises en 1848. Est-ce que ce n'est pas charmant ? Au café, ces messieurs ont eu l'amabilité de me faire un peu la cour, même si c'était un peu trop routinier, avec ennui et sans assez d'élan à mon goût.

Ensuite, je suis allée en ville me procurer le nécessaire pour une longue traversée ; on ne sait jamais ce qui vous attend. Il m'a fallu marcher un bon moment dans des rues sombres avec des réverbères peints en bleu et des fenêtres tendues de noir avant de trouver un magasin d'alimentation. Sans grand espoir, j'ai demandé à l'épicier du lait concentré. Il a montré une étagère bien remplie en me demandant combien de boîtes il me fallait. Douze, ai-je répondu sur un coup de tête, et tu sais quoi ? Cet homme me les a données sans ciller. Alors j'ai pris aussi du chocolat, du pain et un saucisson, et l'homme n'a même pas demandé de tickets. Tu vois bien, plus rien n'a cours, tout est vrai, et personne ne sait de quoi demain sera fait. Alors pourquoi faire des cachotteries ?

Je suis maintenant assise sur le pont-passerelle, il souffle une fraîche brise du soir, et je regarde vers la jetée où un fourmillement indescriptible de soldats sont occupés à empiler de lourdes caisses en bois. Par groupe de quatre hommes, ils sortent une caisse par les portes coulissantes ouvertes du wagon de marchandises et la traînent jusqu'au dépôt. Je suis curieuse de savoir combien il y aura de caisses. On va m'appeler d'une minute à l'autre et je devrais descendre jusqu'à la rampe de chargement et prendre mon service de nuit. La petite dactylo compte les caisses d'or. Je vais passer toute la nuit assise à une petite table et, pour chaque caisse qui disparaîtra dans les soutes du *Victor Schœlcher*, je ferai un trait avec ma mine affûtée sur un formulaire que j'ai conçu et réalisé moi-même.

Derrière la gare de marchandises, sur le mur d'enceinte, des gamins avec casquette et en culottes courtes regardent. Leurs visages sont vides, ils ne bougent pas – difficile de dire s'ils soupçonnent les richesses qu'ils ont sous le nez.

Officiellement, ces caisses contiennent des munitions, mais personne n'est dupe. En ce moment, j'ai derrière moi deux mousses en train de fumer une cigarette qui se vantent que c'est le plus grand trésor qui ait jamais pris la route de l'Atlantique. Il se peut bien qu'ils aient raison ; il semble peu probable que les Espagnols d'antan aient jamais possédé deux mille tonnes d'or. Et si tel était le cas, il leur aurait fallu quelques douzaines d'allers et retours pour transporter tout cela à travers l'océan sur leurs navires en bois.

La radio du mess des officiers serine une musique de radio, il n'y a plus d'informations. Il n'y a que l'opérateur radio qui puisse écouter la BBC. Il s'appelle Galiani, il roule les *r* à vous donner des envies de bouillabaisse et il est couvert de poils qui lui sortent de partout de l'uniforme. Durant son temps libre, il aime se pavaner sur le pont et jouer l'homme le mieux informé à bord. Il passe lentement dans mon dos et dit : "Vous avez apprris ça, mademoiselle ? La Norrrvège a capitulé." Et puis il tord le visage avec une grimace de dégoût, pousse sa Gauloises dans le coin droit de la bouche et crache par le coin qui est libre. C'est de cette manière qu'il m'a dûment informée du cours du monde ces derniers jours. "Vous avez apprrris ça ? Rrroosevelt veut rrrester neutrrre." Et il crache. Et chaque fois il fait sa grimace dégoûtée et attend une marque d'admiration, que je lui témoigne largement. Et comme il a beau être un fanfaron, mais qu'il est aussi un Méridional sensible, chaque fois il devine mon cinéma et passe son chemin, l'air offensé.

On m'appelle, je dois m'arrêter ! C'est peut-être ma dernière minute de liberté avant le départ. Demain matin, je donnerai cette lettre au postier, et puis on lèvera les amarres. C'est bizarre, mais je me sens, contre toute raison, avec le cœur grand et clair. Précisément parce que je n'ai pas idée de l'endroit où ce navire m'emmènera, j'ai la sensation trompeuse que le monde s'ouvre à moi, et bien sûr, c'est une erreur ; en vérité, le monde entier se ferme, à l'exception d'une table de bureau çà ou là sur tel ou tel continent où la Banque de France a décidé de m'expédier. Quoi qu'il arrive : ça ne peut pas être pire que mourir. Je t'aime et je me fais du souci pour toi, mon Léon, je ne l'ai pas encore dit ; espérons que les nazis ne te feront rien. Fais attention à toi et à ta famille et tiens-toi à l'écart de tous les dangers, sois prudent et aussi heureux que possible, ne joue pas les héros, reste en bonne santé et ne m'oublie pas !

À jamais,

Ta LOUISE

P.-S. : Six heures plus tard. Il est quatre heures vingt du matin, après une longue nuit à dessiner des bâtonnets au crayon, toutes les caisses sont à bord. Mille deux cent huit pièces, poids net, poids brut et tare impossibles à calculer étant donné la quantité et la précipitation, et donc inconnus. Dans deux heures, la machine sera sous pression, le postier est adossé à la passerelle et tambourine des doigts sur la rambarde. À l'est, le jour se lève, ou bien est-ce que je me trompe ? Je dois définitivement terminer cette lettre, sur-le-champ, tout de suite, sinon elle n'arrivera pas jusqu'à toi. Je la glisse dans l'enveloppe, je lèche, je colle. Adieu, mon amour, adieu !

14

Quelques jours après l'entrée des troupes, la vague de suicides retomba, le calme revint dans Paris. Mais les soldats allemands, loin de se faire invisibles, comme Léon l'avait supposé, s'étalèrent au contraire partout dans Paris ; dans les jardins publics et les rues, dans le métro, dans les cafés et les musées, et surtout dans les grands magasins, les bijouteries, les galeries d'art et les boutiques, où, avec leur solde dont la valeur s'était multipliée grâce au nouveau cours du change, ils achetaient tout ce qui pouvait s'acheter et n'était pas attaché à fer et à clou.

On aurait pu avoir l'impression, durant ces journées, que Paris avait retrouvé une normalité quotidienne avec l'arrivée des Allemands. La Wehrmacht offrait des concerts en plein air au bois de Boulogne et distribuait du pain aux nécessiteux derrière la Bastille, elle veillait à la propreté des rues et, tous les jardiniers de la ville ayant fui, elle forma des colonnes de travailleurs pour s'occuper des parterres de fleurs aux Tuileries. Le début du couvre-feu fut repoussé de vingt et une à vingt-trois heures, si bien qu'il se distinguait à peine du camouflage des fenêtres ordonné par le gouvernement français souverain ; et si un oiseau de nuit ne rentrait pas chez lui à l'heure, il ne risquait rien de plus grave que quelques heures jusqu'à l'aube à la *Feldgendarmerie* à astiquer des bottes ou recoudre des boutons.

Fin juin, les cinémas de Paris rouvrirent leurs portes et des journaux recommencèrent à paraître ; par leur titre et leur mise en pages, ils ressemblaient à s'y méprendre aux journaux d'avant-guerre ; les spectacles reprirent au Moulin-Rouge. Cafetiers, tailleurs et chauffeurs de taxis faisaient des affaires, et la nuit, les filles étaient plus nombreuses que jamais, place Blanche et place Pigalle, à attendre la clientèle en feldgrau.

L'apocalypse n'arrivant pas, ceux qui s'étaient enfuis rentrèrent dans la ville intacte, d'abord en hésitant, isolément, penauds et embarrassés par l'inutilité évidente de leur fuite précipitée, puis en grand nombre ; mi-juillet, il vivait à Paris presque deux fois plus de gens qu'un mois auparavant. Les premiers à revenir furent les commerçants, qui ne pouvaient laisser leurs affaires en plan plus longtemps, puis les artisans et les petits employés de bureau rappelés par leurs patrons, et les juifs, qui se forçaient à espérer que la suite ne serait pas si dramatique, suivis des journalistes, des artistes, des comédiens de théâtre flairant les occasions à saisir à l'aube d'une ère nouvelle. À la fin de l'été, ce fut le tour des retraités, qui revinrent à leurs fauteuils à oreillettes, leur médecin de famille et leurs bancs au jardin public du coin, et enfin des enfants, pour lesquels les plus longues vacances d'été de leur vie se terminèrent début septembre.

Léon rentra la tête dans les épaules et continua à vivre aussi bien qu'il était possible dans ces circonstances. Il ne lisait pas les nouveaux journaux tels que *Le Petit Parisien*, *L'Œuvre* ou *Je suis partout*, parce que, même s'ils étaient écrits en français, ils étaient pensés en allemand, et, plutôt que d'aller au cinéma, il passait ses soirées près du poste de radio. Il entendit à la Radiodiffusion française l'allocution radiophonique du maréchal Pétain et la réponse du général de Gaulle sur BBC France, il écoutait les informations de l'Agence télégraphique suisse sur la guerre en URSS, en Afrique du Nord et en Norvège ; il épingla au mur de la cuisine une carte de l'Europe et marqua avec des punaises les déplacements du front, préleva neuf dixièmes de ses économies pour acheter au marché noir des lingots d'or qu'il cacha sous le plancher du salon, et jour après jour il espéra vainement que Louise lui enverrait un signe de vie depuis ce coin du monde où l'avait conduite le bananier bariolé aux couleurs des Caraïbes.

De tout l'été, il n'arriva pas d'autre lettre d'elle, et les bulletins d'information ne disaient mot du *Victor Schœlcher* ni du transport de l'or de la Banque de France. Léon ressentait comme une ironie du sort que chacune des guerres qu'il vivait dérobait à sa vue la même fille en la faisant disparaître sans qu'elle laisse de traces. Mais plus l'incertitude durait, plus il se forçait à interpréter l'absence de nouvelles comme un bon signe.

En août, il remarqua que les platanes perdaient leurs feuilles plus tôt qu'à l'ordinaire. L'été avait été brûlant, l'automne serait précoce.

*

C'est un fait historique qu'en ce matin du 17 juin 1940, le *Victor Schœlcher* parvint à s'échapper à la dernière minute. On sait, par les récits de témoins oculaires, que la première garde avancée de la Wehrmacht qui arriva à Lorient aperçut au loin la fumée du navire au-delà de la sortie du port. Arrivé au large, le *Schœlcher* rejoignit les trois paquebots de la ligne Marseille-Alger transformés en transporteurs d'or et fit route vers Casablanca ; de là, la traversée devait continuer vers le Canada, où l'or français, l'or belge et l'or polonais devaient être mis à l'abri dans les coffres d'Ottawa jusqu'à la fin de la guerre.

Mais à peine les quatre navires eurent-ils passé le golfe de Gascogne qu'arriva par radio la nouvelle de la capitulation française. La question se posa alors de savoir qui était autorisé à disposer de l'or – le gouvernement de Vichy, c'est-à-dire en fin de compte l'Allemagne nazie, le gouvernement en exil à Londres sous le commandement du général de Gaulle ou bien toujours la Banque de France qui, si elle était subordonnée au ministère des Finances, était tout de même une institution de droit privé et non la propriété de l'État français.

Et c'est ainsi que, le jour même de la capitulation, l'amirauté allemande menaça par radio les navires transportant l'or de les torpiller au cas où ils ne se dirigeraient pas immédiatement vers le port le plus proche en France occupée. À peine quelques heures plus tard, c'était au tour du général de Gaulle de brandir la menace d'un torpillage si les navires ne mettaient pas le cap séance tenante sur Londres. Dans ces conditions, on ne pouvait plus songer à une traversée transatlantique ; aussi la flotte continua-t-elle sa route vers le sud et arriva-t-elle, après une étape à Casablanca, le 4 juillet 1940 à Dakar.

Là-bas, elle fut dans un premier temps à l'abri des contre-torpilleurs allemands, mais une flotte britannique commandée par le général de Gaulle menaçait la côte sénégalaise avec l'intention explicite de s'emparer de l'Afrique-Occidentale au nom de la France libre. Aussi les fonctionnaires de la Banque de France décidèrent-ils en toute hâte de faire charger dans des wagons de marchandises les deux à trois mille tonnes d'or qu'on leur avait confiées – personne ne sut jamais la quantité exacte – pour la faire transporter par la ligne Dakar-Bamako aussi loin que possible vers l'intérieur du continent.

À seize heures, le chargement était entièrement débarqué, et trois jours plus tard, le dernier transport d'or quittait la gare de Dakar. Lors du premier inventaire, effectué à Thiès, il apparut qu'une caisse d'or avait perdu treize kilos pendant la traversée. Une autre caisse, provenant de la succursale de Laval, était remplie de gravier et de ferraille. Et deux ou trois caisses avaient simplement disparu.

*

Le dimanche, Léon allait se promener avec femme et enfants comme si de rien n'était ; mais quand un bataillon blindé paradait sur le boulevard Saint-Michel, il ordonnait à ses enfants de ne pas regarder et de se retourner vers les devantures des magasins.

— Eh bien soit, ce sont eux les vainqueurs, et pour l'instant ils se tiennent convenablement, expliqua-t-il à Michel, son aîné, qui, ne supportant plus l'étroitesse de l'appartement, était impatient d'explorer par lui-même la ville occupée. Si on t'adresse la parole, tu dis bonjour ou au revoir, et si on te demande le chemin de la tour Eiffel, tu donnes le renseignement. Mais tu ne sais pas un mot d'allemand, tu as oublié ce que tu as appris au lycée, et si l'autre parle français, ce n'est pas une raison pour causer avec lui de la pluie et du beau temps. S'il veut t'épeler son prénom, tu as le droit d'être un peu dur d'oreille et d'avoir mauvaise mémoire, et s'il te demande du feu, tu ne lui tends pas ton briquet mais tu lui donnes la braise de ta cigarette. Et jamais – entends-tu, jamais – tu ne lèves ton béret devant un Allemand. Tu te contentes de toucher le rebord avec l'index.

Léon, de son côté, se rendait chaque jour tête baissée au Quai des Orfèvres et vaquait tête baissée à sa tâche. On ne pouvait pas dire qu'il eût beaucoup à faire, car rares étaient désormais à Paris les cas d'empoisonnements mortels ; on aurait dit que les projets d'assassinat et de suicide avaient été tous mis à exécution pendant les jours de chaos et de panique générale et qu'il ne restait donc plus personne à faire passer de vie à trépas avec du poison.

Léon mit à profit ce temps libre pour se lancer dans un projet qu'il nourrissait de longue date, celui d'écrire un travail scientifique de la taille d'un mémoire de licence ou d'une petite thèse ; en effet, il était tenaillé depuis quelque temps par l'idée qu'il n'avait pas obtenu de titre universitaire et ni même terminé sa scolarité au lycée et que c'était là l'un des échecs de son existence.

Bien sûr, il aurait été d'une part impossible, d'autre part ridicule de rattraper maintenant ce qu'il avait manqué jeune homme ; mais il voulait tout de même témoigner qu'il était un homme sérieux et enclin à la réflexion. Le sujet qu'il avait envisagé pour son mémoire était une exploitation des statistiques d'assassinats par empoisonnement à Paris de 1930 à 1940. S'il existait un spécialiste dans ce domaine, c'était bien lui. Inversement, ce domaine était le seul dans lequel il s'y connût vraiment.

Il commença par empiler sur son bureau les registres du laboratoire des dix dernières années et se lança dans leur exploitation statistique, recensant auteurs de crime et victimes par sexe, âge et statut social, ainsi que le degré de parenté ou de connaissance entre l'auteur du crime et la victime, le poison utilisé, la méthode employée pour l'administrer, ainsi que la répartition géographique sur les vingt arrondissements de la ville de Paris et la répartition saisonnière. Il dresserait des tableaux et dessinerait des graphiques, il esquisserait des profils de criminels et de victimes, il enverrait son article au *Journal des sciences naturelles de l'École normale supérieure* et peut-être que, la guerre terminée, il courrait les écoles de police de France et de Navarre quelques semaines durant pour donner des conférences en qualité de spécialiste des crimes par empoisonnement.

À la surprise de Léon, le début de l'été 1940 s'écoula de manière uniforme et sans événements. Le 23 juin, en revanche, il s'en souvint jusqu'à la fin de ses jours – c'était ce dimanche matin où, sous le ciel illuminé de moutons roses, Léon rentrait de la boulangerie avec trois baguettes sous le bras lorsqu'il entendit se rapprocher derrière lui le lourd vrombissement d'une grosse cylindrée. Il se retourna et vit arriver dans sa direction une limousine Mercedes roulant toit ouvert où étaient assis quatre militaires allemands, deux civils et Adolf Hitler. L'homme assis sur la banquette arrière était sans conteste Adolf Hitler, impossible de se tromper. La Mercedes roulait à vive allure, mais passa à côté de Léon sans vitesse excessive, suivie par trois autres véhicules plus petits et, bien entendu, pas plus Hitler que ses acolytes ne remarquèrent mon grand-père qui arrêté sur le trottoir, ses trois baguettes sous le bras, regardait passer devant lui, décontenancé, le courant d'air de l'histoire universelle.

Comme on put le lire plus tard dans les livres d'histoire, le Führer avait atterri à peine trois heures plus tôt à l'aéroport du Bourget, accompagné de ses architectes Albert Speer et Hermann Giesler ainsi que du sculpteur Arno Breker, pour ce qui devait être sa première et dernière visite de Paris. Il était allé voir à toute vitesse l'Opéra, la Madeleine et la place de la Concorde, avait remonté les Champs-Élysées jusqu'à l'Arc de Triomphe avant de prendre l'avenue Foch jusqu'au Trocadéro puis de continuer vers l'École militaire et le Panthéon ; lorsqu'il passa devant Léon, il était sans doute déjà sur le chemin du retour vers son avion et ne devait plus que monter encore jusqu'au Sacré-Cœur pour jeter un dernier regard sur la ville soumise qui s'éveillait à ses pieds sans se douter de rien.

Si Léon avait eu un pistolet sur lui ce matin-là, se dit-il souvent par la suite, et si le pistolet avait été chargé et la sécurité enlevée et si lui-même avait été capable de s'en servir de manière à bien viser, s'il avait fait preuve en cet instant de la présence d'esprit nécessaire et n'avait pas perdu de temps en élucubrations éthico-morales empruntées à tel et tel précepte chrétien occidental, alors peut-être il aurait accompli un acte dont la signification aurait eu une portée historique universelle. Mais Léon était simplement planté là avec ses baguettes sous le bras, et cette rencontre qui ne dura pas plus de deux ou trois secondes n'eut pas la moindre répercussion ni sur la suite de sa vie ni sur celle du Führer. Des décennies plus tard, Léon secouait encore la tête, incrédule à l'idée que cet épisode indifférent était resté l'un des plus marquants de sa vie et que les couleurs et la lumière de cette matinée de printemps s'étaient gravées avec une précision photographique sur le fond de son âme tandis que les événements vraiment significatifs de sa biographie – son mariage, la naissance de ses enfants, les obsèques de ses parents – n'étaient plus que de vagues souvenirs.

Au labo, en revanche, il n'arrivait rien de particulier. Une fois de temps en temps, pas plus, il devait interrompre son travail statistique pour analyser un échantillon suspect à la recherche de mort-aux-rats ou d'arsenic. Il accomplissait ces tâches avec son soin habituel et dans la certitude que, fût-ce sous l'occupation allemande, il agissait au service du bien ; car, indépendamment de ceux qui dictaient la loi à Matignon et à l'Élysée, le principe selon lequel nul n'a le droit d'administrer du poison à autrui demeurait valable.

Léon était conscient qu'en qualité de fonctionnaire de la police, que cela lui plût ou non, il était subordonné au maréchal Pétain et en fin de compte sous les ordres des Allemands ; mais tant que son cahier des charges se limitait à établir techniquement la preuve des assassinats par empoisonnement, il pouvait espérer rester tant bien que mal en paix avec sa conscience.

C'est alors qu'un matin, lorsque Léon arriva à son travail comme d'habitude à huit heures et quart, il trouva le quai des Orfèvres à nouveau noir de fonctionnaires de police ; ils étaient là debout sur le pavé, l'air maussade, sous le soleil matinal et fumaient, les portes étaient closes, et sur la berge de la Seine était amarrée une embarcation dans laquelle Léon reconnut une des deux péniches qui avaient fui en amont le 12 juin, emportant des millions de fiches.

Le hasard voulut que Léon se retrouve à côté du même jeune collègue qu'il avait interrogé un mois auparavant.

— Que se passe-t-il ?

— Que veux-tu qu'il se passe, grogna l'autre en haussant les épaules. Les Allemands ont mis la main sur la péniche.

— Seulement celle-là ?

— L'autre s'est échappée jusqu'à Roanne.

— Et celle-ci ?

— Elle s'est arrêtée.

— Où ?

— À Bagneaux-sur-Loing, près de Fontainebleau.

— Si près que ça ?

— Un bateau qui transportait des munitions a explosé devant elle et a barré le fleuve. Les nôtres ont fait leur possible pour la cacher sous des arbres et des branchages, mais les Allemands l'ont trouvée. Qu'est-ce que tu veux, c'est grand, une péniche comme ça, c'est facile à repérer et ça ne quitte pas le canal. Ça ne peut pas courir à travers champs ni s'envoler.

— En tout cas, c'est étonnant que les Allemands connaissent si bien notre réseau de canaux.

— Et le chargement de nos péniches.

— Que veux-tu dire par là ?

— Rien. Que veux-tu dire par là ?

— Rien non plus.

Les cloches de Notre-Dame venaient de sonner huit heures trente lorsque la traction avant du préfet de police s'avança sur le quai des Orfèvres. En descendit par la gauche Roger Langeron en personne, et par la droite un grand jeune homme au chapeau jaune moutarde et en manteau jaune moutarde avec brassard rouge, portant des lunettes sans monture qui faisaient ressembler son visage rond et rasé de près à celui d'un lycéen aimable et myope. Il se joignit affablement aux hommes les plus proches, leur tendit son étui à cigarettes puis, personne ne voulant se servir, il le remit dans la poche de son manteau. Pendant ce temps, le préfet de police monta avec son mégaphone sur le marchepied de sa voiture.

> "MESSIEURS, VOTRE ATTENTION S'IL VOUS PLAÎT. OPÉRATION SPÉCIALE DE L'ENSEMBLE DES FONCTIONNAIRES DE LA POLICE JUDICIAIRE SELON LE DROIT DE LA GUERRE. LES DOSSIERS SORTIS ILLÉGALEMENT DU BUREAU 205 DOIVENT ÊTRE RÉINTÉGRÉS À LEUR EMPLACEMENT RÉGULIER. TOUS LES HOMMES DISPONIBLES EN RANG PAR DEUX DEPUIS LE MURET DU QUAI PAR L'ESCALIER F JUSQU'AU BUREAU 205 ! ON SE DÉPÊCHE. LE TEMPS PRESSE !"

Un murmure passa dans la foule, les hommes hésitaient à jeter leur cigarette par terre. Ils ne voyaient aucune raison de se hâter puisque les Allemands n'étaient plus sur le point d'entrer dans Paris, mais qu'ils étaient déjà là depuis un bout de temps. Lentement, sans entrain, la masse gris foncé de leurs chapeaux et manteaux commença à former les rangs par deux exigés, leur mauvaise humeur due au fait qu'on leur demandait maintenant d'accomplir en sens inverse le travail effectué en juin était palpable ; le moindre pas, le moindre geste, leur prit trois ou quatre fois plus de temps, et c'est ainsi que la réintégration des dossiers, bien qu'il y en ait eu moitié moins, dura deux fois plus longtemps que leur évacuation.

Dans le bureau 205, le préfet de police Langeron et l'homme en manteau jaune s'assirent à la grande table, ouvrirent l'un ou l'autre carton et constatèrent que les fichiers avaient subi des dommages considérables. Un mois avait suffi pour que la péniche devienne un repaire de rats d'égout, de cloportes et de vers, l'eau s'étant introduite par les fissures de la coque. Dans l'humidité des orages d'été, l'encre avait déteint, le papier s'était gondolé, le bois et le carton s'étaient décollés. Avant même la pause de midi, Langeron et le jeune Allemand prirent la décision de faire recopier tout ce matériau, l'ensemble de ces trois millions de fiches et de pièces de dossier et de les faire ranger dans des fichiers et des dossiers suspendus neufs que le ministère de l'Information livrerait dans un délai d'une semaine.

Un premier petit calcul mental suffisait pour s'apercevoir que la centaine de fonctionnaires du bureau 205 seraient bien incapables d'accomplir ce travail de copiste dans un délai utile, car cela aurait signifié que – sans compter les arrivées quotidiennes de fiches nouvelles dont il fallait s'occuper – chacun aurait été chargé de trente mille documents à copier. Aussi leurs collègues de tous les autres services de la police judiciaire furent-ils enjoints de suspendre toutes leurs tâches, à part les plus urgentes, pour aider prioritairement à la copie des dossiers.

Pour Léon Le Gall, cela signifiait qu'il devait pour l'instant renoncer à écrire son article scientifique. Il plaça ses notes et ses registres de laboratoire en sûreté dans une armoire et se résigna à ce que son existence professionnelle tourne pour un bon moment autour de fiches roses gonflées et gondolées.

Le temps passa vite. Sans même s'en apercevoir, Léon était déjà occupé depuis trois semaines à déchiffrer des noms slaves et à les reporter sur des fiches blanches comme neige qu'il devait ensuite ranger dans des fichiers flambant neufs. Vichnevski, Wychnevsky, Wysznevscki, Wichnefsky, Wijschnewscki, Vitchnevsky, Wishnefski, Vishnefskij, et puis Aaron, Abraham, Achmed, Alexander, Aleksandar, Alexej, Alois, Anatol, Andrej, Andreji et rue de Rennes, rue des Capucins, rue Saint-Denis, rue Barbès, ainsi que juif, juif, juif, juif, juif, communiste, communiste, communiste, communiste, communiste, franc-maçon, franc-maçon, franc-maçon, franc-maçon, Tsigane, anarchiste, dégénéré, amoral, réfractaire au travail, alcoolique, agressif, schizophrène, nymphomane, de race impure.

Léon se livrait à cette tâche avec une aversion qu'il n'avait plus ressentie depuis l'âge de seize ans, lorsqu'il était puni à recopier pendant ses après-midi sans école des pages entières de Virgile tandis que la mer rapportait les objets les plus intéressants qui soient sur la plage de Cherbourg – à cette différence près que, cette fois-ci, cette punition donnait l'impression que le professeur était devenu fou et lui tenait un pistolet chargé contre la tempe.

Léon devait bien admettre cependant que les Allemands étaient d'une politesse exquise dans les contacts personnels. Chaque soir avant la fin du travail, l'Allemand au manteau moutarde faisait sa ronde d'un service à l'autre de la police judiciaire et ramassait les dossiers recopiés comme un apiculteur récolte son miel. Knochen, c'était son nom. Helmut Knochen. Il saluait aimablement, marchait sans faire de bruit et, comme il se doit pour un bon apiculteur, il se montrait d'une sollicitude proprement touchante envers ses ouvrières masculines. Presque journellement, il demandait à Léon, dans un français un peu dur mais soigné, comment il allait, il lui secouait la main et s'informait s'il avait assez de café et s'il n'avait pas besoin d'une lampe de bureau éclairant mieux, tout cela en le regardant innocemment dans les yeux de ses yeux bleu clair grossis par ses verres de lunettes.

Léon le remerciait en grommelant, le café et la lampe lui suffisaient. Il lui restait encore assez de souvenirs des cours d'allemand pour goûter toute la poésie du patronyme Knochen, M. L'Os. En revanche, il avait du mal à évaluer tout le danger que pouvait représenter ce gamin qui, même s'il était capitaine SS et chef de la Sûreté, ne devait guère avoir plus de vingt-cinq ans et portait les cheveux coupés en brosse comme un boy-scout. Il ne pouvait pas imaginer qu'un chiot comme lui, avec ses dents de lait pointues, puisse vraiment le mordre.

Mais un jour de septembre, Knochen se montra tôt le matin. Après avoir frappé, en guise de plaisanterie, les premières mesures de la *Symphonie du Destin* de Beethoven à la porte de Léon, il l'entrebâilla et jeta un œil à l'intérieur.

— Bonjour ! Vous me permettez d'entrer à une heure si matinale ? Je dérange ? Vous préférez que je revienne plus tard ?

— Entrez, répondit Léon.

— Pas de politesse feinte, lui lança Knochen, montrant à présent l'autre moitié de son visage. C'est vous le maître des lieux, je ne veux surtout pas vous empêcher de travailler. Si je viens mal à propos, je peux tout à fait…

— Entrez, je vous en prie.

— Merci, aimable à vous.

— Mais je vais vous décevoir. Si tôt le matin, je n'ai que deux copies prêtes.

— Les fiches ? Ah, oublions cela un moment. Regardez, je vous ai apporté quelque chose – vous permettez ?

Knochen s'assit sur une chaise et claqua des doigts, sur quoi un soldat qui attendait dans le couloir prit un plateau sur une table roulante et l'apporta à la table de labo de Léon.

— Regardez, ou plutôt : sentez ! Du vrai moka arabica dans une cafetière à moka italienne. C'est quelque chose d'autre que ce breuvage de guerre filtré, ce jus de glands torréfiés que vous vous préparez sur votre bec Bunsen.

— Je vous remercie, mais ce café est exactement ce qu'il me faut. Ma circulation…

— Absurde ! Un petit moka n'a jamais tué personne ! Je vous l'offre, vous permettez ? De la crème, du sucre ?

— Rien, merci.

— Noir, sans rien ?

— S'il vous plaît.

— Oh oh, vous êtes un dur, vous ! Ce sont vos origines normandes ? Ou bien le métier ? Tous ces crimes par empoisonnement vous ont-ils aguerri contre l'amertume de la vie ?

— Pas le moins du monde, hélas.

— Bien au contraire, n'est-ce pas ? C'est bien ce que je me disais. On devient sensible, avec le temps, moi c'est pareil. Ou bien ce sera pareil une fois que je… que j'aurai autant d'expérience que vous. Comment trouvez-vous le café ?

— Excellent.

— N'est-ce pas ? Il faut que je pense à en faire envoyer à votre service un paquet par semaine. Je vous laisse la cafetière, elle tient bien sur votre bec Bunsen. Sinon, y a-t-il autre chose que je puisse faire pour vous ? Un croissant, peut-être ?

Léon secoua la tête.

— Vous êtes sûr ? Mon ordonnance en a. Tout frais, pur beurre.

— Vraiment pas, merci. Ne vous dérangez pas.

— Comme vous voudrez, monsieur Le Gall. Et dites-moi : votre poste de travail… – il fit un geste circulaire de ses petites mains soignées – … tout va bien ?

— Mais oui. J'y suis habitué, depuis toutes ces années.

— Je suis content de vous l'entendre dire. Car, voyez-vous, j'attache vraiment de l'importance à ce que vous puissiez travailler ici dans les meilleures conditions possible.

— Je vous remercie.

— L'homme ne peut accomplir un travail comme il faut que dans des conditions convenables, c'est toujours ce que je dis. Vous êtes bien de mon avis.

— Tout à fait.

— Si je puis faire quelque chose pour vous, faites-le-moi savoir absolument.

— Merci bien.

Knochen se leva et s'approcha de la fenêtre.

— C'est une vue superbe que vous avez là. Quelle ville magnifique, Paris ! La plus belle ville du monde, c'est mon avis. Comparé à Paris, Berlin est ce qu'il a toujours été… un trou provincial en Prusse. J'ai raison ?

— Si c'est ce que vous pensez, monsieur.

— Êtes-vous déjà allé à Berlin ?

— Non.

— Eh bien, vous ne manquez pas grand-chose, pour l'instant du moins. Moi-même, je suis de Magdebourg, grand Dieu. Mais dites-moi, quand on est parisien, est-ce qu'on sait apprécier la beauté de la Ville Lumière ? Vous la remarquez encore, cette vue ?

— On s'y habitue. Au bout de vingt ans…

— Grandiose. Cette vue est grandiose. Ici en revanche, à l'intérieur, l'éclairage, comment dire, l'éclairage est un peu terne, un peu faible. Vous êtes sûr que vous avez assez de lumière pour écrire ?

— Je m'en sors.

— Vraiment ? Je suis heureux de l'entendre. Parce que, voyez-vous, nous avons là une petite difficulté.

À nouveau il claqua des doigts, sur quoi l'ordonnance entra avec deux fichiers.

— Je ne veux pas vous faire perdre de temps avec des vétilles, je veux seulement vous montrer ceci. Vous savez ce que j'ai là ? Ce sont… – il désigna l'une des boîtes – … les cent dernières fiches recopiées par votre main. Et là… – il désigna l'autre boîte – … là, ce sont les originaux correspondants. Savez-vous ce que j'ai remarqué en comparant les deux boîtes ?

— Quoi donc ?

— C'est désagréable, surtout ne le prenez pas mal.

— Je vous en prie.

— J'ai remarqué que vous faites pas mal de fautes en recopiant. Voilà pourquoi je me suis dit que l'éclairage n'était peut-être pas optimal ici. Pardonnez cette question, mais comment vont vos yeux ?

— Très bien jusqu'à présent.

— Vraiment ? Vous lisez encore sans lunettes ?

— Par bonheur oui.

— C'est bien. Parce que vous n'êtes plus tout jeune, n'est-ce pas ? Quel âge avez-vous, au fait, si je puis me permettre – quarante ans, c'est cela ?

— Ces fautes me navrent, monsieur.

Knochen fit un geste de la main pour signifier que c'était sans importance.

— Naturellement, ce sont des vétilles et des péchés véniels, ne vous en faites pas tant. Mais vous serez sûrement d'accord avec moi pour dire que, dans l'administration, les moindres fautes peuvent avoir des conséquences dévastatrices, n'est-ce pas ?

— Certainement.

— Ce n'est pas à vous, un scientifique, que je dois l'expliquer, je le savais bien. Voyez-vous, là, par exemple, on peut lire Yaruzelskj au lieu de Jaruzelsky. Si cette fiche est rangée correctement selon l'alphabet à Y, nous ne retrouverons jamais cet homme. Ou bien là : rue de l'Avoine au lieu de rue des Moines – il n'existe pas de rue de ce nom. Ou bien cette date de naissance : 23 juillet 1961 – cet homme ne serait même pas encore né. Vous comprenez, monsieur Le Gall ?

— Oui.

— Donc je me suis permis de comparer ces cent fiches-là avec les originaux et de compter celles comportant des erreurs. Savez-vous combien il y en a ?

— Je regrette…

— Dites un chiffre, allez, dites ! Que pensez-vous : Huit ? Quinze ? Vingt-trois ?

Léon haussa les épaules.

— Soixante-treize ! Soixante-treize sur cent fiches, monsieur Le Gall ! En pourcentage cela fait, laissez-moi compter, je vais trouver… eh bien, oui, évidemment, quel idiot : soixante-treize pour cent ! C'est beaucoup, n'est-ce pas ?

— En effet.

— Ce sont souvent des fautes minimes, sans doute – mais les contre-vérités les plus dangereuses sont des vérités modérément altérées, comme disait déjà Lichtenberg. Vous êtes d'accord avec moi ?

— Certainement.

Knochen refit son geste dédaigneux de la main.

— Allons, reprit-il, ne vous en faites pas, chacun de nous peut faire une erreur. Mais il faut reconnaître que vous, vous en avez fait vraiment beaucoup, des erreurs. Savez-vous quelle est la moyenne parmi vos collègues ?

— Non.

— Onze virgule neuf pour cent.

— Je comprends.

— C'est bien que vous me compreniez. L'important, maintenant, c'est d'écarter la source d'erreurs afin d'arriver à une amélioration, n'est-ce pas ? N'est-ce pas, monsieur Le Gall ?

— Oui.

— Avez-vous une explication pour ce taux d'erreurs élevé ?

— Beaucoup de fiches sont difficiles à déchiffrer.

— Certes, répondit Knochen. Mais vos collègues doivent se débrouiller avec des fiches tout aussi endommagées, n'est-ce pas ? Ou bien croyez-vous possible que le nombre de fiches endommagées soit d'un point de vue statistique sensiblement supérieur ? Et serait-ce là une accumulation due au hasard, ou bien devrions-nous en rechercher les causes ?

Léon haussa les épaules.

— Voyez-vous, c'est pour cela que je me posais des questions à propos de la lampe et des lunettes. Il doit bien être possible d'expliquer pourquoi vous faites tant d'erreurs. Naturellement, dans de tels cas, mes collègues de la SS crient tout de suite au sabotage et à la haute trahison. Avez-vous déjà fait connaissance de la SS ?

— Non.

— Entre nous, il y en a là quelques-uns qui sont de vraies têtes brûlées et je ne voudrais pas les rencontrer la nuit dans une ruelle obscure. Savez-vous ce qu'ils font aux saboteurs ? D'abord un tas de choses, et puis ils les emmènent à Drancy et les plaquent au mur. Ou bien ils les jettent dans la Seine, ligotés. Ou bien ils les laissent sur le bas-côté d'une route avec une balle dans la nuque. Le droit de la guerre. Ils peuvent le faire.

— Je comprends.

— Ce sont des gaillards au sang chaud. Pas tous très bien élevés, que voulez-vous. Mais ne vous inquiétez pas, monsieur Le Gall, dans cette maison-ci, pour l'instant, c'est encore moi qui décide comment les choses se passent. Et je dis que, pour que les gens fassent du bon travail, il faut leur offrir de bonnes conditions de travail.

À nouveau il claqua des doigts, et le soldat apporta une grosse lampe de bureau avec abat-jour chromé.

— Vous pourrez dire ce que vous voudrez, mais pour du bon travail, il faut une bonne lumière. Ce n'est pas parce que vous vous êtes habitué à votre vieille loupiote qu'il n'existe pas de bonne lampe. Permettez que nous l'emportions tout de suite et branchions celle-ci à la place.

— Si vous insistez.

— C'est une Siemens, comme qui dirait la Mercedes des lampes de bureau, aucun rapport avec votre loupiote. Si vous voulez bien signer ici pour en accuser réception, tout sera en ordre. L'ordre, c'est important dans l'administration, n'est-ce pas ?

— Oui, monsieur. Et le café ?

— Qu'est-ce qu'il a, le café ?

— Pour le café aussi il vous faut une quittance ?

— Vous vous moquez de moi, Le Gall, ce n'est pas juste. Je ne suis ni maniaque ni mesquin, ne vous méprenez pas. Moi, je n'ai pas besoin de quittance.

À titre personnel, je suis d'avis que la vie nous présente toujours l'addition à un moment ou un autre. Mais l'administration ne peut pas attendre jusque-là, il les lui faut tout de suite, les quittances. Et pour être juste, il faut dire que l'administration n'est jamais sa propre fin, mais qu'elle est toujours au service de l'homme. N'est-ce pas ?

— Évidemment.

— C'est pourquoi, comme je dis toujours, un problème d'ordre peut avoir des conséquences graves pour les êtres humains. Mais je bavarde, je bavarde, alors que vous avez tant à faire. Au revoir, monsieur Le Gall, à ce soir.

— Au revoir.

Knochen quitta rapidement la pièce avec un ample mouvement de manteau et tira la porte derrière lui. Un instant plus tard, il la poussa une nouvelle fois.

— J'ai failli oublier – il faut que vous passiez à midi à la maternelle rue Lejeune, la directrice a appelé. Votre petite fille – comment s'appelle-t-elle, déjà, Marianne ?

— Muriel.

— La petite Muriel aurait, ce matin, depuis la cour d'école, brisé une vitre des toilettes du troisième étage avec un pavé.

— Muriel ?

L'homme fit à nouveau son geste dédaigneux de la main.

— Ce sont des bêtises, évidemment, et ce sera vite élucidé, bien sûr. Comment est-ce qu'une fillette de quatre ans lancerait un pavé jusqu'au troisième étage, n'est-ce pas ? On a dû confondre, c'est typiquement un problème d'ordre. Mais c'est peut-être mieux que vous passiez à midi. On m'a dit que la petite a été enfermée dans la cave à charbon, contrainte par corps, pour ainsi dire, et qu'elle pleure toutes les larmes de son corps.

Léon recula violemment sa chaise et voulut se lever, mais Knochen, l'empoignant par les épaules, le cala sur sa chaise.

— Du calme, monsieur Le Gall, ne vous énervez pas. Le mieux est que nous laissions les choses aller leur cours dans l'ordre, n'est-ce pas ? D'abord le travail, ensuite la vie privée. Vous allez continuer à écrire ici pendant deux heures, alors il sera midi et vous irez rue Lejeune. Je me suis laissé dire que le directeur est un idiot borné. Et s'il ne veut pas délivrer votre petite fille de la cave à charbon, donnez-lui le bonjour du capitaine Knochen, cela devrait faciliter les choses. Au revoir, monsieur Le Gall, et bon travail ! Je vous souhaite une bonne journée !

15

Vint l'hiver 1940-1941, Paris fut glacial. Pendant l'été, le passage à l'heure allemande avait prodigué aux Français de longues et claires soirées où le soleil ne se couchait qu'à dix heures et où l'on apercevait à minuit encore les dernières lueurs du jour à l'horizon. Maintenant, ils en payaient le prix, car les journées de travail commençaient en pleine nuit. Léon se levait quand il faisait nuit noire et se rasait à la lumière blême d'une ampoule ; pendant son petit-déjeuner, il apercevait son reflet dans la vitre noire, et quand il se rendait au travail, les étoiles scintillaient au ciel comme si c'était non pas le matin, mais déjà le soir.

Quant à son travail au Quai des Orfèvres, Léon prit conscience cet hiver-là que le droit s'était changé en injustice et que l'injustice était devenue la loi ; la racaille dominait et la loi était faite par des escrocs. Dans les couloirs, les fonctionnaires se racontaient en chuchotant les dernières nouvelles des plus célèbres aigrefins de la capitale – "Pierrot la Valise", "François le Mauvais" ou "Feu-Feu le Riton" – qui avaient échangé leurs peines de prison de dix, quinze ou vingt ans contre la liberté, des voitures et du carburant, des armes à feu et des cartes de police allemandes. Ils n'en étaient pas encore au point de surgir en pleine journée au Quai des Orfèvres pour arrêter ces mêmes policiers auxquels ils devaient leur arrestation – mais tout le monde se disait que cela ne saurait tarder.

Léon, certes, avait un travail anonyme et sans contact avec le monde extérieur, ce qui venait fort à propos ; toujours est-il que chaque matin, quand il passait devant les différents services en montant dans la cage d'escalier, il respirait littéralement le danger et savait que chaque collègue, chaque secrétaire, chaque surveillant pouvait être un homme de main des escrocs et des assassins. Ne voyant aucune issue, il se tapissait dans son labo, vaquait à ses obligations et évitait soigneusement toute rencontre qui ne s'imposait pas vraiment.

En novembre déjà, une vaste dépression atmosphérique fit souffler un froid sibérien sur la ville. L'essence et le gasoil se firent rares, on ne voyait plus dans les rues que des bicyclettes, des pousse-pousse et des calèches – et quand une voiture venait à passer, il y avait gros à parier qu'un Allemand ou un collabo était derrière le volant. Ce qui frappait le plus, c'était le calme dans les rues et le silence froid dans lequel se muraient les gens. Le brouhaha de la rue tel qu'on le connaissait naguère s'était tu, on n'entendait plus que le crissement de pas pressés sur la neige durcie, çà et là un toussotement, un salut furtif ou les cris moroses d'un vendeur de journaux ayant déjà perdu l'illusion qu'il pourrait vendre ses feuilles dictées par les Allemands.

Devant les magasins, les files humaines étaient silencieuses ; le policier du coin de la rue faisait tout pour passer inaperçu. Dans les cafés, les gens se pressaient vers la chaleur de la machine à café et vers les bouteilles de liqueur bariolées dont la plupart leur étaient interdites, et ils regardaient sans dire un mot le calendrier Martini jauni et l'avertissement légal sur la répression de l'ivresse publique ; nombreux étaient les visages luisant de fièvre et aux nez rougis, la plupart des gens étaient emmitouflés, avec bonnets, écharpes en laine et gants et l'on voyait qu'ils avaient fui leurs appartements où il ne faisait guère plus chaud que dans la rue.

Les Le Gall allaient se coucher en caleçon long, avec des gants et des pull-overs en laine, au petit matin ils grattaient sur les vitres leur haleine qui avait gelé. De temps en temps, Léon rapportait à la maison un fagot déniché au marché noir, ils passaient la soirée au salon devant la cheminée, et la chaleur inhabituelle les faisait s'assoupir l'un après l'autre, sur le canapé, dans le fauteuil ou sur le tapis oriental ; longtemps après minuit, quand le feu s'était éteint et que le froid rentrait dans l'appartement par les fentes et les fissures, Yvonne et Léon portaient les enfants l'un après l'autre dans leur lit.

C'est durant l'une de ces nuits qu'ils conçurent leur petit dernier, Philippe. Ce dernier, presque exactement vingt ans plus tard, en septembre 1960, allait rencontrer boulevard Saint-Michel une jeune fille venant de Suisse qui avait fait étape à Paris en se rendant à Oxford pour ses études. Mais elle prolongea son séjour parisien et, par une douce soirée d'automne, accompagna Philippe jusqu'à sa chambre mansardée de la rue des Écoles, si bien qu'elle mit au monde neuf mois plus tard un garçonnet qui fut baptisé à l'église Saint-Nicolas-du-Chardonnet où il reçut mon nom.

Cela étant, ils étaient tous en bonne santé et ne mouraient pas de faim. Léon et Yvonne, ayant encore des souvenirs bien présents de la Première Guerre mondiale, s'étaient procuré à partir de la déclaration de guerre autant de provisions qu'ils pouvaient. Les prix n'ayant que modérément augmenté durant l'automne, ils avaient rempli leurs armoires de sacs de riz, de blé et d'avoine ; et ils avaient rangé dans le puits de lumière au-dessus des toilettes, derrière un banal rideau, là où personne n'aurait soupçonné de la nourriture, des centaines de boîtes de conserve de haricots, petits pois, lait concentré et compote de pommes.

Il y avait même régulièrement sur leur table des œufs, du beurre, de la viande et du saucisson depuis que leur aîné Michel partait chaque premier weekend du mois à Rouen rendre visite à sa tante Sophie, qui entretenait des rapports cordiaux avec quelques fermiers normands producteurs de lait. Le gamin de seize ans aimait bien marcher le samedi matin jusqu'à la gare Saint-Lazare, les poches remplies d'argent, une valise vide à la main, et monter dans le train de Rouen avec la routine digne de qui a roulé sa bosse ; le retour le dimanche soir lui était un peu moins agréable, avec la valise lourde, pleine à craquer, qu'il devait traîner sur les trois kilomètres séparant la gare de la rue des Écoles en se méfiant constamment des policiers et des soldats de la Wehrmacht.

C'est pour Yvonne que cet hiver fut le plus rude. Depuis que la grande politique avait jugé utile d'enfermer la petite Muriel dans la cave à charbon, la rendant énurétique, Yvonne employait toute sa jugeote, jour et nuit, à garder sa famille en bonne santé, forte et réunie. Les récits du journal de rêves cessèrent et c'en fut fini des lunettes de soleil rose, des robes d'été et des chansonnettes qu'on fredonnait frivolement. Désormais, ses pensées ne tournèrent plus autour de rien d'autre que de la manière dont elle pourrait protéger, nourrir et réchauffer son mari et ses enfants jusqu'à la fin de la guerre en tenant à bonne distance le chagrin et les peines.

Ce but, elle le poursuivait avec la ruse d'un agent secret, l'abnégation d'une déesse de la guerre et la brutalité d'un pilote de tank. Tôt le matin, elle accompagnait ses enfants l'un après l'autre à l'école – même le plus grand, Michel, qui se rebellait sans succès contre l'escorte maternelle –, et l'après-midi elle allait rechercher chacun. Avant que Léon ne quitte l'immeuble le matin, elle guettait par la fenêtre du séjour pour repérer d'éventuels périls, et le soir, s'il rentrait du travail avec quelques minutes de retard, elle courait à sa rencontre et lui faisait d'amères remontrances. Si l'un de ses enfants toussait, elle parvenait, en faisant usage de mensonges, de fausse monnaie et de son décolleté, à se procurer du miel, du tilleul et du sirop contre la toux, et un jour que l'eau avait gelé à la cuisine, elle alla au beau milieu de l'après-midi au square devant l'église orthodoxe et là, sous les regards de plusieurs badauds, elle abattit de ses propres mains un petit acacia qu'elle traîna ensuite jusque chez elle et débita en bois de chauffage dans la cour de l'immeuble.

Ayant entendu pendant la nuit des bruits étranges dans la cage d'escalier, elle acheta le lendemain au marché noir un 7 x 57 mm Mauser et des munitions et annonça à son mari, qui la regardait en fronçant les sourcils, qu'elle abattrait sans sommation tout inconnu qui franchirait le seuil de son appartement sans son autorisation. Quand Léon lui fit remarquer qu'un pistolet accroché au mur au premier acte devait servir à faire feu au second acte, elle haussa les épaules en répliquant que la vraie vie obéissait à d'autres lois que les pièces de théâtre russes. Et quand il voulut savoir pourquoi elle avait choisi précisément une arme allemande, elle lui répondit que les inspecteurs allemands, s'ils trouvaient des balles allemandes dans un cadavre allemand, chercheraient très probablement le coupable parmi les Allemands.

Yvonne et Léon, durant ces temps difficiles où ils se prouvaient quotidiennement l'un à l'autre fidélité et confiance, fusionnèrent-ils encore davantage, ou bien, obligés qu'ils étaient d'affronter la vie avec pragmatisme dans un combat commun, la menace constante leur fit-elle perdre le dernier espoir romantique ? En d'autres termes, se rapprochèrent-ils ou non l'un de l'autre dans ces conditions ? C'est difficile à dire. On peut imaginer qu'ils ne se posèrent jamais la question. Car l'important n'était pas la manière dont ils désignaient leur existence commune, mais la lutte de chaque jour pour la vie ; au-delà de toute métaphysique, le temps avait simplement créé des faits qui pesaient plus dans la balance que des mots.

Un de ces faits était qu'ils avaient tous deux dépassé la quarantaine et donc, vraisemblablement, le milieu de leur vie. Un autre fait arithmétique était qu'ils auraient bientôt passé ensemble la moitié de leur vie et donc bientôt plus de nuits ensemble dans le lit conjugal que l'un sans l'autre. Il était en outre à prévoir que leurs enfants deviendraient étonnamment vite adultes et partiraient dans le monde, preuves vivantes qu'Yvonne et Léon avaient été plutôt de bons parents. Bientôt, les jours qui leur restaient sur cette terre s'écouleraient de plus en plus rapidement et bientôt la somme de leurs souvenirs communs serait si importante qu'elle procurait plus de réconfort que n'importe quel espoir d'une vie l'un sans l'autre, de quoi qu'elle ait pu être faite.

Bien sûr, il pouvait encore arriver que, pour une raison ou une autre, elle ou lui prenne la poudre d'escampette. Mais ce ne serait pas alors un nouveau départ ni une nouvelle vie, mais tout au plus la continuation dans d'autres conditions de la vie menée jusque-là. Une seconde vie, il n'y en avait pas, il n'y avait que celle-ci. Ce qui pouvait paraître accablant à première vue pouvait se révéler ensuite être le plus grand des réconforts ; car cela signifiait que la vie qui avait été la leur jusque-là, loin d'être indifférente, avait été la condition absolument nécessaire de ce qui viendrait ensuite.

Léon était pour Yvonne l'homme de sa vie, Yvonne était pour Léon la femme de sa vie, il n'y avait plus de raison d'être jaloux. Rien n'y changerait, même s'ils venaient à se perdre l'un l'autre à cause d'une catastrophe ou d'un péché de vieillesse. Il ne restait tout bonnement plus assez de temps pour passer avec quelqu'un d'autre dans un autre lit conjugal autant de temps qu'eux deux en avaient passé ensemble.

Léon s'était habitué depuis longtemps à avoir deux femmes – l'une à ses côtés, l'autre dans sa tête – et cela ne changeait donc pas grand-chose ; quant à Yvonne, son âme trouva enfin la paix. Pour elle aussi, la question de savoir s'ils étaient faits ou non l'un pour l'autre était réglée, et il n'était plus important de savoir s'ils s'aimaient vraiment passionnément ou à mi-cœur, ou encore s'ils faisaient seulement semblant de s'aimer ou bien le croyaient par erreur. L'unique chose importante, c'était la réalité. C'était aussi simple que cela.

Et au-delà de tous les grands mots, Yvonne devait bien reconnaître que Léon lui plaisait toujours

– peut-être même plus que par le passé – dans sa massive virilité. Elle aimait le bruit léger de ses pas quand il montait l'escalier et le son lourd de ses pas quand il traversait le couloir, elle aimait la bonhomie involontaire de sa voix et l'odeur corporelle forte, mais jamais âcre, qui se dégageait de son manteau quand il l'accrochait à la patère après une journée de travail.

Il lui plaisait que les enfants, même s'ils étaient trop grands pour cela, lui grimpent encore sur les genoux et s'y tiennent tranquilles, et il lui plaisait qu'il ne croise pas les mains sur le ventre comme le font les hommes à partir d'un certain âge, qu'il ne soupire pas encore en se levant et ne manifeste pas encore de penchant à tout savoir et à tenir de longs discours pleins de componction.

Il lui plaisait que Léon soit d'une nature dépourvue de méchanceté et de cruauté, et il continuait de lui plaire qu'il place ses longs bras autour d'elle la nuit quand il dormait. Et même s'il arrivait qu'il étreigne une autre femme en rêve – la force des faits était de son côté à elle. En fait et en vérité, c'était elle qui était dans ses bras et pas une autre.

Médine,
sur la rive du fleuve Sénégal.

24 décembre 1940

Léon, mon chéri,

Es-tu encore vivant ? Moi oui. Je viens de jeter dans le fleuve Sénégal par-dessus le mur de la terrasse les restes d'un poulet, dur comme on ne croirait pas que ce soit possible, qui a été mon repas de midi ; les crocodiles nains se chamaillent pour l'avoir, les hippopotames regardent la scène de l'air de s'ennuyer en ouvrant grande la gueule pendant que ces drôles de petits oiseaux leur curent les dents avec leur bec pointu pour en extraire les restes de nénuphars qu'ils ont mâchés.

Le soleil va bientôt se coucher et le muezzin appellera à la prière du soir, puis arrivera l'heure des moustiques ; je la passe dans le fort, dans le fumoir du mess des officiers, qui a d'épais murs de pierre et aux fenêtres des moustiquaires infranchissables. Dans cette vieille cité coloniale qui s'effondre, le mess est le seul bâtiment qui reste à peu près habitable ; toutes les autres bâtisses européennes sont des ruines où poussent de jeunes arbres et où les Africains construisent leurs huttes. Au fumoir, le commandant du fort, ses deux sergents et mes deux collègues de la Banque de France me tiennent compagnie ; Giuliano Galiani est aussi de la partie, l'opérateur radio du *Victor Schœlcher*, celui qui crache, tu te rappelles ; il nous a été adjoint comme officier de liaison (sauf qu'il n'y a ici rien ni personne avec qui on puisse établir de liaison).

Nous restons dans nos fauteuils en rotin à fumer jusqu'au dîner tandis que dans les chambrées, derrière les murs du fort, les quatre-vingt-dix tirailleurs sénégalais qui protègent notre précieuse marchandise (dont je n'ai plus le droit de parler) entonnent des chants mélancoliques qui parlent d'amour, de mort et de mal du pays. Quand la cloche sonne pour le dîner, nous passons au salon où tourne bruyamment au-dessus de la table un ventilateur aux pales mangées par la rouille, qui tombera sans doute bientôt du plafond et nous tranchera la tête proprement à tous à la fois en un centième de seconde.

En attendant, nous restons assis là avec dévouement, transpirant, pestant contre la chaleur et imaginant à l'envi des wagons entiers de bière et de champagne frais, et quand nous sommes à court d'idées, on peut compter sur l'un de ces messieurs pour narrer ses aventures de la journée, dont le thème général est immanquablement la paresse des Africains et le peu de confiance qu'on peut leur accorder.

Effectivement, nos surveillants ont du mal à les tenir ; tous les Africains se réfugient à l'ombre du baobab le plus proche aussitôt que le fouet en peau d'hippopotame est hors de vue. Je dois dire que je les comprends, car tout ce dont ils s'occupent pour nous, casser des pierres, porter de l'eau et abattre des arbres, n'est vraiment pas un plaisir par cinquante degrés de température ; nous autres, par ce climat, nous nous effondrons déjà sous le poids de notre propre corps.

Et il est tout aussi vrai que ces Malinkés, Wolofs et Toucouleurs ne nous ont jamais d'eux-mêmes proposé avec enthousiasme de travailler pour nous gratuitement, pas plus qu'ils ne nous ont demandé de nous installer chez eux, à ce que je sache, ni ne nous ont souhaité la bienvenue, accordé leur amitié et, une fois que nous avons été là, ils ne nous ont pas non plus suppliés de rester. Mais cela ne nous empêche pas de nous étonner chaque jour que nos surveillants doivent constamment user du fouet en peau d'hippopotame pour obtenir l'hospitalité souhaitée.

Ces flagellations et bastonnades constantes, les hurlements, le sang, les humiliations, tout cela porte sur l'humeur de chacun – surtout sur celle de ceux qu'on bat, bien entendu, mais aussi sur celle des bourreaux avec lesquels je passe mes soirées au fumoir. Je me suis souvent demandé, les premières semaines, comment font ces flagellateurs pour n'avoir vraiment aucune pitié, pour être si cruels, si dépourvus d'humanité.

Entre-temps, j'ai compris que ces donneurs de coups de fouet et de bâton, si personne ne leur ordonne d'arrêter, sont saisis d'un délire qui les pousse à frapper et frapper de plus en plus cruellement parce que seule la violence constamment répétée leur permet d'affirmer leur supériorité sur la victime et, par là, de justifier l'injustice criante de leur brutalité.

À cela s'ajoute une chose, et je connais assez bien maintenant mes collègues frappeurs avec lesquels je suis vingt-quatre heures sur vingt-quatre ; je les entends crier la nuit quand les cauchemars les font se tordre dans leur sueur, je les entends gémir et appeler maman, je les entends vociférer des ordres et lancer des grenades et je les entends courir dans les tranchées du Chemin des Dames où ils retournent nuit après nuit depuis un quart de siècle, fuyant les casques à pointe et le gaz toxique, à la recherche de leur humanité perdue.

Ce qui est particulièrement triste, c'est que ceux qui étaient au Chemin des Dames sont nombreux non seulement parmi ceux qui frappent, mais aussi parmi ceux qu'on frappe, côte à côte avec leurs actuels tortionnaires. Plus triste encore est la perspective de les voir un jour se lever à leur tour et saisir le fouet et d'imaginer que, si personne ne s'interpose, ces pugilats se perpétueront de génération en génération jusqu'à la fin des temps.

Dans l'ensemble, dirais-je, nous sommes ici comme les occupants allemands à Paris ; à ce qu'on entend dire, eux aussi sont un peu dépités que les Français ne veuillent pas voir en eux des hôtes vraiment bienvenus alors qu'ils ont laissé leurs chars aux portes de la ville et se comportent sagement. C'est quand même étrange que tout tortionnaire exige d'être aimé par sa victime dès qu'il pose son fouet pour quelques minutes.

Un jour au mess des officiers, entre l'entrée et le plat principal, j'ai exprimé l'idée que nous subissons ici sur la rive du Sénégal le même sort que les Allemands devant lesquels nous avons fui – que nous sommes pour ainsi dire les Allemands de l'Afrique-Occidentale. Ça n'a pas plu. Depuis, j'ai appris qu'il est parfois bon de se taire quand on n'en pense pas moins. Il est encore mieux de ne pas montrer qu'on pense quoi que ce soit.

À vrai dire, je ne devrais pas t'écrire une seule ligne, car tout est encore très secret ici ; sans doute ai-je été trop bavarde dans ma dernière lettre en étalant sous tes yeux toute l'histoire de notre transport d'une marchandise particulière en croyant que tout cela était égal. Depuis, le commandant m'a plusieurs fois sévèrement réprimandée et m'a exposé en long et en large que si une petite dactylo s'ennuie par une calme soirée en buvant son lait au miel et en croquant ses biscuits et a envie de faire un brin de causette par les temps qui courent, ce genre de petit bavardage n'est pas du tout insignifiant et peut conduire tout droit au peloton d'exécution. Depuis, je me retiens et je la ferme, car la patrie, c'est la patrie ; mais d'un autre côté, toi et moi, nous sommes encore là, et moi, je continue de me sentir de plus en plus proche de toi, plus je suis loin de toi.

J'aimerais tant savoir pourquoi cela n'a pas changé au fil des ans – car après tout, tu n'es pas à ce point extraordinaire ni unique, soyons honnêtes. En tout cas, je suis contente de la permanente petite douleur que j'ai à l'âme à cause de toi ; parce que la douleur a quelque chose de réconfortant, elle n'atteint que les vivants, et puis je suis sûre que tu ressens la même chose que moi.

Ainsi, il ne passe pas de jour ni d'heure sans que j'aie envie de te raconter ceci ou cela et que je souhaite que tu sois ici, que tu puisses voir ce que je vois et que je puisse entendre tout ce que tu aurais à en dire. Et donc, si une fois de plus j'enfreins les ordres en t'écrivant ces quelques lignes, c'est parce qu'une occasion aussi favorable ne se représentera peut-être pas de sitôt ; mon collègue Delaporte, tombé malade de la fièvre jaune, a été autorisé à se rendre à Dakar, il va emporter cette lettre pour moi et faire en sorte qu'elle arrive rue des Écoles sans qu'on l'ouvre.

Cela fait six mois que je t'ai écrit depuis le port de Lorient. Le temps passe vite, surtout quand il arrive beaucoup de choses, et plus encore si rien ne se passe... et juste au moment où j'écris cela, cet oiseau qui me rend folle recommence. Il crie roucou-dii, roucou-dii roucou-dii pendant des heures, des jours, des nuits, avec une endurance qui devrait excéder ses forces, toujours roucou-dii roucou-dii roucou-dii jusqu'à ce que tard la nuit, les nerfs à vif, en me bouchant les oreilles avec les doigts, j'arrive à m'endormir, ce qui fait que je ne sais pas si cette bestiole s'arrête ne serait-ce qu'une heure pendant la nuit. Comprends-moi bien, c'est sûrement un oiseau tout à fait inoffensif et il a droit bien entendu comme chacun de nous à sa petite place dans la Création et, objectivement, son cri n'est probablement pas particulièrement fort ni perçant ; et pourtant, il est capable de me chauffer à blanc au point qu'il m'est arrivé plus d'une fois de me précipiter dehors avec le pistolet (eh oui, j'ai un pistolet, ici) et que j'aurais abattu cette bestiole sans hésiter si seulement j'avais pu l'apercevoir dans le branchage de l'acacia où il doit s'être posé.

Il ne m'a rien fait, cet oiseau, probablement qu'il est végétarien et qu'il pousse son roucou-dii roucou-dii pour des motifs tout à fait honorables, sans doute pour défendre son territoire, peut-être aussi pour transmettre sa substance génétique ou bien simplement pour passer le temps. Cherchant des explications à son incroyable endurance, j'en suis venue à me dire qu'elle devait tenir au système respiratoire des animaux, qui doit être différent de celui de nous autres mammifères ; au collège, je devais faire de jolis dessins de ça avec des crayons bleu et rouge, mais je n'arrive plus à tout me rappeler. Chez les oiseaux, l'air circule dans un seul sens dans les poumons, c'est ça ? Mais, comment est-ce que cet air ressort de ces bestioles ? Bien entendu, personne ici qui s'y connaisse un tout petit peu en ornithologie, et pas de Larousse ; les deux choses pourraient se trouver à Dakar, mais c'est à mille kilomètres d'ici à l'ouest et inaccessible sans une autorisation de voyage que je n'obtiendrai pas d'ici la fin de la guerre, autant qu'on puisse en juger.

Si j'étais chez moi à Paris et que cet oiseau s'était posé sur mon rebord de fenêtre, il y a fort à parier que je ferais à peine attention à lui. Mais ici, dans la monotonie de ces collines rouges ferrugineuses avec leurs sempiternels acacias et baobabs, dans l'ennui mortel de ces jours où rien ne se passe, dans la vacuité de mes heures, le silence des nuits où on n'entend rien dans l'obscurité que les hurlements lointains des hyènes, une ombre humaine qui se glisse tout près, les gémissements de mes compagnons en plein cauchemar et justement cet oiseau avec son roucou-dii roucou-dii roucou-dii à n'en plus finir… il m'arrive de m'ennuyer au point de souhaiter une catastrophe, une tornade, un tremblement de terre ou l'invasion de la Wehrmacht qui balaierait tout.

D'ailleurs, je serais bien incapable de te décrire le paysage. Bien sûr, il y a ici des collines et des plaines, le fleuve, toutes sortes de plantes et d'animaux, et le soir, le ciel est profondément noir et parsemé d'étoiles. Sans doute que si j'étais une lady anglaise traversant le pays en train, je pourrais exprimer là-dessus d'édifiantes considérations philosophiques. Mais les circonstances ont voulu que je ne sois pas une lady anglaise et que je ne fasse pas que passer, mais que je sois descendue et que je reste ici, raison pour laquelle je fais mes besoins derrière des buissons et prends mon bain une fois par semaine dans le fleuve en me méfiant des hyènes et des alligators… ce que je voulais dire : quand on est au beau milieu d'un paysage, il ne se prête plus à la considération esthétique, mais il devient une affaire sacrément sérieuse.

Il y a ici des officiers lunatiques qui voudraient m'entraîner derrière les buissons. Je dois éviter l'exposition directe au soleil et être au sec avant la prochaine pluie torrentielle. Je m'énerve avec ma machine à écrire, avec les lettres A, V, P et Z qui se bloquent depuis un bout de temps. Je devrais me brosser les dents avec de l'eau stérilisée et ce serait bien pour ma carrière si je pouvais gentiment dire bonjour aux épouses du roi malinké, qui sont toutes les cinq des pintades horriblement arrogantes… bref : si je veux survivre ici, je dois garder le sens des réalités même si je m'ennuie, et la poésie des arbres, des montagnes et des baobabs n'est pas pour moi.

Giuliano Galiani en revanche, notre officier des transmissions qui n'a rien à transmettre, semble s'amuser magnifiquement. Quand il part à la chasse le matin, il porte un vieux casque tropical français qu'il met de travers sur la tête pour qu'il ne le gêne pas au moment où il vise. À midi, ce Napoléon trop haut de taille et au tempérament ensoleillé, qui mourra plutôt d'une tension trop élevée que d'un cancer du foie, revient de la brousse avec une antilope sur l'épaule et l'après-midi il se pavane au marché en lançant des œillades aux filles peules avec leurs longues jambes et leurs petits seins fermes qui, elles, sourient en rougissant comme si elles avaient déjà fait sa connaissance ailleurs et à d'autres moments de la journée. Le soir, il est assis en tailleur près du feu avec les villageois et discute superbement dans les langues indigènes les plus variées, dont il ne maîtrise que quelques bribes, et parfois, il est avalé par la nuit et ne réapparaît que le lendemain ou le surlendemain. Je devrais prendre exemple sur cet homme.

Sans doute que tu te fais du souci pour moi. Tu ne devrais pas, car je m'en sors. Mon plus grand souci, c'est la digestion, le deuxième c'est l'ennui et le troisième, le fait que je sois la seule femme blanche dans un rayon de quinze kilomètres ; cela m'assure auprès des hommes blancs des environs une popularité dont je me passerais bien.

Et toi ? Es-tu d'ailleurs encore vivant, mon petit Léon ? Est-ce que tu as faim pendant que moi, je me plains de mon poulet trop coriace ? Est-ce que tes petits se gèlent pendant que la sueur me coule du front dans les yeux ? Vivez-vous dans une angoisse et un souci permanents tandis que moi, je m'ennuie ? Est-ce qu'on tire dans les rues de Paris, tombe-t-il des bombes du ciel ?

Ah, je voudrais tout savoir alors même que je sais que tu ne peux pas me répondre ; tu n'as même pas à essayer, cela fait des mois que nous ne recevons plus de courrier, et le téléphone et le télégraphe ne marchent plus depuis belle lurette. Je me fais un souci affreux pour toi, d'autant plus affreux que je suis sans nouvelles et que je ne pourrais rien faire pour toi si tu avais besoin de mon aide.

Quatre mille cinq cents kilomètres nous séparent, ainsi qu'un océan et le plus grand désert du monde, entre nous il y a les nazis, les fascistes et les Alliés et aussi, comme si ça ne suffisait pas, Philippe Pétain et le général Charles de Gaulle et puis Francisco Franco et Adolf Hitler, et presque tous sont à nos trousses – à mes trousses en tout cas, à moins que je ne me fasse des idées.

Roucou-dii roucou-dii roucou-dii, fait l'oiseau pendant que les collines rouges brûlent dans le soleil couchant. Je n'entends aucun autre oiseau depuis ma fenêtre, rien que celui-là, roucou-dii roucou-dii roucou-dii, et je me demande si c'en est vraiment un, je veux dire un seul, ou bien s'il y a plusieurs exemplaires de la même espèce qui se relaient et unissent leurs forces pour me rendre folle.

Il semblerait que ce soit le premier cas, puisque le roucou-dii est toujours isolé, et jamais à plusieurs voix ; mais d'un autre côté : pourquoi n'y aurait-il dans un rayon de plusieurs kilomètres qu'un seul exemplaire justement de cette espèce-là ? Parce qu'il est le dernier de son espèce en voie d'extinction ? Parce qu'il s'est trompé de chemin et que sa place est ailleurs, en Finlande ou à Sarrebruck ? Est-ce qu'à force de parade nuptiale il a chassé de son territoire ses semblables des deux sexes et se retrouve seul à lancer son cri vers la steppe, désespéré, infatigable, jusqu'à la fin de ses jours ? Est-ce que ce serait non pas un volatile exotique, mais un pigeon ordinaire qui fait toujours roucou-dii au lieu de rrrou-rrrou à cause d'une malformation du larynx ? Et si ce pigeon est si désespérément endurant, est-ce que c'est parce que les autres pigeons ne comprennent pas son cri déformé ?

On finit par tourner en bourrique, ici. Nous sommes coupés du pays et de ceux que nous aimons, nous ne recevons ni courrier ni journaux, on ne nous verse plus de salaire depuis longtemps et nous n'avons pas la moindre idée du moment où viendra la relève ni même si elle viendra. Ce qui m'use à ce point, ce n'est pas la chaleur, ce n'est pas cette poussière qui est partout pendant la saison sèche ni la boue le restant de l'année, ce ne sont ni les hyènes ni les serpents, pas non plus les indigènes, dont, même si nous nous habituons à eux, nous ne serons jamais proches pour la bonne raison que le fouet en peau d'hippopotame nous éloigne d'eux et ne pourra que nous éloigner d'eux jusqu'au jour, qui ne manquera pas d'arriver, où l'homme noir renverra l'homme blanc chez lui ; ce n'est pas non plus la monotonie du paysage avec ses sempiternels acacias et baobabs, qui s'étend sur des centaines de kilomètres, rarement interrompu par de petites collines qui ne valent pas la peine qu'on en parle ; non, ce qui m'use, c'est l'absence de béton et de lumière électrique, de librairies, de boulangeries, de kiosques à journaux ; l'absence de bancs publics et de dimanches après-midi pluvieux qu'on passe au cinéma ; l'absence d'éclairs au chocolat et de conversations furtives au bureau, d'un steak frites mangé sur le pouce à midi et d'un bon dîner chez Graff près du Moulin-Rouge ; ce qui me manque, c'est le crissement du tram et le ballottement du métro, et ce que j'aimerais, c'est refaire une longue promenade aux Tuileries par une douce soirée de fin d'été au bras d'un jeune admirateur du musée de l'Homme qui en fait n'est plus si jeune que cela mais qui continue, je l'espère, à me considérer comme une dame.

Et comme tout cela me manque, je m'occupe des phénomènes qui s'offrent à moi ici. Chaque jour, je m'étonne à nouveau de ce que les pommes de terre bouillies refroidissent bien plus lentement qu'en Europe avant qu'on puisse les manger ; de même, il ne faut pas se presser pour boire son café du matin, car il lui faut des heures pour refroidir. Je trouve drôle aussi que les Africains soient pratiquement invisibles dans l'obscurité de la nuit alors qu'il nous suffit de la moindre lueur d'une étoile, à nous, les Blancs, pour être visibles de loin.

Et puis il y a ici cet arbre, le balanzan, l'*Acacia albida* : en pleine saison des pluies, quand tout pousse, quand tout verdit, il se dépouille de ses feuilles qui ressemblent à des plumes et se dresse là opiniâtrement, comme mort, avec son tronc blanc ; à la saison sèche en revanche, quand tout se dessèche et se rabougrit pendant des mois tout autour, il se remet à prendre une teinte vert clair, à fleurir, il affiche son vert insolent, preuve visible au loin que la vie continue même dans les conditions les plus contraires, après de longues périodes de soif et un temps de mort et de destruction apparemment interminables – ce ne sont pas trop de métaphores et d'allégories pour toi, j'espère. Pour moi, si.

Mais avant que je ne commence à m'étendre sur le long fleuve tranquille du Sénégal ou sur ses rives fertiles où les jardins explosent, où fleurissent les orchidées et couvent les oiseaux de paradis qui portent la flamme de la vie, je préfère conclure. Encore ce petit aperçu lyrique : quand ils ont la fièvre, les Africains – on me l'a assuré plusieurs fois – se mettent un poivron dans l'anus pour guérir.

Je t'embrasse tendrement, mon Léon, et je suis sûre qu'un jour nous serons réunis.

Ta LOUISE

P.-S. : La photo ci-jointe a été prise dans un Photomaton de la gare Montparnasse quelques minutes avant le départ sur ordre de mon supérieur ; nous devions emporter vingt photos d'identité en prévision pour des visas, prorogations de passeport et autres. Note la mèche blanche à ma tempe droite, je la trouve assez chic. J'aimerais beaucoup avoir une photo de toi. Envoie-m'en une à Médine, Afrique-Occidentale française ; elle arrivera peut-être, par un miracle de la poste. Ah oui, si tu peux, envoie-moi aussi quelques paquets de Turmac.

16

Un jour du printemps 1941, Mme Rossetos refit soudain son apparition. Léon perçut un premier signe quand, encore sur le trottoir, alors qu'il rentrait du travail, il vit de loin la poignée en laiton de la porte d'entrée qui rutilait comme du temps de la paix. Le sol en marbre de l'entrée reluisait et la porte vitrée de la loge de concierge restée obscure et aveugle un an durant était à nouveau pourvue d'un rideau à fleurs éclairé du dedans ; on entendait des bruits de vaisselle et cela sentait à nouveau les oignons passés à la poêle, ou bien Léon se faisait-il des idées ?

Il s'arrêta et tendit l'oreille, puis s'apprêta à continuer et fit quelques pas vers l'escalier. Mais quand son ombre tomba sur la porte vitrée, le bruit de vaisselle cessa et il s'étendit derrière la porte un silence artificiel dont seul un humain est capable quand il dort, quand il est mort ou quand il est à l'affût. Léon ne put s'empêcher de sourire intérieurement à l'idée que deux adultes étaient à l'affût l'un de l'autre, retenant leur souffle, l'un voyant l'ombre de l'autre sur la vitre. Pour mettre un terme à cette situation ridicule, Léon s'approcha de la porte et toqua. Silence. Il toqua à nouveau et appela le nom de Mme Rossetos ; aucun son ne lui parvenant depuis la loge, il fut sûr et certain que c'était bien elle qui était rentrée dans son antre. Qu'avait-il bien pu lui arriver depuis son départ ? Quelle quantité de malheur et d'effroi, combien d'épouvante et de misère devait-elle avoir enduré avant de se résoudre à l'humiliation de revenir rue des Écoles et de se livrer à la bonne grâce des habitants qu'elle avait quittés à peine un an plus tôt en les couvrant de ses sarcasmes ?

Léon songea un instant à souhaiter amicalement la bienvenue à la femme à travers la porte close, mais il se dit qu'elle le prendrait comme une raillerie et, faisant exprès du bruit en marchant, il monta l'escalier. Il respecterait l'invisibilité de Mme Rossetos tant qu'elle en aurait besoin ; et le jour où elle ramperait hors de son trou, il la saluerait nonchalamment et ferait comme s'il n'était jamais rien arrivé et qu'elle n'était jamais partie.

Le 8 juin 1941 fut le jour où vint au monde le petit Philippe. Vers trois heures du matin, quand les contractions se manifestèrent, Léon alla chercher un vélo-taxi, accompagna Yvonne à la maternité du boulevard de Port-Royal et rentra à la maison avec le même taxi pour veiller au sommeil des enfants et les envoyer ponctuellement à l'école. Il passa le reste de la nuit dans un fauteuil près de la fenêtre ouverte du séjour ; au début, il essaya de lire, puis il éteignit la lumière et se mit à regarder alternativement le firmament constellé et la rue déserte.

À un moment, il entendit un faible gémissement venant de la chambre des enfants, c'était sans doute la petite Muriel, elle faisait des cauchemars depuis qu'on l'avait enfermée dans la cave à charbon. Quand Léon ouvrit la porte, elle avait recommencé à ronfler de son clair et rapide ronflement d'enfant. Il attendit que ses yeux s'accoutument à l'obscurité, puis regarda l'un après l'autre les contours de ses enfants sous leurs légères couvertures d'été.

Robert, qui avait neuf ans, et Marc, douze, étaient couchés, aussi loin que possible l'un de l'autre, dans le lit qu'ils partageaient près de la fenêtre, leurs jambes et leurs bras pendant de part et d'autre. La petite Muriel dormait au milieu de son petit lit, couché sur le dos, les membres écartés, dans cette attitude royale et sans défense propre aux petits enfants et aux ivrognes. Michel, avec ses seize ans, ne dormait plus dans la chambre d'enfant, mais sous les combles. Par une des premières chaudes journées de printemps, il avait emménagé dans la chambre de bonne vide et, pour affirmer son indépendance, il s'était acheté au marché aux puces avec son argent de poche un réveil de voyage d'occasion. La première nuit que son aîné avait passée seul, Yvonne avait pleuré de douleur d'être séparée de lui et Léon s'était réjoui du fait que Michel ait acheté le réveil non pas neuf, mais au marché aux puces.

D'ailleurs, les petits aussi avaient l'habitude de rapporter à la maison des vieilleries qu'ils trouvaient sur les tas d'ordures ou dans les arrière-cours – des fers à cheval rouillés, des sacs en toile de jute pourvus d'inscriptions exotiques, des morceaux de bois ou de ferraille bizarres qui avaient dû être un jour une partie d'on ne sait quoi. Léon admirait ces trésors et se lançait avec les petits dans des conjectures sur leur utilisation première, leur histoire et leurs précédents propriétaires. Pendant ce temps, moins réceptive au charme des objets inutiles, Yvonne était là avec sa serpillière et son seau d'eau de Javel, attendant le moment de nettoyer ces splendeurs pour les débarrasser des microbes et autres germes puisqu'ils allaient rester dans l'appartement.

Léon était content que ses enfants soient de vrais Le Gall. Certes, chacun avait sa personnalité bien à lui, depuis l'heure de sa naissance ; Robert était blond, Marc était roux, et Muriel déjà un peu brune, l'un avait hérité du flegme paisible de son père, l'autre tendait vers la perspicacité quasi hystérique de sa mère, la troisième montrait des talents de diplomate inconnus jusque-là dans la famille. Mais tous avaient la nuque plate et tous étaient d'aimables rebelles, et la tendance à la mélancolie joyeuse se manifestait même chez les plus petits.

Tout en observant ses enfants qui dormaient, Léon récapitula en pensée ses preuves très personnelles de l'immortalité de l'âme qu'il avait rassemblées grâce à l'observation empirique, à des théories physiques de base ainsi qu'au calcul de probabilités. Le fondement de sa thèse était le fait évident que les humains ne sont pas des automates sans âme – pas ses enfants, du moins, il en aurait mis sa main au feu –, mais qu'ils avaient manifestement une âme depuis leur naissance.

Léon en déduisait, selon la loi de conservation de la masse, que cette âme ne pouvait pas s'être créée elle-même à partir du néant. Cela, à son tour, signifiait que soit elle existait déjà comme entité avant la naissance – et dans ce cas alors sans doute aussi avant la conception –, soit qu'elle s'était formée à partir de particules inanimées ou d'énergies au fur et à mesure que l'être humain se constituait.

En procédant par élimination, il arriva à la conclusion que parmi ces deux possibilités, seule la première était plausible ; car la seconde – selon laquelle pour les millions d'humains qui venaient au monde chaque jour, l'âme se formait spontanément chaque fois à partir de particules inanimées ou d'énergies – était inacceptable selon les lois de la probabilité. L'idée que ce miracle se reproduise éternellement était tout aussi improbable que l'idée selon laquelle le miracle de la naissance de la vie à partir d'une boue morte se reproduise à chaque instant dans mille flaques d'eau depuis la nuit des temps.

Quand le jour se leva, Léon bondit de son fauteuil. Il courut à la boulangerie chercher du pain puis il mit de l'eau à chauffer pour le café. Peu avant sept heures, il réveilla les petits et disposa des vêtements propres. Après quoi il grimpa trois étages jusqu'aux chambres de bonne pour réveiller Michel, qui n'entendait jamais son réveil sonner. Revenu à la cuisine, il versa l'eau sur le filtre, mit du lait à chauffer et prépara des tartines.

C'est alors que dehors, dans le calme du matin, grinça le frein d'une bicyclette. On entendit une conversation à mi-voix, puis des talons de femme sur le trottoir. Léon s'approcha de la fenêtre ouverte du séjour et regarda dans la rue. Un vélo-taxi était arrêté devant la porte et, à côté, se tenait Yvonne. Il ne s'était pas écoulé quatre heures depuis qu'il l'avait confiée à la garde d'une infirmière de la maternité. Il dévala l'escalier et se précipita à sa rencontre dans le hall, lui prit son sac et ouvrit un pli du tissu dans le balluchon qu'elle portait sur un bras pour voir le visage.

— Il ne manque rien ?

— Rien. Deux kilos huit cents. Nuque plate.

— C'est quoi ?

— Un petit Philippe.

— Philippe – comme le maréchal ?

— Mais non. Comme ça.

— Et toi, tout va bien ?
— Mais oui. Ça a été très facile.
— Tu aurais quand même dû rester te reposer à la maternité. Trois ou quatre jours.
— À quoi bon ?
— Nous nous serions débrouillés.
— Allons, je ne vais pas mourir tout de suite.
— Que ferais-je sans toi ?
— Et moi sans toi ?
— Yvonne ?
— Oui ?
— Je t'aime.
— Je sais. Moi aussi, Léon.
— Montons, le lait va déborder.

Cela s'était produit par surprise pour eux deux, sans crier gare ; depuis des années ils n'avaient plus prononcé ces mots et peut-être fut-ce la raison pour laquelle, ce matin-là, ces mots sonnèrent comme s'ils étaient neufs, inutilisés, sans rien de faux, d'artificiel ni de crispé. Léon passa un bras autour de la taille de sa femme, elle gravit l'escalier, portant le bébé paisiblement endormi qui mettrait à l'épreuve la patience de ses parents pendant les quelques années et décennies que durerait sa visite.

Le lendemain, Léon retourna au labo, où il était occupé depuis presque un an à des travaux de copiste et devait faire attention à ne pas devenir fou. Chaque jour à huit heures et demie, il trouvait posée sur son bureau une pile de fiches abîmées, gondolées et effilochées dont il avait à déchiffrer le contenu pour le reporter sur des fiches neuves blanches comme neige. Une fois finie la journée de travail, quand la plupart des bureaux et labos du Quai des Orfèvres étaient déserts, l'ordonnance du commandant Knochen passait à un moment ou un autre récupérer les copies et les originaux.

De temps en temps, Léon ne pouvait pas faire plus de soixante-dix ou quatre-vingts fiches, car il devait rechercher la présence d'arsenic dans un gâteau aux amandes ou de mort-aux-rats dans une bouteille de Campari ; dans ce cas, il laissait le soir sur son bureau les vingt ou trente fiches non traitées et l'ordonnance en rajoutait soixante-dix ou quatre-vingts pour qu'il en trouve cent le lendemain matin.

Par égard pour ses enfants, Léon veillait désormais à ne plus faire trop de fautes en recopiant. Pendant un temps, il avait tenté une grève du zèle non officielle, impossible à prouver, qui consistait à passer le plus de temps possible sur chaque fiche, à tracer le texte d'abord au crayon puis à réaliser la version définitive à l'encre de sa plus belle écriture d'écolier. Il réussit ainsi à faire descendre son nombre de fiches à vingt par jour ; mais la calligraphie lui donna des crampes et il en eut vite assez de traînailler ainsi ; au bout de quelques jours à se forcer à ne rien faire, il laissa son naturel reprendre le dessus et reprit sa cadence de travail habituelle.

Mais il ne touchait pas au moka arabica que lui faisait porter chaque semaine le capitaine Knochen avec une régularité démoniaque ; il rangeait sans les ouvrir les boîtes aux couleurs noir-blanc-rouge dans l'armoire où il avait remisé la cafetière italienne. Il avait également relégué la lampe de bureau neuve sur le rebord de sa fenêtre et finalement, le capitaine ne s'étant plus montré pendant des mois, il l'avait enlevée et remplacée par une vieille loupiote trouvée au grenier.

Mais, par un beau matin ensoleillé après une averse nocturne, tout changea. En se rendant au travail, Léon avait joué au foot sur les pavés luisants avec des marrons tombés des arbres, il avait levé les yeux vers les bonnes qui s'activaient aux fenêtres ouvertes avec leur plumeau ; arrivé sur le pont Saint-Michel, il avait ramassé le dernier marron et l'avait lancé avec élan dans la Seine et, en tournant pour rejoindre le quai des Orfèvres, il avait couru sur quelques mètres, par pur plaisir.

Quand il entra dans le labo, la lampe Siemens neuve était posée sur son bureau, la vieille loupiote avait disparu. Léon chercha dans tous les coins, sortit dans le couloir et guetta vers la droite et la gauche, il se frotta la nuque et plissa le front. Puis il retourna à son bureau, prit la fiche du haut de la pile et commença sa besogne quotidienne.

Il fallut attendre la fin d'après-midi avant que ses craintes ne se réalisent. Comme Léon revenait des toilettes, il trouva sur son siège le capitaine Knochen. Il avait les coudes appuyés sur le bureau et se frottait le visage des deux mains, il avait l'air fatigué et excédé par tous ces soucis.

— Mais qu'avez-vous donc à rester dehors ? Entrez, Le Gall, et fermez la porte.

— Bonjour, mon commandant. Un bail qu'on ne s'est pas vus.

— Laissons de côté cette comédie, je n'ai plus le goût à ces petits jeux. Nous sommes des hommes adultes.

— Comme vous voulez, mon commandant.

— Colonel, j'ai été promu *Standartenführer*.

— Félicitations.

— Je suis ici pour vous mettre en garde, Le Gall. Voilà que vous recommencez votre sabotage, je ne peux pas laisser passer cela. Faites attention, je vous mets en garde.

— Je fais de mon mieux, mon colonel…

— Arrêtez ces fadaises. Naturellement, vous êtes trop lâche pour du vrai sabotage, vous jouez seulement un peu au résistant et ça ne fait de bobo à personne. Vous voulez que votre conscience se taise, et pour cela, vous faites exprès des petites fautes, comme un écolier. J'aurais honte, à votre place.

— Mon colonel, vous me permettez d'être franc ?

— Je vous en prie.

— Moi aussi, à votre place, j'aurais honte.

— Tiens donc.

— Vous venez ici jouer à l'homme fort en sachant que vous avez derrière vous tous ces chars et toutes ces munitions.

— Toujours est-il que je les *ai* en effet derrière moi, ces chars et munitions.

— Si vous étiez à ma place et moi à la vôtre…

— Qui peut le dire, Le Gall. Le fait est que l'automne passé, quand vous avez vraiment eu la trouille pour votre petite fille, votre taux d'erreur était à huit pour cent. Quelques mois ont passé, sans doute que la petite ne fait plus pipi au lit qu'une nuit sur deux, et voilà que vous redevenez effronté et que vous montez à quatorze pour cent.

— Je n'avais pas conscience…

— La ferme, pas de bavardages. Vous n'en êtes pas encore à soixante-treize pour cent, mais ça remonte. À propos : qu'est-ce qui vous dérange dans cette lampe de bureau, qu'est-ce qu'elle vous a fait ?

— C'est une lampe, c'est tout.

— Cela vous dérange-t-il que ce soit une Siemens ?

— J'ai les yeux sensibles, la lumière vive m'éblouit. La vieille lampe…

— La ferme. Cette lampe reste où elle est. Et que ce soit mon dernier avertissement.

Knochen soupira et mit d'un coup ses bottes sur le bureau.

— Mon colonel, permettez-moi une question.

— Quoi ?

— Pourquoi moi ?

— Comment ça pourquoi vous ?

— Je suis le seul de cette maison à être gratifié par vous de café et d'une lampe neuve.

— Vous vous êtes renseigné ?

— Pourquoi moi, mon colonel ?

— Parce que vous êtes le seul à nous faire des embrouilles.

— Dans tout le Quai des Orfèvres ?

— Sur cinq cents fonctionnaires, vous êtes le seul à jouer au héros. Et maintenant, faites-moi un café, je suis fatigué. Bien fort, si je puis vous le demander.

— Vous voulez…

— Tout de suite.

— Un filtre ou un moka.

— Moka. Laissez-moi tranquille avec votre breuvage de guerre. Et prenez la cafetière italienne, pas votre drôle de truc à filtre.

— C'est que…

— Quoi ?

— Le moka que vous me faites porter n'est pas moulu.

— Et alors ?

— Je n'ai pas de moulin ici.

— Alors prenez le mortier, bon sang ! Un mortier, vous avez ça, non ? Après tout, c'est un labo, ici. Et arrêtez de faire des chichis comme une femelle.

Le *Standartenführer* regarda Léon ouvrir l'armoire. Deux ou trois douzaines de boîtes à café aux couleurs noir-blanc-rouge étaient soigneusement rangées sur l'étagère supérieure. Le *Standartenführer* secoua la tête en soupirant, puis il croisa les mains dans la nuque et regarda par la fenêtre par-delà le bout de ses bottes.

Léon pila une poignée de grains de café dans le mortier, remplit d'eau la partie inférieure de la cafetière, mit le café dans le filtre et vissa la verseuse, posa la cafetière sur le brûleur, ouvrit le robinet de gaz, gratta une allumette, et le gaz s'alluma avec un petit bruit d'explosion. Pendant que l'eau chauffait, il disposa les soucoupes, les tasses et les cuillères à café ainsi que le sucrier sur le bureau. Et après cela, n'ayant plus rien à faire, il s'approcha de la seconde fenêtre, la plus éloignée du bureau, et regarda la Seine qui depuis des centaines et des milliers d'années coulait sur les rives de l'île de la Cité. Il sentait de temps en temps le regard de Knochen se poser sur lui, et lui-même jetait parfois un coup d'œil de côté au *Standartenführer*. Il s'écoula un moment interminable avant que le café remonte dans le tuyau en glougloutant.

Pendant que Léon servait, Knochen ôta ses bottes du bureau, posa le menton dans sa main gauche et toisa Léon. Puis il dit :

— Le Gall, cela me ferait de la peine pour vous. Ce sont toujours les meilleurs qui désobéissent, il suffit d'un coup d'œil sur l'histoire pour s'en apercevoir. C'est la désobéissance qui distingue ceux qui sortent du lot des hommes ordinaires, vous ne croyez pas ? Malheureusement, nous ne vivons pas dans l'histoire, vous et moi, mais ici et maintenant, et en général, ce qui peut sembler avoir de l'importance dans l'histoire apparaît hélas plutôt banal dans le présent. Nous ne sommes pas ici pour faire l'histoire mais pour copier ces satanées fiches. Et c'est pour cette raison que vous allez m'obéir désormais et ne plus faire de fautes et que cette fichue lampe va rester sur votre bureau exactement à cet endroit et pas autre part, et que vous ne la bougerez pas, même de dix centimètres, sans m'en avoir demandé l'autorisation préalable. Vous m'avez compris ?

— Oui.

— Cette lampe est une Siemens, Le Gall, il faut vous y faire. Elle restera exactement à cet endroit et vous allez l'utiliser. Vous l'allumerez chaque jour en arrivant au travail, et vous l'éteindrez avant de rentrer chez vous. Compris ?

— Oui.

— Bien. Et maintenant, asseyez-vous et buvez un moka avec moi.

— Si vous le souhaitez.

— Oui, je le souhaite. Et je souhaite que dorénavant vous buviez chaque jour du moka. Mais qu'avez-vous donc contre le moka ? Vous ne l'aimez pas ?

— Il est certainement délicieux.

— Dans les temps qui viennent, Le Gall, vous allez devoir en avaler, du moka, vous avez du retard à rattraper. D'ailleurs, ça ne vaut plus la peine de se rebeller, nous en avons presque fini de recopier.

Les deux hommes burent leur moka en silence, puis Knochen se leva, fit un bref mouvement de la tête en guise d'adieu et sortit. Léon porta les tasses à l'évier, puis il se ravisa et jeta celle du *Standartenführer* dans la poubelle.

Léon réfléchit pendant trois jours à la manière dont il pourrait se débarrasser du moka sans avoir à le boire. Il laissa la cafetière italienne et sa tasse près du bec Bunsen sans les laver afin de pouvoir faire semblant à tout moment d'avoir déjà bu son moka quotidien ;

en fait et en vérité, il continua à boire son breuvage de guerre avec son goût de bois.

Le lundi suivant, lorsqu'il trouva la demi-livre hebdomadaire de moka sur sa table, il la mit dans sa sacoche et l'emporta chez lui le soir.

— Qu'est-ce que c'est que ça ?

— Du moka allemand, je t'en ai parlé.

— Fais disparaître ça de la maison.

— Tu ne veux pas… ?

— Fais disparaître ça, je te dis. Je n'en veux pas ici.

— À ton avis, qu'est-ce que je dois en faire ?

— Va rue du Jour, derrière les Halles. Il y a l'auberge du Beau-Noir, demande M. Renaud. Il t'emmènera chez un chapelier de la rue Voltaire qui te fera un bon prix.

— Et que ferai-je de l'argent ?

— Nous n'en avons pas besoin.

— Je le prendrai au labo.

— Sers-t'en pour quelque chose d'intelligent.

— J'aurai bien une idée.

— Je ne veux pas le savoir. N'en parle à personne. C'est mieux si personne n'est au courant.

En échange de cette demi-livre de café, Léon obtint une liasse de billets qui représentait presque la moitié de son salaire mensuel. Et par la suite, comme il se rendit chaque lundi rue Voltaire et emporta parfois, pour réduire le stock, deux boîtes à la fois, le tiroir de son bureau qui fermait à clé se remplit très vite de beaucoup d'argent.

Léon ne comptait pas cet argent. Il ne le jouait jamais au jeu, il ne faisait jamais de liasses, il ne tenait aucune comptabilité et ne vérifiait jamais si tout était là – il ne le regardait même pas, cet argent. Il n'ouvrait le tiroir qu'une fois par semaine en revenant de la rue Voltaire. Il y jetait les nouveaux billets, puis il le refermait et posait la clé en évidence dans la coupelle en bakélite avec les crayons et la gomme, là où, justement parce qu'elle était visible, il était sûr que nul ne la trouverait.

Pendant longtemps, Léon n'eut aucune idée de ce qu'il ferait de la richesse que le *Standartenführer* lui imposait quasiment sous la menace d'un pistolet. Une seule chose était sûre pour lui : il voulait s'épargner l'humiliation de tirer de cet argent un avantage personnel. Mais il était également conscient qu'il devait trouver des moyens et des méthodes pour faire circuler cet argent et que, en cette deuxième année de guerre, il n'y avait pas au Quai des Orfèvres un seul employé qui n'aurait pas eu besoin d'un coup de pouce pour acheter de la viande de bœuf, des chaussures à ses enfants ou une bouteille de vin rouge au marché noir.

La question était de savoir par quels canaux mettre cet argent en circulation. S'il passait ouvertement d'un bureau à l'autre et remettait l'argent en main propre à ses collègues, Knochen l'apprendrait et le ferait arrêter pour vol, recel, désobéissance et tentative de sabotage. Et s'il mettait les billets en circulation secrètement en les déposant dans les poches de manteau, les casiers à courrier et les tiroirs des collègues, les fonctionnaires consciencieux parmi eux porteraient l'argent à leurs supérieurs et porteraient plainte contre X pour tentative de corruption active.

Léon rejeta donc l'idée d'arroser tout le monde et envisagea des mesures ponctuelles. Il y avait au service des magistrats instructeurs un greffier nommé Heintzer dont le diplôme alsacien d'avocat avait perdu toute valeur après 1918. Il habitait dans un trois-pièces humide derrière la Bastille avec ses six enfants, son épouse tuberculeuse et sa sœur alcoolique, prénommée Irmgard, qui ne parlait pas un mot de français et avait débarqué un jour chez lui sans s'annoncer ; il devait en outre envoyer de l'argent à son vieux père qui vivait encore entre Osenbach et Wasserbourg avec cinq moutons et trois poules dans une vieille fermette à l'air penché que la famille avait exploitée pendant deux siècles.

Heintzer marchait voûté, ses cheveux lui pendaient sur les oreilles comme des plumes, il avait une haleine putride qu'on sentait à plusieurs pas de distance. À cela s'ajoutait qu'on ne l'appelait pas autrement que "le Boche" au Quai des Orfèvres, parce qu'il était grand et blond et n'avait jamais pu se défaire complètement de son accent alsacien ; son supérieur était en outre un certain Lamouche, un homme malintentionné qui se plaisait à l'attraper par le col grisâtre de sa chemise devant tous les collègues et à transpercer avec la mine de son crayon les manches élimées de son veston. Comme le Boche supportait tout cela avec dignité et acceptait également sans se plaindre son ulcère à l'estomac, ses dents cariées et sa hernie discale, les plus attendries des secrétaires le suivaient des yeux avec un air encourageant ; mais nul ne voulait approcher de trop près cet homme qui semblait attirer comme un aimant le malheur, la pauvreté et la maladie.

Ce fut donc ce malchanceux que Léon décida de suivre jusque chez lui, par un soir d'automne brumeux, pour savoir où il habitait. Le lendemain, il alla au travail avec une demi-heure d'avance, sortit sa machine à écrire et y plaça une feuille de papier. Il commença par taper un en-tête ronflant où les mots

“Ministère”, “République” et “Sécurité” ainsi que “Président”, “Nationale” et “de France” se répétaient tous quatre fois. Puis il écrivit “Paiement unique différé d’allocations familiales non versées, février 1932 à octobre 1941”, inscrivit une somme astronomique et joignit la somme correspondante en billets. Il pourvut le document d’une signature baroque et illisible et écrivit sur l’enveloppe une adresse d’expéditeur qui n’existait pas, afin d’être sûr que la lettre de remerciement que le Boche ne manquerait pas d’écrire ne parviendrait à aucune administration réelle où elle pourrait faire sourciller plus d’un.

Après s’être rendu dans le 16e arrondissement pour y poster la lettre, il laissa passer quelques jours en s’interdisant toute excursion immotivée au secrétariat du service des magistrats instructeurs ; mais au bout d’une semaine, comme il ne circulait au Quai des Orfèvres aucun bruit concernant des cadeaux en argent suspects, il descendit au deuxième étage pour vérifier comment se portait maintenant le Boche. Il s’assit sur un banc dans le couloir et se mit à feuilleter un dossier pour tromper les apparences, et quand le Boche finit par arriver, Léon passa près de lui en le saluant comme si de rien n’était, et le Boche le salua comme si de rien n’était.

Léon fut rassuré de constater que Heintzer ne nourrissait manifestement aucun soupçon, mais que son état s’était sensiblement amélioré. Ses cernes étaient seulement bleu clair, et non plus vert foncé, il portait un costume neuf et des chaussures neuves, il ne sentait plus de la bouche et il marchait non plus courbé sous le poids du chagrin, mais droit comme un jeune homme ; quand Léon revint quelques jours plus tard, il l’entendit de loin qui riait de bon cœur avec une dentition parfaite qui, si elle n'était peut-être pas complètement authentique, était d'une blancheur radieuse. Et quand il passa une dernière fois un mois plus tard, le Boche se tenait dans le couloir avec une jeune femme blonde fumant une cigarette et il lui tenait la main tandis qu'elle lui donnait du feu.

Encouragé par ce succès, Léon sortit à nouveau sa machine à écrire. À la standardiste de la brigade des mœurs, au regard triste et brave, il fit parvenir le remboursement d'un trop-perçu d'impôts, à un collègue du labo le paiement différé de frais de déplacement forfaitaires pour les cinq années passées ; Mme Rossetos reçut avec effet rétroactif des prestations complémentaires pour veuvage ainsi que des allocations pour la scolarité de ses deux filles orphelines de père, et à sa tante Simone de Caen il fit parvenir une indemnité tardive pour le logement de réfugiés pendant la guerre 1914-1918. Le serveur du bistrot du coin reçut par l'intermédiaire du ministère des Affaires étrangères un coup de pouce d'un oncle d'Amérique inconnu jusque-là, et la femme qui tenait le kiosque place Saint-Michel un remboursement pour taxe d'emplacement perçue par erreur.

Cette manière de distribuer de l'argent plaisait à Léon, mais elle lui prenait du temps ; de plus, il finit par manquer de destinataires. Avec le temps, il jugea injuste l'arbitraire avec lequel il choisissait les bénéficiaires. Pourquoi seuls ses favoris à lui profiteraient-ils de l'argent du moka qui lui venait du *Standartenführer*, et d'autres pas ? Mais, ne voyant nulle possibilité de faire un choix juste et dépourvu d'arbitraire, Léon décida d'éliminer cette part d'arbitraire en soustrayant totalement ce choix à sa volonté et, poussant les choses au bout, en le laissant entièrement au hasard.

Le soir après le travail, il prit le métro jusqu'à la gare du Nord, tourna rue de Maubeuge et jeta un billet dans chaque boîte à lettres accessible, sans considération de l'adresse – tantôt un billet de dix, tantôt un de cinquante, mais la plupart du temps un billet de cent. Arrivé rue Lafayette, il continua vers le sud, descendit la rue Montmartre en changeant de trottoir au petit bonheur, il gratifia chaque boîte aux lettres d'un billet. Arrivé aux Halles, il acheta avec le reste de l'argent un poulet pour lui et sa famille et rentra chez lui.

17

Il vint enfin, ce jour où, en arrivant au travail le matin, Léon ne trouva plus de fiches empilées sur son bureau – ni vieilles fiches abîmées par l'eau, ni fiches neuves vierges. Léon regarda dans tout le labo, puis il s'assit et attendit. Comme il ne se passait rien, il mit de l'eau à chauffer, sortit dans le couloir et regarda. Quand l'eau bouillit, il la versa sur le café, se remplit une tasse, se rassit et attendit.

Après le café, il ressortit dans le couloir. De l'autre côté, une porte était ouverte. Un collègue était assis profondément dans son siège, les mains croisées derrière la nuque. Léon lui lança un regard interrogateur. Le collègue lui adressa une sorte de sourire horizontal morose et dit :

— C'est fini, Le Gall. Terminé, fini.

Léon hocha la tête, tourna les talons et retourna au labo. Il se surprit lui-même d'éprouver non pas du soulagement, mais de la honte. Il avait honte de lui et de la police judiciaire tout entière, qui n'aurait plus l'occasion désormais de refuser la honteuse tâche punitive qui lui avait été imposée.

Vu de l'extérieur, le quotidien de Léon retrouva une sorte de normalité. Le *Standartenführer* Knochen et son adjudant ne se montrèrent plus, les livraisons de café cessèrent.

Certes, le tiroir était encore bien garni de billets, mais la contrainte de devoir constamment distribuer l'argent avait cessé. Le travail de labo proprement dit était rare. Si le nombre de morts avait sensiblement augmenté par rapport à l'été 1940 étrangement paisible, la plupart des victimes ne présentaient plus maintenant des symptômes d'empoisonnement, mais des blessures par balle.

Léon décida de reprendre son doctorat clandestin sur les crimes par empoisonnement à Paris, interrompu un an et demi auparavant. Cependant, il lui fallait éviter d'irriter Knochen davantage. Avant de rédiger de son propre chef d'obscurs écrits, il lui demanderait une autorisation officielle et devrait lui exposer le caractère inoffensif de son enquête. Léon avait honte d'une telle servilité qui allait au-devant des ordres, et il avait plus honte encore de ne voir aucune possibilité d'être moins servile.

Début février 1942, un certain Jules Caron, de la comptabilité, qui n'avait encore jamais mis les pieds au quatrième étage, surgit dans le labo de Léon. Ses joues avaient des marques de variole et il portait des lunettes à monture en écaille, il avait le nez court et sa bouche n'était qu'un trait sur son visage. Léon connaissait cet homme pour l'avoir croisé de temps en temps dans l'escalier. Chaque fois, ils s'étaient adressé un salut simple et bref, comme c'était l'usage entre collègues de services différents, mais ils ne s'étaient jamais arrêtés et n'avaient jamais conversé. Et maintenant, ce Jules Caron se trouvait devant le bureau de Léon et se frottait l'arête du nez comme un écolier convoqué devant le directeur.

— Écoute, Le Gall. Nous nous connaissons depuis longtemps.

— Oui.

— Même si nous ne nous connaissons pas très bien.
— C'est vrai.
— Qu'est-ce que tu fais en ce moment ?
— Un peu de statistiques. Décès par empoisonnement de 1924 à 1940.
— Ah ah. Je suis dans la maison depuis douze ans. Et toi ?
— Septembre 1918. Bientôt vingt-quatre ans.
— Félicitations.
— Ouais.
— Le temps passe.
— Oui.
— Ça te dérange que je ferme la porte ?
— Je t'en prie.

Léon avait encore du café-filtre dans la cafetière. Il versa deux tasses.

— Ma visite doit te surprendre, en fait nous ne nous connaissons pas.
— Le service, c'est le service.
— Je ne suis pas ici pour le service. Il s'agit de… comment dire…
— J'écoute.
— Je ne serais pas ici si je n'avais pas la moindre perspective d'une autre…
— Je t'en prie…
— Je suis ici… ne te méprends pas. Les gens causent.
— Sur moi ?
— On entend des choses.
— Quoi donc ?
— Eh bien, pas mal de choses. Écoute, Le Gall, ça m'est égal, ce que tu fais, je ne veux pas le savoir. Je ne vais pas y aller par quatre chemins : veux-tu m'acheter mon bateau ?

— Pardon ?

— J'ai un bateau, pas loin d'ici. Rien de spécial, une pinasse en bois, trois mètres sur sept mètres vingt avec cabine double, moteur Diesel douze chevaux. Dix-huit ans d'âge, mais en bon état. Il est au port de l'Arsenal.

Caron regarda autour de lui, l'air inquiet.

— Je peux parler ici ? Personne n'écoute ?

— N'aie crainte.

— Il faut que tu m'aides, Le Gall. Il faut que je disparaisse, en zone libre. Dès ce soir, au plus tard demain matin.

— Pourquoi ?

— Ne demande pas, l'avertissement était clair. J'ai besoin d'argent pour moi et ma famille. Et si possible aussi pour les beaux-parents. Tu m'aideras ?

— Si je peux.

— Les gens disent que tu as de l'argent.

— Qui dit ça ?

— C'est vrai ?

— Combien te faut-il ?

— Je te vends ma pinasse.

— Je ne veux pas de ta pinasse.

— Et moi je ne veux pas d'aumône.

— Combien.

— Cinq mille.

— Tu te tairas ?

— On ne me reverra plus ici, mon train part à deux heures et demie.

Léon prit la clé dans la coupelle en bakélite, ouvrit le tiroir, compta cinq mille francs et en rajouta mille. Quand il poussa la liasse par-dessus la table, Caron lui tendit un trousseau de clés.

— Le bateau s'appelle *Fleur de Miel.* Coque bleu clair, cabine blanche, rideaux vichy.

— Je ne veux pas de ton bateau.

— Il a un moteur Diesel, un poêle à bois et deux couchettes.

— Je n'en veux pas.

— Et la lumière électrique. Prends-le en gage et entretiens-le pour moi.

— Rempoche ta clé.

— Lance le moteur une fois tous les quinze jours, sinon il s'obstrue. Au cas où je ne serais pas de retour d'ici à deux ou trois ans, mets-le hors d'eau et repeins-le. Quand la guerre sera finie, je viendrai le reprendre et je te rendrai l'argent.

— Oublie l'argent, dit Léon.

— Dans ce cas, oublie, toi, que ce bateau m'a appartenu.

Caron se leva, posa la clé sur la table et leva la main en guise d'adieu.

Léon posa la clé avec l'argent, ferma le tiroir et se repencha sur ses statistiques. Mais au bout de quelques semaines, il se tint de plus en plus souvent à la fenêtre à observer les péniches qui ne passaient plus que rarement, et une à une ; quand apparaissait une pinasse, il regardait avec une attention particulière. Il alla au service de la comptabilité s'informer sur le collègue Caron et apprit que lui et sa famille avaient disparu sans laisser de traces.

Le temps passant, Léon pensait de plus en plus souvent au bateau à rideaux en vichy rouge et blanc et se faisait du souci pour le moteur Diesel. Il songea aux bagues d'étanchéité qui rouillaient, aux fiches atteintes par la corrosion, aux joints tombant en miettes et aux ressorts de soupape bloqués, et il se dit que si personne ne prenait soin du bateau, les mouettes le recouvriraient d'une couche d'excréments. Les clochards se fraieraient un chemin jusqu'à la cabine et laisseraient la porte ouverte, puis le vent, les intempéries et les gamins des écoles achèveraient l'œuvre de destruction ; de temps en temps, Léon pensait aussi à Caron qui, quelque part sous le soleil du Midi, regrettait le ciel laiteux de Paris tout en espérant que Le Gall s'occupait de sa *Fleur de Miel*.

Par une timide journée printanière, à la fin du troisième hiver de la guerre, Léon, au lieu de rentrer chez lui à midi, se rendit au port de l'Arsenal par l'île Saint-Louis et le pont Sully. Les eaux brunes du bassin se ridaient sous la douce brise. Trois canots empaquetés pour l'hiver étaient amarrés à leur bollard, deux ou trois douzaines de pinasses se balançaient doucement dans le vent ; quelques-unes étaient vertes, d'autres rouges, quelques-unes bleu clair, plusieurs avaient des rideaux en vichy – mais une seule s'appelait *Fleur de Miel*.

Léon s'arrêta sur le quai et examina le bateau. Il était couvert d'excréments de mouette, des feuilles mortes s'étaient entassées dans les coins et un pelage de mousse verte s'était accroché à la coque du bateau en dessous de la ligne de flottaison ; mais les planches semblaient en état et les joints récemment calfeutrés, la peinture était impeccable. Les rideaux en vichy étaient soigneusement tirés et le cadenas de la porte de la cabine était intact.

À l'instant où Léon sortit la clé de sa poche, il sentit que le bateau entrait en sa possession. Enfin. Enfin il avait de nouveau un bateau. Il se sentit exactement comme jadis à Cherbourg, quand avec ses copains Patrice et Joël il avait caché l'épave dans les buissons. Combien de temps s'était-il écoulé – un quart de siècle ? Léon s'étonna de n'avoir pas éprouvé pendant toutes ces années le désir d'avoir un bateau à lui. Il avait souhaité avoir une Peugeot Torpédo ou une Motobécane, une maison de campagne sur la Loire, une montre Breguet, un billard et un briquet Cartier – mais un bateau, jamais. Et voilà qu'il en avait un devant lui.

Léon inspira profondément et, d'un grand pas, monta à bord. À cette seconde même, il fut sûr et certain que plus jamais il ne céderait ce bateau et qu'il ne le partagerait avec personne ; il n'y accueillerait personne contre son gré, et d'ailleurs il n'en révélerait l'existence à personne. Même sa femme Yvonne ne serait pas mise au courant, elle qui refusait expressément d'avoir quoi que ce soit à voir avec ses histoires de café et d'argent, et ce bateau ne deviendrait pas non plus un terrain de jeu pour les enfants. Il lui appartenait à lui seul et à nul autre. Léon arpenta le bateau de la proue à la poupe, dans une humeur joyeuse et exaltée. Le cadenas s'ouvrit avec un léger claquement. La porte était un tout petit peu déformée et coinça, mais en lui donnant un coup énergique, il l'ouvrit facilement et elle tourna sur ses gonds bien graissés. Il flottait à l'intérieur une agréable odeur de feu de bois éteint, de parquet ciré et de tabac à pipe, peut-être aussi de café et de vin rouge. Dans un coin gisait une locomotive miniature renversée, dans un panier en osier une pelote de fil à tricoter traversée par deux aiguilles en bois. La locomotive, il l'apporterait à son petit Philippe, et le fil à Mme Rossetos. Entre les deux hublots étaient accrochés les *Tournesols* de Van Gogh et deux ou trois douzaines de livres étaient posés sur une étagère. Léon s'assit près du poêle à charbon dans le fauteuil de cuir craquelé et allongea les jambes, il se bourra une pipe et l'alluma. Puis il ferma les yeux, souffla de petits nuages de fumée et écouta le clapotis de l'eau contre la coque.

Médine,
saisons des pluies.

Juillet 1943

Mon cher et vieux Léon,

Tu es encore là ? Moi je suis toujours ici, où irais-je ? Me voici une fois de plus qui me noie dans l'eau – de l'eau d'en haut, d'en bas, de devant, de derrière, de l'eau de côté. L'eau jaillit de tous les trous de la terre et dégouline des murs, elle tombe du ciel, s'évapore du sol brûlant et retourne vers le ciel froid pour retomber aussitôt et tambouriner sur les toits de fer avec un staccato exaspérant, et quand on pourrait avoir un peu d'espace pour respirer entre deux déluges, il flotte des émanations de pourriture et de moisissure telles qu'on a envie de s'étendre par terre pour mourir. Je ne peux pas faire un pas hors de la maison sans m'enfoncer dans la boue jusqu'aux chevilles, jusqu'aux genoux. La boue jaillit entre mes orteils et se glisse sous mes ongles, j'ai déjà des champignons et du lichen sur le cuir chevelu et des visions horribles de larves et de vers, la boue rouge a donné à mes pieds une couleur de terre cuite dont je n'arrive pas à me débarrasser même en les frottant. Récemment, dans une tentative désespérée de me protéger de cette boue éternelle, j'ai sorti mes jolies bottines parisiennes en cuir, que j'avais rangées dans un coffre le jour de mon arrivée – elles sont maintenant entourées d'une chevelure large comme un doigt de moisissures blanches.

Il commence à être temps que nous rentrions dans les froideurs du Nord. En attendant, je marche pieds nus.

Tu ne pourrais jamais imaginer à quel point mon quotidien est stupide. J'ai beau avoir des poux, les ongles cassants et des ourlets défaits à mes jupes – je continue de jouer vaillamment à la petite dactylo. Tous les matins, je sors de la maison avec ma machine à écrire portative, je suis attendue par mon tirailleur personnel portant mon parapluie personnel, puis j'emboîte le pas à mes trois supérieurs ainsi qu'à leurs tirailleurs et à notre escorte personnelle, composée de vingt autres tirailleurs.

Nous allons d'abord à la tour de guet, qui se trouve à un jet de pierre de notre fort, près de la voie ferrée. Un tirailleur pose une échelle contre la tour, mon chef grimpe jusqu'à la porte d'entrée, à trois mètres de haut, et vérifie que les scellés sont intacts. Pendant ce temps, un autre tirailleur m'installe une table pliante et ouvre au-dessus un grand parapluie ; une fois que mon chef est revenu sur la terre ferme (c'est-à-dire sur la boue chaude), je m'assois devant ma machine et je note le procès-verbal. Tapies dans les buissons, des hyènes trempées nous observent, babines retroussées. Quel spectacle pitoyable qu'une hyène mouillée, permets-moi de te le dire. Déjà à l'état sec, une hyène est l'image de l'imperfection de la Création, mais mouillée ! c'est à fendre le cœur.

Dès que j'en ai terminé avec mon procès-verbal, nous nous déplaçons jusqu'à la gare où notre train, qui consiste en une locomotive et deux wagons, est déjà mis en pression. Nous montons dans la voiture de première classe qui nous est réservée, les tirailleurs s'entassent dans le wagon à bestiaux ouvert où se trouvent déjà les paysans qui vont comme chaque matin au marché de Kayes à douze kilomètres en aval, avec leurs légumes, leur millet, leurs poules et leurs chèvres. Et puis le train s'ébranle, et nous partons en cahotant, nous franchissons d'abord un ruisseau, puis nous passons entre des collines pour arriver dans un défilé qui conduit à la plaine de Kayes.

Notre voiture semble sortie d'un film de Walt Disney et la locomotive a dû être construite par des scouts, et d'une manière générale, la voie semble faite pour un decauville, et les decauvilles, c'est comme les hommes à petit sexe : difficile de les prendre au sérieux. On a beau se répéter que ce n'est pas une question de longueur et de largeur et que les qualités vraiment importantes ne se mesurent pas avec un mètre à ruban – malgré tout c'est important, ne serait-ce que sur le plan visuel. Certaines choses sont tout bonnement mieux en grand format qu'en miniature, tu ne trouves pas ?

La gare de Kayes est une gare maison de poupée avec des signaux rutilants, des pelouses tirées au cordeau et du ballast où il ne pousse pas une seule mauvaise herbe. Les paysans du wagon à bestiaux doivent rester assis avec leurs poules et leurs chèvres, c'est la règle, jusqu'à ce que nous soyons descendus et ayons passé la barrière. Dans l'ombre de l'auvent, ça grouille de monde. Des enfants nus au ventre ballonné, des femmes aux yeux morts portant inscrite sur le visage la douleur de la mutilation rituelle, et leurs hommes, qui nous regardent avec un air de défi désespéré, de fierté contenue ou avec la servilité d'un chien qui remue la queue.

Nous traversons la rue sous leurs regards muets, pour gagner, en face, émergeant de la brousse, ce fort mauresque sorti d'un conte qui est le siège de l'administration des Chemins de fer du Soudan français et dans les caves desquelles – je peux te le dire maintenant, à présent rien n'a plus d'importance – nous avons entreposé huit cent soixante-dix tonnes d'or. Deux cents tonnes supplémentaires sont cachées à l'administration des douanes, près du fleuve, cent vingt tonnes dans la cave du commandant de district et quatre-vingts tonnes dans la poudrière de la caserne. Partout, nous contrôlons les scellés, nous inspectons les postes de garde et nous assurons que rien de notre métal malléable n'a été volé. Cette procession dure deux heures, après quoi nous prenons le train de midi pour rentrer à Médine.

Pendant les six mois de la saison sèche, nous faisons l'inventaire tous les deux mois ; il nous faut alors un jour entier par dépôt. On commence par ôter les scellés et par ouvrir les portes ; ensuite, les tirailleurs poussent toutes les caisses à la lumière et les disposent côte à côte dans la brousse par rangées de dix, puis mon chef compte le stock : il monte sur la première caisse et marche à grands pas jusqu'à la suivante, puis celle d'après, en comptant à haute voix. "Un quintal !" – un pas – "Deux quintaux !" – un pas – "Trois quintaux !" – un pas – "Huit quintaux !"... et la petite dactylo assise à sa table pliante inscrit des bâtonnets, et pour finir elle rédige un rapport dans les règles. Une fois décomptées toutes les caisses – pour tromper l'ennemi, elles portent l'inscription "Explosif", tout disparaît à nouveau dans la cave, on pose des scellés, et nous retournons au mess des officiers nous reposer des fatigues du jour.

Il arrive qu'un aviateur vienne se poser dans la brousse et nous montre un papelard sur lequel il est écrit qu'il vient prendre deux ou trois caisses. Sans poser beaucoup de questions, nous ouvrons une cave. Autrefois, les messagers venaient de Vichy, depuis quelque temps c'est de Londres. Récemment, nous avons dû rendre l'or des Belges, pour contenter les Allemands, de même pour l'or polonais. On est curieux de savoir qui le leur rendra une fois la guerre terminée.

C'est ma troisième saison des pluies ici, le temps passe vite. Encore trois mois et le monde redeviendra sec, je pourrai ressortir mon vieux vélo d'homme, je l'ai acheté il y a deux ans au marché de Kayes et, en période sèche, il me donne une illusion de liberté. Je me promène jusqu'aux villages des environs ou bien je longe le fleuve sur quelques kilomètres pour remonter jusqu'à l'usine hydroélectrique de Félou, et je vais jusqu'aux rapides observer les animaux avec les frères Bonvin qui, dans une retraite monacale, vaquent à leur métier d'ingénieur et ont compris depuis longtemps que la faune locale est infiniment plus intéressante que leur centrale qui, avec ses canaux, écluses et turbines, est une chose plutôt simplette une fois qu'on a compris comment elle fonctionne. À ma dernière visite, ils m'ont appris que le fameux ricanement des hyènes est un rite de soumission des individus de rang inférieur, qui réclament ainsi leur part du butin ou demandent à être admis dans la meute. Alors tu vois : le rire est l'arme des impuissants. Le pouvoir, lui, ne rit pas.

Au fait, je suis devenue plutôt grisonnante. À mon arrivée ici il y a trois ans, j'avais quelques mèches blanches, maintenant je n'ai plus que deux ou trois mèches foncées. J'ai aussi un peu maigri, j'ai les jambes et les seins d'une jeunette de douze ans. Je cours et je roule à vélo aussi vite qu'une jeunette de douze ans ; quant à mes dents, elles sont toutes là, merci bien.

Combien de fois m'as-tu écrit depuis, Léon – dix fois, cent fois ? Pas une seule lettre de toi n'est arrivée, je t'avais averti. Nous ne recevons plus de salaire, plus d'instructions, pas de ravitaillement ni de munitions, pas de journaux ni de vêtements. De temps en temps, comme je l'ai dit, il passe un aviateur qui nous raconte des trucs confus auxquels on a du mal à croire, et il y a quelques mois, le commandant a fait arrêter trois types surgis de nulle part qui parlaient sacrément mal le français, s'intéressaient à notre tour de guet au point que c'était suspect et se sont révélés être des Allemands ; cela mis à part, nous sommes seuls – le monde nous a oubliés.

Nous aussi, inversement, nous commençons à oublier le monde. Au bout d'un certain temps, on s'habitue à la chaleur et l'hiver ne vous manque plus. On mange du couscous comme si c'étaient des pommes dauphine, et récemment, une nuit, j'ai rêvé pour la première fois en bambara et pas en français.

Ici, la guerre, on n'en entend pas parler. Les baobabs sont les baobabs et les cafards les cafards ; les fusils rouillent à force de ne pas être utilisés et les tirailleurs ne meurent pas au combat, mais du typhus ou de la malaria. Peut-être ne saurions-nous même plus du tout pourquoi nous sommes ici si Galiani, notre officier des transmissions, n'avait pas bricolé à partir de plusieurs cadavres d'appareils électroniques un poste à ondes courtes grâce auquel nous recevons assez bien la BBC.

Et toi, est-ce que je t'ai oublié aussi ? Oui, sans doute un peu – ici, c'est insensé de se consumer de nostalgie jour après jour. Mais cela ne change rien au fait que je t'ai constamment en moi. C'est bizarre : je n'ai plus que de vagues souvenirs de mon père et de ma mère, je me rappelle à peine le prénom des compagnons de mon enfance – mais toi, je te vois bien vivant devant moi.

Quand le vent souffle dans les arbres, j'entends ta voix qui me chuchote de belles choses, et quand le rhinocéros bâille dans le fleuve Sénégal, je vois les coins de ta bouche, toujours gentiment plissés vers le haut même quand tu ne veux pas sourire ; le ciel a le bleu de tes yeux et l'herbe sèche a la blondeur de tes cheveux – mais voilà que je redeviens lyrique.

L'amour, quelle prétention, quand même, non ? Surtout quand il dure depuis un quart de siècle. J'aimerais tant savoir ce que c'est. Un dysfonctionnement hormonal à des fins de reproduction, comme l'affirment les biologistes ? Un réconfort pour l'âme des jeunes filles qui n'ont pas le droit d'épouser leur papa ? Un but dans l'existence pour les incroyants ? Tout cela à la fois, peut-être. Mais c'est aussi davantage, je le sais.

Puisque nous parlons de ça, je peux t'informer que, depuis plus d'un an, l'officier des transmissions Galiani est, comme on dit, mon amant. Tu ris ? Moi aussi. C'est comme au théâtre, non ? Si un Italien à moustache apparaît au premier acte, il faut qu'il embrasse l'héroïne au troisième acte. Cela dit, ça fait un bail que je ne suis plus une jeune première, et Galiani n'est pas la meilleure distribution possible en romantique bourreau des cœurs, avec ses crachats, ses dictons braillés, ses membres courts et l'épaisse toison noire qui lui sort de partout de l'uniforme.

Mais il se distingue par une chose : il n'est pas comme toi. C'est justement parce qu'il est un de ces rustres infantiles qui ne laissent pas passer un jupon sans le lorgner, parce qu'il adresse des compliments grotesques, qu'il porte une grosse chaîne en or autour du cou et jure constamment sur la tombe de sa mère alors qu'il ne sait même pas où sa mère est enterrée – justement pour ça, je sais qu'il est l'homme qu'il faut. Il doit être différent de toi, tu comprends ?

Ça a commencé un soir, il y a un peu plus d'un an, au fumoir du mess des officiers. J'avais le bourdon, comme ça arrive de temps en temps à tous les gens convenables, et je le cachais aux autres en racontant des blagues et en riant particulièrement fort. Galiani s'est levé et est passé derrière mon fauteuil pour aller vers la desserte se verser un autre verre de la bière de millet fabrication maison, et en passant, comme si de rien n'était, sans intention, presque inconsciemment, me semble-t-il, il m'a posé la main sur l'épaule, par compassion instinctive. Je lui en ai été reconnaissante.

À minuit, quand tout le monde dormait, je suis allée dans sa chambre et je me suis mise dans son lit sans un mot. Il n'a rien dit, n'a rien demandé et s'est écarté comme s'il m'avait attendue depuis longtemps ou comme si j'avais l'habitude depuis des années de me coucher dans son lit. Et puis il m'a prise comme un homme doit le faire, sans grands mots, mais avec désir, avec assurance, doucement et sûr de son but.

Giuliano nous emmène chaque fois droit au but, et ensuite il ne me fait pas de serments ni de propositions, mais il me rend ma liberté, il me laisse regagner ma chambre en catimini et le lendemain il ne laisse rien paraître. Il ne me fait pas de clins d'œil, il ne me court pas après, il ne se permet pas de familiarités et ne me pousse pas à venir le voir plus souvent ; au contraire, il se montre envers moi d'une indifférence appuyée quand nous sommes en société, parfois même revêche. Mais quand je reviens me glisser sous sa couverture, quelques jours ou quelques semaines plus tard, il me fait de la place et m'accueille comme si je n'étais jamais partie.

Sous ses allures de rustre, c'est un gentleman, j'aime ça. Le cas inverse est suffisamment fréquent. Évidemment, ce sera fini entre nous dès que la guerre sera terminée, car je ne le supporte pas à la lumière du jour. La nuit, c'est un homme chaleureux, qui connaît la vie, et le jour un bébé qui fait une fixation orale. Dès qu'il ouvre la bouche, c'est pour se vanter des seins de sa femme, qui l'attend quelque part près de Nice, il pérore sur Milan et la Juventus, sur Bugatti, Ferrari et Maserati, et dans l'intervalle il peste que l'État lui doit bien la Légion d'honneur et une pension à vie qui lui permettra de s'acheter un bateau sur la Riviera et d'aller pêcher en mer tous les jours.

Il ne se passera plus trop de temps d'ici à ce que la guerre se termine. Même nous, dans notre brousse, nous avons entendu parler de Stalingrad, et depuis que les Alliés ont débarqué au Maroc et en Algérie, le moindre sergent, le moindre douanier, le moindre chenapan qui passe prétend avoir toujours été résistant. Encore quelques semaines ou quelques mois, dit notre commandant, et nous emporterons nos caisses vers la voie ferrée pour regagner Paris *via* Dakar et Marseille.

Ce que je ferai en descendant du train gare de Lyon, je le sais exactement : je prendrai un taxi pour la rue des Écoles et je sonnerai à ta porte. Et si tu es encore là, si toi, ta femme et tes enfants avez survécu, j'entrerai et je vous embrasserai l'un après l'autre. Nous nous réjouirons d'être toujours en vie et nous irons nous promener, ou bien nous mangerons de la soupe aux choux, pourquoi pas. Tout le reste sera sans importance, non ?

Sois en vie, Léon, sois heureux et en bonne santé, je t'embrasse tendrement – à très bientôt !

Ta LOUISE

18

Désormais, Léon passait toutes ses pauses de midi dans le bateau au port de l'Arsenal, parfois aussi les quelques heures entre la fin du travail et le dîner. À midi, il mangeait un sandwich, assis dans sa cabine, puis il s'allongeait pour une demi-heure, ce qu'il n'avait jamais fait auparavant. Il avait toujours éprouvé, gamin, un léger effroi quand son père s'effondrait sur le canapé après le déjeuner comme pour mourir, plongeant dans le sommeil en l'espace d'une seconde, la bouche ouverte et les yeux clos. C'était désormais à son tour de ne plus pouvoir renoncer à sa sieste ; elle lui donnait la force de retourner au bureau et de supporter patiemment les humiliations, les vides et les rituels récurrents que la vie exigeait de lui.

Fleur de Miel demeurait son secret, il n'en parlait à personne. Chez lui, personne ne déplorait son absence. Sa femme Yvonne, toute à sa lutte pour la vie, n'avait ni le temps, ni la force, ni même la volonté de se poser des questions sur le sens, les choses du cœur et autres subtilités. Naturellement, elle était au courant, pour le bateau, car elle avait dû se renseigner, par sécurité, pour savoir si, pendant les heures où elle ne l'avait pas sous les yeux, son époux ne faisait pas de bêtises qui puissent mettre la famille en danger. Comme ce n'était pas le cas, le bateau lui était bien égal ; de Léon elle n'attendait ni plus ni moins qu'il contribue à nourrir et à protéger la tribu. En contrepartie, elle lui laissait toute liberté, n'exigeait pas de démonstration de sentiments et ne l'importunait pas avec ces choses.

Léon lui en savait gré. Quelques années plus tôt, il souffrait encore des manières âpres d'Yvonne, qui avait vieilli avant l'âge, il regrettait l'alerte jeune fille qu'elle avait été ; il lui était arrivé de souhaiter le retour de la diva capricieuse et parfois même de la femme au foyer tourmentée ; désormais, il n'éprouvait plus que gratitude et respect pour la lionne désintéressée et combative qu'était devenue Yvonne au fil des années de guerre. Il aurait été injuste de sa part d'exiger d'elle qu'elle fredonne des chansons frivoles ou qu'elle lui lance des regards lascifs en jouant avec le petit bouton supérieur de son chemisier.

Pour Yvonne et Léon, la preuve était donnée qu'ils formaient un couple bon et fort, un couple qui avait surmonté bien des tempêtes et était capable d'affronter à deux les dangers à venir ; la confiance et l'affection qu'ils se portaient l'un à l'autre étaient si fortes et si profondes que chacun pouvait laisser l'autre aller son chemin sans s'inquiéter.

Les enfants non plus ne voulaient pas savoir où Léon passait ses heures solitaires. Le petit Philippe mis à part, ils étaient maintenant tous un peu trop grands et accaparés par leurs propres luttes. De leur père, ils attendaient seulement qu'il tienne la forteresse et prodigue l'affection et l'argent à la tribu ; pour le reste, ils lui étaient reconnaissants d'être un patriarche aimable et clément qui ne posait guère de questions et exigeait rarement quoi que ce soit.

Pour être juste, il faut préciser que si Léon pouvait se permettre d'être un père si clément, c'est qu'Yvonne montait la garde de son côté avec d'autant plus de sévérité. Il ne passait pas une minute de la journée sans qu'elle soit informée de l'endroit où se trouvaient ses quatre enfants, elle exigeait d'être tenue au courant intégralement de ce qu'ils faisaient, de leur état de santé et de leurs fréquentations.

Une fois venue à bout d'une journée pleine de dangers, après que les enfants étaient allés se coucher, Yvonne n'avait pas droit au repos mais elle discutait avec Léon, jusque tard dans la nuit, de tous les dangers éventuels. Elle évoquait les maîtres d'école fascistes et les SS ivres, les débauchés en liberté, les automobilistes pris de folie et les microbes contagieux, la chaleur, la pluie, le gel, l'augmentation des prix de la nourriture et les incertitudes du marché noir, et elle envisageait inlassablement les possibilités de fuir par les forêts, l'air ou l'eau, ou un repli dans les catacombes de la ville pour le cas où les Allemands en viendraient à provoquer l'apocalypse.

Yvonne accomplissait sa mission de protectrice au point qu'il n'y avait plus de place en elle pour rien d'autre. Elle n'entretenait plus de relations sociales et ne tenait plus aucun registre de ses rêves, elle ne portait plus de lunettes de soleil roses et ne chantait plus de chansons à succès ; pour Léon, elle était encore une fidèle compagne, mais cela faisait longtemps qu'elle n'était plus une épouse, et à force de veiller sur ses enfants, elle ne leur témoignait plus aucune marque de tendresse.

Son visage portait désormais la marque des années d'effort et de tension. Ses yeux étaient sans cils, ses joues creusées, et son long cou à la courbe jadis élégante était raide, avec les tendons et les veines apparents ; ses épaules étaient larges et anguleuses, ses seins avaient fondu, et son ventre, sous les côtes, était creux.

Dans la cage d'escalier, elle brusquait les voisines en passant près d'elles sans les saluer. Elle ne se maquillait plus et maigrissait constamment à force d'oublier de manger. Elle avait déposé près de la porte deux valises prêtes au cas où il faudrait fuir, contenant le nécessaire pour toute la famille, et elle ne pouvait s'empêcher de vérifier plusieurs fois par jour si elle n'avait vraiment rien oublié. Il fallut qu'elle en vienne à ne même plus ôter ses souliers la nuit ni au lit, de manière à être prête à tout instant, pour que Léon la rappelle doucement à l'ordre en lui disant de garder un minimum de formes, par égard pour les enfants.

Les enfants, eux, mesuraient les risques quotidiens avec davantage de réalisme. Enfants de fonctionnaire et baptisés catholiques, ils savaient qu'ils n'avaient guère le profil de la proie recherchée par les militaires et que les autres dangers de la grande ville étaient moindres sous l'Occupation qu'en temps de paix. Chacun d'eux trouva ainsi sa méthode à lui pour se dérober à sa mère et pour faire ses premiers pas sur la voie qui lui était destinée.

Ma tante Muriel, qui devait mourir en 1987 d'une cirrhose, avait alors sept ans. Elle avait des taches de rousseur et des rubans verts dans ses cheveux châtains et passait de préférence les jeudis après-midi sans école et les dimanches dans la loge de Mme Rossetos qui berçait la fille pendant des heures sur ses genoux, la bourrait de sucreries et lui racontait en roulant les yeux d'horribles histoires d'amour, de meurtre et de tourments infernaux. La concierge dispensait à Muriel la tendresse qu'elle ne recevait pas de sa mère, et la fillette, de son côté, la consolait de la déloyauté de ses filles qui la laissaient sans nouvelles depuis des années. Peu avant cinq heures, Mme Rossetos s'approchait toujours du buffet et se versait un petit verre de liqueur aux œufs. Et la petite Muriel était une enfant si gentille qu'elle avait le droit d'en boire un doigt. Au début, elle n'aimait pas ça, mais elle eut vite fait d'apprécier son effet.

Mon oncle Robert, qui devait plus tard posséder un petit bureau de placement à Lille, installa au grenier des clapiers à lapin et passa ses journées à ramasser pour son élevage proliférant toute la verdure qu'il pouvait trouver dans les gouttières moussues et les arrière-cours pavées du Quartier latin. Il se chargeait lui-même de tuer les lapins, la clientèle recevait son rôti prêt à être enfourné. Il gardait pour sa mère un lapin par mois et vendait les autres au marché noir. Il devait mourir par une matinée de septembre 1992 alors qu'il s'allumait une cigarette sur la route nationale entre Chartres et Le Mans au volant de sa Renault 16 et dérapa sur la chaussée trempée.

Marc, qui avait treize ans, devint plus tard médecin et, encore plus tard, délaissa la médecine pour la théologie ; au grand dépit de ses parents, il s'engagea volontairement dans les Chantiers de la Jeunesse. Il eut droit à un uniforme noir, des bottes de combat et des guêtres blanches, il apprenait par cœur les discours du Maréchal et faisait des marches durant plusieurs semaines, avec sac à dos, képi et couteau à cran d'arrêt dans la forêt de Fontainebleau.

Michel, qui avait dix-neuf ans et entra plus tard dans l'histoire quand, chez Renault, il inventa le bouchon verrouillable du réservoir à essence, attendait une place dans une école d'ingénieur et tuait le temps en se promenant des journées entières dans la ville à la recherche d'une issue hors de la prison que lui paraissait être sa vie. Il nourrissait un mépris informulé pour l'autisme de son père tout autant que pour l'instinct de survie opportuniste de sa mère. Il avait beau savoir qu'il n'avait pas lui non plus l'étoffe pour mourir pour la bonne cause, il ne voulait pas être un suiveur. Peu avant le baccalauréat, il avait voulu quitter le lycée parce que toutes les filles de sa classe – mais vraiment toutes – s'étaient inscrites à l'examen de première langue non plus en anglais, mais en allemand. Pour l'en empêcher, Léon s'était, pour une fois, opposé à son aîné avec l'autorité d'un père. Il avait commencé par essayer de lui vanter la valeur d'une culture classique pour lui faire remarquer ensuite que du moins la majorité des garçons de sa classe s'étaient inscrits à l'épreuve d'anglais ; et ces arguments ne marchant pas, il l'avait tout simplement corrompu en lui donnant cinq cents francs.

Philippe – mon père –, né dans la deuxième année de la guerre, était encore accroché aux jupes de sa mère. Le dimanche après-midi seulement, quand Yvonne dormait dans la chambre à coucher obscure et ne tolérait pas la présence d'enfants auprès d'elle, il descendait avec Muriel chez Mme Rossetos. Assis sur les genoux de sa sœur elle-même assise sur ceux de la concierge, il prêtait l'oreille à ses histoires horribles. Et comme il était un si gentil petit et restait si bravement tranquille, il avait le droit de tremper les lèvres dans la liqueur aux œufs de Mme Rossetos. Il devait rester, sa vie durant, un ami des femmes, un homme avisé mais infidèle et pas vraiment adapté à la vie, un homme que son propre charme entraîna dans la solitude et que la boisson envoya ensuite à la mort.

Léon Le Gall continuait son existence d'ermite. Il se rendait au travail et remplissait ses devoirs de père de famille, mais, en dehors de cela, il se terrait dans le secret de son bateau. Par bonheur pour lui, il apparut que Jules Caron avait eu une prédilection pour la littérature russe du XIXe siècle ; Tolstoï et Tourgueniev, Dostoïevski et Lermontov ainsi que Tchekhov, Gogol et Gontcharov trônaient sur l'étagère. Léon les lut tous, en fumant la pipe et en buvant du vin rouge qui, plutôt que de l'enivrer, le transportait dans un état agréable de bien-être métaphysique.

Il lisait calmement, regardant parfois par la fenêtre les reflets à la surface de l'eau du port, les platanes changeant de couleur au gré des saisons, la course des étoiles ainsi que l'alternance de pluie, de soleil et de brouillard, qu'il aimait tout autant l'un que l'autre. Chaque soir à sept heures pile, il allumait le transistor, posait l'oreille contre le haut-parleur et s'imprégnait des nouvelles de la BBC comme si la voix du speaker était un mets délicieux qu'il ne fallait pas gaspiller. C'est ainsi qu'il entendit parler de Stalingrad et du débarquement à Anzio, de l'opération Overlord et des bombardements nocturnes de Hambourg, Berlin et Dresde.

Léon observa avec horreur que la haine avait grandi en lui comme un arbre durant les mille jours qu'avait duré l'Occupation ; désormais elle portait ses fruits. Jamais Léon n'aurait imaginé qu'il se frotterait les mains en apprenant l'incendie de Charlottenburg, jamais il ne se serait cru capable de jubiler tout haut en apprenant la mort de trois mille femmes et enfants en l'espace d'une nuit ; il constata avec surprise à quel point il nourrissait le désir ardent que la pluie de bombes continue de nuit en nuit jusqu'à ce que sur la vaste terre de Dieu plus un seul Allemand ne soit en vie.

Sa haine l'aidait à survivre, mais il arrivait aussi qu'il fasse des rencontres déconcertantes. Un jour, il fut le témoin d'une scène qui l'emplit d'une honte profonde, car elle ébranlait la haine qui était en lui. Une après-midi dans le métro, Léon était assis face à un soldat de la Wehrmacht en uniforme avec son fusil-mitrailleur en bandoulière. À la station Saint-Sulpice monta un jeune homme portant l'étoile jaune sur son manteau. Le soldat se leva et, avec un geste muet, offrit sa place au juif, qui devait avoir son âge. Le juif hésita et regarda autour de lui en cherchant de l'aide, puis s'assit sans un mot à la place libérée et, sans doute de honte et d'infini désespoir, se plaça les deux mains devant le visage. Le soldat se détourna de lui et regarda par la fenêtre, la mine pétrifiée, tandis que le silence se faisait parmi les passagers. Le juif était assis juste en face de Léon, leurs genoux se touchaient presque. Ni le soldat ni le juif ne descendirent à la station suivante pas plus qu'à celle d'après, leur trajet ensemble n'en finissait plus. Tout ce temps, le juif garda les mains devant le visage, le militaire debout devant lui, comme au garde-à-vous. Le train roulait, s'arrêtait, roulait, s'arrêtait. Vint enfin la station à laquelle le soldat, pivotant sur ses talons, descendit sur le quai. Le silence persista quand la porte se fut refermée derrière lui. Personne n'osait prononcer une parole. Le juif gardait les mains devant le visage. Léon voyait qu'il portait une alliance et que les bords des paupières tremblotaient près de chacun des index.

L'été 1944 fut beau et chaud, il invitait à la baignade. Mais le débarquement allié avait rendu inaccessibles les plages de Normandie et de la Côte d'Azur ; les Parisiens restèrent chez eux et allèrent se baigner dans la Seine. Le 4 août fut le jour le plus chaud qu'on ait eu jusque-là. Sur les trottoirs, l'asphalte fondait, les chevaux laissaient pendre la tête, et les gens, quand ils devaient vraiment sortir, ne quittaient pas l'étroite bande d'ombre que les maisons projetaient sur les trottoirs.

Comme à l'accoutumée, Léon avait passé sur le bateau les heures suivant sa journée de travail et, le crépuscule venant, il se mit en route pour rentrer chez lui. Lorsqu'il passa devant l'entrée du musée de Cluny, il aperçut, dans l'ombre du porche, un homme couvert d'un béret qui lui cachait une partie du visage. Léon flaira le danger. Il pressa le pas et détourna le regard vers l'autre côté de la rue.

— Psst ! fit l'homme.

Léon continua sa route.

— Belle soirée, n'est-ce pas ?

Léon descendit sur la chaussée pour tourner rue de la Sorbonne.

— Hé ho ! Mais arrête-toi !

Léon continua.

— Les mains en l'air, pas un pas de plus.

Léon s'arrêta et leva les mains.

Dans son dos, l'homme éclata de rire.

— Détends-toi, Léon, je plaisante.

Léon laissa retomber les mains, hésitant, et se retourna, puis il remonta sur le trottoir et toisa l'homme venu se placer sous la lumière du réverbère. Il avait un visage en lame de couteau et des yeux perçants qui disaient quelque chose à Léon.

— Excusez-moi, nous nous connaissons ?

— Je te rapporte tes quatre cents francs.

— Quatre cents francs ?

— Huit cents fois cinquante centimes, tu te rappelles ? Je voulais aller à la gare routière à Jaurès, et tu m'as aidé.

— Martin ?

— Tu ne m'aurais pas remis, hein ? Eh oui, je suis ton clochard personnel, l'incarnation de ta bonne conscience.

— Ça remonte à quand ? Trois ans ?

— À l'époque, nous avions estimé la durée de la guerre à trois à quatre ans – pas mal du tout, non ?

— Elle n'est pas encore finie.

— Mais bientôt. Pour nous en tout cas. Marchons un peu, je t'accompagne.

L'homme paraissait dix ans de moins que lors de leur dernière rencontre : il avait le regard limpide, la peau nette sur les ailes du nez, il n'empestait pas la piquette et toute graisse corporelle semblait l'avoir quitté. Léon, en comparaison, il dut bien l'admettre, avait pris de l'âge dans l'intervalle ; et après les heures passées dans le bateau, il avait une haleine avinée.

— Depuis quand es-tu de retour en ville ?

— Quelques jours. Ça ne va plus durer très longtemps, comme tu sais.

— Je ne sais rien du tout.

— Bien sûr que tu le sais, n'importe quel enfant sait ça. Les Américains sont déjà à Rouen, quelque chose se goupille déjà en Corse. Et nous, nous avons cinq mille hommes en ville.

— Qui c'est, nous ?

Martin sortit de son veston un morceau d'étoffe blanche et le montra à Léon. C'était un brassard sur lequel étaient imprimées les lettres FFL.

— Enfin, dit Léon.

— C'est peut-être pour demain, peut-être seulement pour la semaine prochaine.

— Si les Allemands ne font pas d'abord de Paris ce qu'ils ont déjà fait ailleurs.

— Nous faisons attention, dit Martin. Mais toi aussi, Léon, tu devrais être prudent.

— Pourquoi ?

— On va bientôt passer aux règlements de comptes. Il y a quelques messieurs auxquels nous allons tirer les oreilles.

— Très bien.

— Ça ira vite, et nous n'y irons pas de main morte. Nous allons flanquer des baffes, et nous ne commencerons pas par papoter en sirotant un café.

— Je comprends.

— Je ne suis pas sûr que tu comprennes, dit Martin. Tu devrais vraiment être prudent. On dit des choses sur toi, tu sais ?

— Non.

— On parle du café que les SS t'offraient. On parle de ton bateau. De tes histoires d'argent.

— Mais je…

— Je sais. Mais du café, c'est du café, et un bateau, c'est un bateau. Pour ces choses-là, dans les jours qui viennent, il va pleuvoir des baffes, et ce ne sera pas le moment de faire des distinctions. Les nôtres sont furieux, il faut que tu comprennes.

— Moi aussi, je suis furieux. Et toi, justement, tu devrais savoir…

— Oui, mais les autres ne le savent pas, et ils ne seront pas d'humeur à couper les cheveux en quatre et à faire dans le détail. Dans les jours qui sont devant nous, on va d'abord distribuer les gifles, et les questions, on les posera après. C'est pour ça que tu dois disparaître pendant quelques semaines. Maintenant, tout de suite, jusqu'à ce que les choses se calment. Ensuite tu pourras revenir et expliquer tes histoires de café.

— Où est-ce que je dois aller ?

— Dans le Sud ! C'est l'été, offre à ta famille quelques semaines de vacances à la mer.

— Sur la Côte d'Azur ?

— Euh, pas vraiment là pour l'instant, ça risque de barder un peu dans les jours qui viennent. Je te conseillerais plutôt la côte Atlantique, les Allemands s'en sont déjà retirés. Biarritz, le Cap-Ferret, Lacanau, question de goût.

— Et question d'argent.

— Voici les quatre cents francs que tu m'avais prêtés.

Martin remit à Léon une liasse de billets.

— Et puis ceci…

Plongeant la main dans sa poche portefeuille, il en sortit une seconde liasse, sensiblement plus épaisse.

— … c'est le reste de l'argent du tiroir de ton bureau, reprit-il.

— Comment avez-vous…

— Je l'ai fait chercher quand tu étais sur ton bateau – j'espère que ça te va. Il vaut mieux que tu n'aies pas à retourner au bureau pour ça.

— Mais…

— Allez, prends. Ce sont les FFL qui te remettent officiellement cet argent, dès lors ce n'est plus de l'argent nazi. Nous avons remis la clé dans la coupelle en bakélite. Sacrément idiote, cette cachette, si tu me permets.

— En tout cas, personne ne l'a trouvée.

Martin sourit.

— Nous avons régulièrement recompté l'argent ces deux dernières années. Le fait que tu n'aies rien pris pour toi sera en ta faveur.

— Le bateau…

— Je sais, Caron m'a tout raconté. Ça aussi, ça t'aidera, mais d'abord, tu dois disparaître. Tu ne récupéreras pas les six mille francs, en revanche tu peux garder le bateau. Caron dit qu'il n'en veut plus parce qu'il est à toi.

— Tiens donc !

— Il dit qu'un bateau, c'est comme un chien, ça ne peut pas changer de maître plusieurs fois.

— Merci.

— Voici les billets de train pour Bordeaux. À toi de voir pour la suite de votre voyage. Et encore deux laissez-passer. L'un est pour les Allemands, l'autre pour les nôtres. Ce serait mieux si tu ne les confondais pas.

— Je vois.

— Retour pas avant le 26 septembre. Le train pour Bordeaux part demain matin à huit heures vingt-sept. Fais-moi confiance, Léon. Fais ce que je te dis. Et pas plus tard que demain matin, n'attends pas après-demain. Et maintenant, rentre chez toi faire tes valises !

Sur quoi il traversa la rue et disparut sous les arbres du parc de Cluny. Léon se souvint qu'ils s'étaient donné l'accolade lors de leur dernier adieu. Il se demanda pourquoi ça n'avait pas été le cas cette fois.

Le jour où à Paris les employés des hôpitaux publics, les fonctionnaires de la Banque de France et ceux de la police judiciaire rejoignirent la révolte populaire et se mirent en grève, Léon était vêtu d'un maillot de bain noir démodé et se trouvait à six cents kilomètres au sud-ouest du Quai des Orfèvres dans les dunes de

Lacanau sous un parasol rouge et blanc à rayures. Sa femme Yvonne était assise à côté de lui, raide comme un piquet, regardant ses quatre grands enfants qui jouaient dans le ressac tandis que, à ses pieds, le petit Philippe construisait un château de sable.

La plage s'étendait sur des kilomètres et était déserte à perte de vue. Tout en haut des dunes trônaient les blockhaus du mur de l'Atlantique, des meurtrières desquels sortaient, menaçants, les tuyaux de canons, comme si les soldats de la Wehrmacht s'étaient simplement absentés pour aller chercher des munitions et devaient revenir d'un instant à l'autre dans les chambrées.

Plusieurs fois par jour, Léon marchait avec ses enfants sur la rive pour voir les trucs bizarres que la mer pourrait avoir rapportés. Tantôt ils trouvaient un ballon en cuir, tantôt une chaise de cuisine intacte, tantôt une voile carrée avec le mât et le gréement. Ils s'en servirent pour construire un auvent au pied de la dune.

Chaque jour à midi pile, Yvonne donnait le signal du départ. Tous jetaient alors de légers vêtements d'été sur leurs costumes de bain, marchaient à travers les dunes pour retourner dans la pinède puis parcouraient sur leurs bicyclettes de location les étroites pistes en béton construites par les Allemands pour leurs coursiers motorisés et allaient déjeuner à l'hôtel de la Cigogne. Après la sieste, ils retournaient à la plage, et le soir, un accordéoniste faisait danser les gens sur la place du village. Le mercredi était jour de marché, et le samedi soir on montrait un film en plein air sur le terrain de football.

Léon ressentait comme une heureuse mais amère ironie du sort de se retrouver, pour la seconde fois de sa vie, en maillot de bain à la plage pendant la phase finale d'une guerre mondiale. C'était certes une chance d'avoir pu mettre sa famille à l'abri dans cette idylle privée, mais Léon apprenait néanmoins jour après jour par la radio et les journaux que simultanément des hommes prêts à tout sacrifice personnel écrivaient l'histoire. Avec un zèle mortifiant, Léon notait qu'à la minute où la division blindée du général Leclerc était arrivée sur la place de l'Étoile, lui-même était assis à la table du petit-déjeuner en train de tremper son deuxième croissant dans le café au lait ; qu'à l'instant où une section de la SS avait abattu à tirs de mitraillettes trente-cinq jeunes au carrefour des Cascades, il avait savouré une glace à la vanille ; ou que, tandis que les FFL hissaient pour la première fois à nouveau le drapeau tricolore sur la tour Eiffel, il fabriquait un voilier pour le petit Philippe à partir d'un morceau de bois flotté ; ou que, lorsque le général von Choltitz avait abandonné Paris à Leclerc sans bataille et intact, contre l'ordre exprès qu'avait donné Hitler de détruire la ville, il était en train de faire sa sieste ; et que la nuit où la Luftwaffe avait procédé à sa première et dernière attaque aérienne sur Paris et détruit six cents immeubles, il était assis avec Yvonne à la belle étoile sur le balcon de leur chambre d'hôtel et regardait l'océan argenté en buvant une bouteille de bordeaux. Et ensuite un cognac. Et encore un. Et pour finir une bière.

La nouvelle du départ de la Wehrmacht atteignit la famille Le Gall à trois heures et quart de l'après-midi alors qu'elle était sous l'auvent à l'abri du soleil. Une horde de jeunes gens arriva sur la plage depuis le nord ; certains étaient à bicyclette, d'autres couraient à leur côté, deux garçons sur un tandem tiraient une remorque où trois jeunes filles étaient assises. Les jeunes gens poussèrent des cris de joie et firent des signes. Michel courut à leur rencontre et parla avec eux, après quoi il revint sous l'auvent et embrassa son père et ses frères et sœur. Le petit Philippe et Muriel insistèrent pour rentrer tout de suite à Paris chez Mme Rossetos et sa liqueur aux œufs. Marc, lui, voulait rester à Lacanau pour une durée indéterminée parce qu'il avait commencé un élevage de lapins dans la cour de l'hôtel. Léon et Michel discutèrent la possibilité d'un retour anticipé et en vinrent à la conclusion qu'il était trop risqué de prendre le chemin du retour sans laissez-passer valable avant le 26 septembre.

Pendant ce temps, Yvonne était debout à l'écart, regardant l'océan, et frottait ses bras maigres comme si elle avait froid.

— Nous verrons, dit-elle. Je ne le croirai que lorsque de Gaulle parlera à la radio.

— Mais il était déjà hier à la radio.

— Je veux l'entendre depuis Paris, et comme preuve, il faudra que les cloches de Notre-Dame sonnent derrière. S'il est malin, c'est ce qu'il fera.

— De Gaulle est malin, dit Léon. Si tu exiges cette preuve, il la donnera.

— Crois-tu qu'il me connaisse aussi bien ? Nous verrons.

Yvonne se retourna et attrapa son mari par le bras.

— Tu sais ce dont j'ai envie maintenant, Léon ? D'un steak. Un steak de bœuf bien épais et saignant avec une sauce au poivre et des frites. Avec ça une gorgée de bordeaux, et du bon, et ensuite du chèvre et du roquefort. Et en dessert, une crème brûlée.

Le lendemain, le général de Gaulle eut effectivement la finesse de faire accompagner son allocution à la radio par les cloches de Notre-Dame ; une fois que les cloches et le général se furent tus, Yvonne courut jusqu'à la cuisine de l'hôtel et déclara au cuisinier qu'elle voulait manger sur-le-champ une terrine de sanglier, suivie d'une truite au bleu avec un risotto aux cèpes, en plat principal du boudin avec pommes dauphine et chou rouge et, en dessert, une crêpe Suzette et, mais oui, au milieu une coupe colonel. Quand le cuisinier fit remarquer primo qu'il était trois heures et demie, secundo que la cuisine était fermée et tertio qu'il n'avait en stock rien de ce qu'elle souhaitait, à l'exception des pommes de terre, Yvonne rétorqua primo que l'heure n'avait pas d'importance, secundo qu'il n'avait qu'à ouvrir la cuisine et tertio qu'à aller se procurer tout ce dont il avait besoin. Ce n'était pas une question d'argent.

À compter de cet instant, Yvonne ne s'intéressa plus à rien d'autre qu'à la nourriture. Le matin, quand elle ouvrait les yeux, elle tendait la main vers les biscuits aux flocons d'avoine dont elle avait toujours des réserves. Au petit-déjeuner, elle buvait des pots entiers de café au lait et tartinait des baguettes entières avec l'épaisseur d'un doigt de beurre et de confiture. Elle qui n'avait pas eu d'autre souci pendant des années, elle abandonna au père le souci de nourrir les enfants. Et quand ils se mettaient en route pour la plage, elle ne songeait plus aux dangers de la marée et du courant, mais laissait avec indifférence sa couvée aller à la mer tandis que de son côté elle faisait une promenade à la pâtisserie où elle se procurait quelques madeleines et chaussons aux pommes. Ensuite, c'était bientôt l'heure de l'apéritif et des amuse-gueules avant le déjeuner.

Léon regardait, ébahi, sa femme s'adonner à la gloutonnerie et se transformer en un être dont il n'aurait pas cru qu'il ait pu sommeiller en elle pendant les vingt-trois ans qu'avait duré leur mariage. L'indifférence et la froideur d'amphibien qu'Yvonne manifesta dorénavant formaient le plus grand contraste avec tout ce qu'elle avait été jusque-là. Ce monstre bâfrant et grognant devait avoir patienté tout ce temps dans la sévère gardienne qu'Yvonne était restée durant les années de guerre ; cette gardienne, quant à elle, avait existé dans la diva lascive qui, à son tour, était là dans l'épouse tourmentée qui elle-même se trouvait dans la fiancée coquette ; Léon se demandait avec quelles métamorphoses cette femme pourrait encore le surprendre dans l'avenir.

Comme elle ne faisait que manger et ne bougeait plus guère, elle engraissa vite. L'expression de son visage passa de l'état d'alerte permanente à une mine de contentement replet, parfois aussi de lassitude et de dégoût. Les enfants l'observaient avec un étonnement craintif et se tenaient plus que jamais à distance. En l'espace de quelques jours, son cou devint lisse, ses épaules et ses hanches s'arrondirent, puis ses doigts enflèrent et sa poitrine se gonfla. Ses yeux bleus, qui avaient toujours été un peu exorbités à force de vigilance, s'enfoncèrent jour après jour dans les bourrelets qui se formaient autour des orbites. Peu après, à la fin de la première semaine de septembre, comme les coutures de ses robes se déchiraient, elle prit le car pour Bordeaux et s'acheta trois amples et confortables robes d'été. Et le soir du 25 septembre, quand elle fit les valises pour le retour, elle laissa dans l'armoire ses vieux vêtements de guerre trop étroits en sachant que plus jamais de sa vie elle n'aurait à les enfiler.

19

En ce 26 septembre 1944, jour où Léon Le Gall revint rue des Écoles avec sa famille, sur la rive du fleuve Sénégal la saison des pluies se terminait une fois de plus comme si quelqu'un avait fermé le robinet. La nouvelle de la libération de Paris était arrivée plus vite que le vent jusqu'au fin fond du Soudan français et les principales institutions du monde colonial s'étaient réveillées en l'espace d'une nuit comme par magie. La circulation des trains reprit dans le pays, les bateaux à vapeur recommencèrent à naviguer sur le fleuve Sénégal, le téléphone fonctionna de nouveau et la poste livra les journaux.

Mais le train spécial censé venir chercher Louise Janvier et les caisses d'or, lui, n'arrivait pas.

Les papiers laissés par mon grand-père ne contiennent pas d'autres lettres de Louise, on ne peut donc pas connaître sa situation à cette période. On peut supposer que Louise attendait impatiemment le train ou, du moins, un courrier de la Banque de France. Elle était sans doute assise sur sa valise, prête à partir. Pensant qu'elle partirait bientôt, elle fit peut-être déjà cadeau de son ombrelle, du revolver et de la moustiquaire de rechange. Et peut-être aussi que, pour une fois, au lieu de se tailler elle-même les cheveux, elle se rendit exprès à Kayes ce dimanche-là pour aller chez le coiffeur. On peut aussi supposer que, lorsque la boue eut séché et que les routes furent redevenues praticables, elle ait pris son vélo pour aller jusqu'à la centrale de Félou et faire ses adieux aux frères Bonvin ; peut-être même fit-elle avec eux une ultime promenade jusqu'aux réservoirs, en bas des rapides, là où les hippopotames élèvent leurs petits. Bien possible aussi que, au retour, elle ait offert son vélo à ce jeune instituteur de village nommé Abdoullay qui avait réussi à atteindre un taux de scolarisation de cent pour cent parmi les enfants de son village.

Et puis je me dis que chaque nuit qu'elle passa encore dans le lit de Giuliano Galiani dut lui paraître être la dernière.

Mais le train spécial n'arrivait pas.

Depuis que la radio et les transmissions fonctionnaient de nouveau, on voyait Galiani se pavaner à toute heure du jour et de la nuit dans les rues et clamer les dernières nouvelles. C'est ainsi qu'il annonça l'entrée des troupes des VIIe et VIIIe corps d'armée américains à Aix-la-Chapelle et l'échec de l'offensive allemande dans les Ardennes, puis le bombardement des entrepôts de carburant de Hambourg et la capitulation de la Hongrie, et plus son exil à lui durait, plus noirs étaient les jurons mi-italiens mi-français dont il affublait ce fils de pute de *maresciallo* de Gaulle et ces *cretini* de la Banque de France, il leur en fallait du temps, à ceux-là, bon sang, pour venir les extraire, lui et ce putain de merde d'or, de ce trou du cul du monde. Galiani aurait peut-être juré un peu moins fort s'il avait su que si de Gaulle et la Banque de France le laissaient croupir dans la brousse, c'était pour la seule raison que quelques sous-marins allemands on ne peut mieux pourvus en carburant et en munitions croisaient encore en Méditerranée et attendaient la première occasion pour couler Galiani et l'or.

En mars 1945 vint la fin de la période de sécheresse, à nouveau la température et l'humidité augmentèrent. Galiani sortit son parapluie et, arpentant la gadoue en jurant, il annonça la libération d'Auschwitz et la destruction de Dresde ; levant les bras au ciel, il demandait aux vautours perchés dans les arbres pourquoi, Jésus Marie, on ne le laissait pas rentrer chez lui. Louise, assise sur sa valise, attendait. Galiani annonça la conférence de Yalta et l'incendie du bunker du Führer, le procès intenté au maréchal Pétain et finalement la bombe lancée sur Nagasaki.

Mais le train spécial ne voulait pas arriver.

C'est ainsi qu'une année passa, et une fois de plus la pluie cessa subitement. Louise se coupa les cheveux qui, d'ailleurs, poussaient bien plus vite sous la chaleur africaine qu'à la maison. La boue sécha, durcit et se recouvrit d'un réseau de craquelures noires. Galiani remisa son parapluie sous le lit, certain qu'il ne tomberait plus une goutte de pluie pendant les six mois à venir. Louise, un jour de congé, prit le train pour aller au marché de Kayes acheter une moustiquaire neuve et remplacer son vieux vélo d'homme.

C'est alors que le train spécial arriva enfin.

Ce fut peut-être en plein jour, ou bien de nuit ; dans ce cas, Louise put, au petit matin, voir depuis sa fenêtre, à un jet de pierre, la locomotive arrêtée devant le butoir, fumant et crachant. On ne sait combien de wagons étaient accrochés derrière, ni s'il fallut un trajet ou plusieurs pour transporter l'or jusqu'à Dakar. Des registres de la Banque de France, il ressort seulement que trois cent quarante-six tonnes d'or furent chargées sur l'*Île-de-Cléron* au port de Dakar et que le navire appareilla le 30 septembre 1945. Si tout se passa bien et que les tempêtes d'automne sur l'Atlantique n'aient pas été trop violentes, l'*Île-de-Cléron* dut entrer dans le port de Toulon le 12 octobre.

J'imagine Louise descendant la passerelle pour gagner la jetée et fouler le sol français après cinq ans d'absence, hâlée et mince, une jeune fille, sauf que ses cheveux étaient maintenant gris. Sans doute, en guise d'adieu, appliqua-t-elle un baiser sur la joue de ses compagnons des cinq dernières années, un baiser peut-être un petit peu plus prolongé sur celle de l'opérateur radio Galiani, que son épouse attendait après le passage de la douane. Et comme elle n'avait qu'un bagage à main tandis que les autres devaient attendre leurs malles-cabines, elle s'empressa de partir, sûre qu'elle ne reverrait jamais aucun d'eux.

Peut-être était-ce la fin d'après-midi, lorsque avec sa valise elle remonta l'avenue Pastoureau jusqu'à la gare, et peut-être s'arrêta-t-elle en chemin dans une pâtisserie pour acheter son premier éclair au chocolat depuis des lustres. Et puis, le soir, elle pourrait avoir pris à la gare Saint-Charles, le train de nuit pour Paris de huit heures trente et arriver à Paris le lendemain matin un peu avant huit heures.

Je ne crois pas que Louise, à l'entrée en gare de Lyon, ait attendu debout à la porte, impatiente, la tête au vent. Ni qu'elle ait traversé le hall au pas de course, et je ne puis imaginer non plus qu'elle se soit vraiment précipitée dans un taxi pour se faire conduire directement rue des Écoles, comme elle l'avait annoncé dans sa dernière lettre.

Je crois bien plutôt qu'elle resta assise calmement dans son compartiment de troisième classe jusqu'à ce que tous les passagers soient descendus, et qu'alors, doucement, prudemment, presque avec hésitation, elle descendit sur le quai et, à la lumière de cette claire journée d'automne, traversa le hall de gare pas à pas pour se retrouver sur les pavés du boulevard Diderot au milieu du vacarme des autobus, des voitures et des camions, comme s'il n'y avait jamais eu de guerre.

J'imagine que Louise traversa le boulevard et continua tout droit dans la rue de Lyon, subjuguée et n'en croyant pas ses yeux de retrouver intactes les façades s'alignant sur sa droite et sa gauche. Place de la Bastille, elle s'assit à une terrasse et commanda un café-crème et un croissant, elle prit un journal, peut-être jeta-t-elle un regard distrait sur les bateaux du port de l'Arsenal qui se balançaient paisiblement sous la brise.

Puis, avec sa petite valise, comme une touriste, elle se remit à flâner dans la fraîcheur de la matinée, toujours tout droit rue Saint-Antoine puis rue de Rivoli, et au bout d'un moment, elle se retrouva comme par hasard devant le siège central de la Banque de France. Elle gravit le large escalier pour arriver à la porte d'entrée, salua distraitement le portier, qui était toujours, ou bien était à nouveau, ce type à moustache nommé Darnier, et elle disparut dans la pénombre d'un long couloir pour se remettre au service de ses supérieurs.

J'imagine qu'elle ne se rendit rue des Écoles que quelques jours après. Je crois qu'elle commença par prendre possession de la chambre d'hôtel que la Banque de France mit à sa disposition dans un premier temps et qu'elle alla s'acheter du linge et des vêtements neufs, qu'elle se fit les ongles et alla chez un dentiste faire soigner cette molaire supérieure gauche qui lui faisait mal depuis un bout de temps. Puis elle se rendit chez le coiffeur et se fit couper les cheveux ; mais elle ne les fit pas teindre, de cela, je suis certain.

J'imagine que Louise fit sa visite rue des Écoles en fin de matinée et que, n'ayant pas encore de voiture à elle, elle s'y rendit en taxi. À l'intérieur de l'immeuble, j'imagine, Mme Rossetos tendit l'oreille en entendant claquer la portière d'une voiture et elle lança un regard vers le miroir qui, par l'intermédiaire de deux autres miroirs, lui permettait de voir ce qui se passait devant la porte d'entrée. Après quoi elle s'extirpa de son fauteuil placé près du fourneau pour accomplir son devoir de dragon domestique.

— Vous désirez ?

— Les Le Gall, s'il vous plaît ?

— De quoi s'agit-il ?

— Les Le Gall habitent encore ici, n'est-ce pas ?

— De quoi s'agit-il, je vous prie ?

— C'est une visite personnelle.

— Êtes-vous annoncée ?

— Malheureusement non.

— Qui dois-je annoncer ?

— Écoutez…

— Le règlement de l'immeuble interdit l'entrée aux inconnus qui ne se sont pas annoncés.

— Les Le Gall sont-ils encore ici ?

— Je suis désolée.

— J'arrive tout juste d'Afrique.

— Des raisons de sécurité m'interdisent de faire une exception, il faut que vous… D'Afrique ?

— Du Soudan français.

— Alors vous êtes…

— Quel étage, s'il vous plaît ?

La porte de l'appartement était entrebâillée.
Louise sonna.
— Qui est là ?
— Louise.
— Qui ?
Louise.
— QUI ?
— LOUISE JANVIER.
— LA PETITE LOUISE ?
— Exactement.
— Ben dites donc.
— Oui.
— Entrez. Prenez le couloir tout droit, je suis dans le séjour.

Louise poussa la porte puis la tira derrière elle, et après quelques pas elle se retrouva dans ce séjour qu'elle avait si souvent observé à travers ses jumelles. Yvonne était assise près de la fenêtre dans le fauteuil club de Léon – Louise ne l'aurait pas reconnue, mais il ne pouvait s'agir d'une autre. Ses pieds étaient chaussés de charentaises à carreaux, ses mollets étaient enflés, son cou pris dans un épais rouleau de graisse, et ses cheveux lui tombaient sur les épaules en mèches grossières.
— Léon n'est pas là.
— Vous êtes seule ?
— Les enfants sont à l'école.
— C'est bien, répondit Louise. C'est pour vous que je suis ici.
— Alors prenez un siège. Alors c'est à cela que vous ressemblez. Exactement comme sur la photo que vous avez envoyée d'Afrique.
— Les cheveux ont blanchi.

— Le temps passe. On est toujours plus jeune sur les photos qu'au naturel.

— C'est comme ça.

— Vous ne vous maquillez pas.

— Vous non plus.

— Depuis longtemps, dit Yvonne. Et j'ai eu tendance à grossir dans les derniers temps.

— Vous allez bien ?

— Ah, vous savez, ce que je préfère, c'est rester assise ici à la fenêtre, au soleil, comme un chat d'intérieur. Si je suis fatiguée, je dors, et si j'ai faim, je mange. À vrai dire, j'ai constamment faim et je suis toujours fatiguée. Si je ne suis pas en train de dormir.

— Vous ne sortez plus du tout ?

— Pas si je peux l'éviter. J'ai tellement couru toutes ces années que maintenant, tout ce que je veux, c'est rester ici au soleil. Tout le reste m'est égal. Et vous, comment allez-vous ?

— Moi, de mon côté, j'ai passé tellement de temps au soleil ces dernières années…

— Et puis je veux manger. J'ai jeûné pendant si longtemps, maintenant, je veux bouffer comme il faut. J'ai de la tarte aux framboises et de la chantilly, vous en voulez un peu ?

Et les deux femmes, assises côte à côte dans le soleil d'automne, se mirent à manger de la tarte aux framboises. Lentement, silencieusement, en se passant le sucre, la chantilly et les serviettes. De temps en temps, l'une disait quelque chose, l'autre écoutait, et puis elles continuaient à se taire en souriant.

Louise proposa d'aller à la cuisine faire le café, et Yvonne répondit que c'était très gentil à elle. Pendant ce temps, elle sortit du buffet le calvados et deux petits verres et coupa deux autres parts de tarte aux framboises. Sur le buffet, la pendule faisait tic-tac. Il était onze heures passées, une heure plus tard les enfants rentreraient. Les femmes se taisaient, elles mangeaient et buvaient.

— Et Léon, finit par demander Louise. Il va bien ?

— Tellement bien que c'en est insolent, répondit Yvonne. Vous verrez, il n'a pratiquement pas changé.

— Toutes ces années ?

— Toutes ces années, oui. Je ne sais pas si les gens changent dans la vie, mais ces hommes, les Le Gall, une chose est sûre, c'est qu'ils ne changent pas, eux. Même la guerre passe sur eux sans laisser de traces. Nous autres, nous avons quelques marques d'usure, et la garantie des pièces d'origine est périmée. Mais Léon ? Il est increvable. Inoxydable et facile d'entretien, comme je dis toujours. Comme un engin agricole.

Louise éclata de rire, et Yvonne rit avec elle.

— Il a les cheveux un peu plus clairsemés, continua Yvonne, et depuis quelques années, il y a de drôles de stries sur les ongles de ses orteils. Vous connaissez ça, ces stries en longueur sur les ongles, les autres hommes ont ça aussi ?

— La plupart, à partir d'un certain âge, répondit Louise.

— Et ils soupirent en se levant le matin ?

— Ça aussi.

— Autrefois, il ne faisait jamais ça, mais maintenant, il soupire.

— Il rit encore ?

— Vous trouvez qu'il riait beaucoup, autrefois ?

— Pas très fort.

— Léon a plutôt tendance à sourire.

— Surtout quand il croit qu'on ne le regarde pas.

— Vous devriez lui rendre visite, ça lui fera plaisir.

— Quand dois-je venir ?

— Pas ici. Allez au port de l'Arsenal, il a un bateau. Peint en bleu et blanc, et le nom c'est *Fleur de Miel*. Il a hissé le drapeau de la Haute-Normandie sur sa pinasse, ce gamin ! Les deux lions dorés sur fond rouge. Vous savez bien, Guillaume le Conquérant, en dessous de ça, rien ne va pour lui. Toujours prêt à traverser la Manche pour conquérir l'Angleterre avec sa pinasse à moteur Diesel.

20

Les années qui suivirent, Louise et Léon se retrouvèrent souvent, très souvent, au port de l'Arsenal. Du lundi au samedi, ils passaient ensemble la pause du déjeuner ainsi que les heures séparant la fermeture des bureaux du dîner. Le dimanche, ils ne se voyaient pas. S'il pleuvait, ils restaient dans la cabine, sinon ils restaient assis à l'arrière du bateau sur le banc de bois ou se promenaient sur la berge du canal. Ils marchaient bras dessus bras dessous en devisant, lui respirant le parfum des cheveux de Louise baignés de soleil.

Mais ce ne fut qu'à la fin de la troisième semaine que, pour la première fois, ils tirèrent les rideaux de la cabine.

En novembre, quand vint l'hiver, ils allumèrent le poêle en fonte et se préparèrent du café et des œufs au plat. Ils s'achetèrent un gramophone, des disques d'Édith Piaf, et plus tard, d'autres de Georges Brassens et de Jacques Brel. Ils se lièrent d'amitié avec les autres propriétaires de bateau, qu'ils appelaient par leur prénom. De temps à autre, ils les invitaient à venir prendre l'apéritif. Si l'on demandait depuis quand ils étaient mariés, ils répondaient : bientôt trente ans.

Mais toujours, sans exception, chaque jour à sept heures et quart exactement, Louise regagnait l'appartement dans le Marais que lui avait procuré la Banque de France et Léon se mettait en route vers la rue des Écoles pour souper avec Yvonne et les enfants ; après quoi il aidait les petits à faire leurs devoirs et jouait aux cartes avec les grands avant d'aller se coucher auprès d'Yvonne.

En vivant tous ainsi, ils ne renonçaient à rien, ils ne jouaient pas un double jeu, ils ne se dissimulaient rien ; ils se contentaient de poursuivre la vie qui avait été la leur jusque-là, de l'unique façon possible, car pour aucun d'eux il ne pouvait y avoir une vie nouvelle sans l'ancienne. Ils le savaient. Et comme on n'y pouvait rien changer, cela leur épargnait querelles et discussions sur le bien-fondé de tout cela.

C'est pourquoi ils n'en parlaient pas. Rue des Écoles, jamais le nom de Louise ne fut prononcé, jamais la pinasse du port de l'Arsenal ne fut mentionnée. Yvonne, n'ayant pas la moindre intention de se laisser gâter les moments où elle se prélassait sur son siège au soleil comme un chat, s'interdisait d'inutiles paroles explicites qui n'eussent conduit qu'à des drames indignes, des réconciliations fallacieuses et d'hypocrites serments de fidélité. Elle n'exigeait pas qu'on maintienne des apparences fausses, car elle était en paix avec elle-même, avec Léon et avec la vie qu'ils avaient eue. Tout ce qu'elle demandait, c'était qu'on respecte sa dignité et qu'on évite les maladresses.

De toute façon, on n'aurait guère pu songer à garder le secret depuis que Mme Rossetos, avec un brin de jugeote et un peu de flair, avait tiré ses conclusions et avait considéré qu'il était de son devoir d'informer tous les voisins sur ce qui se passait dans la famille Le Gall.

Même les enfants étaient au courant ; mais comme eux aussi, par égard, ne disaient mot et se contentaient tout au plus d'échanger quelques regards ironiques ou de marmonner des allusions, Yvonne put continuer de vivre paisiblement entre ses quatre murs, qu'elle ne quittait plus guère.

Vint le temps où les enfants, l'un après l'autre, partirent de la maison. L'aîné, Michel, après avoir obtenu son bac avec des résultats médiocres, attendit en vain d'être admis dans une école d'ingénieur et, au printemps 1947, quand Renault ouvrit une nouvelle unité de production, il accepta un poste d'aide-mécanicien et emménagea dans un meublé à Issy-les-Moulineaux. Deux ans plus tard, ce fut son frère Marc qui, à vingt ans, s'enrôla dans l'armée et fut dirigé vers le régiment de marche du Tchad. La même année, Mme Rossetos mourut à l'hôpital après une brève maladie et fut remplacée dans ses fonctions rue des Écoles par une entreprise de nettoyage, ainsi que par des sonnettes électriques. À l'été 1950, Robert fit ses adieux à ses parents pour aller apprendre l'élevage des charolais dans une école agricole en Bourgogne, et lorsque deux ans plus tard ce fut au tour de Muriel de quitter la rue des Écoles, à seize ans, pour suivre une formation d'institutrice chez des sœurs près de Chartres, Yvonne et Léon se retrouvèrent seul avec Philippe qui, à onze ans, était délicat comme une jeune fille.

Yvonne ne souffrit pas de cette soudaine solitude, elle l'accepta comme le cours naturel des choses. Elle ne souhaitait plus rien d'autre que la lumière du soleil, quantité de nourriture et du sommeil à volonté. Vers le milieu des années cinquante, elle reçut longuement la visite d'une femme témoin de Jéhovah dont elle goûta quelque temps les histoires sanglantes sur la perversité du monde et les représailles d'un Dieu vindicatif. À l'hiver 1958, une fois le petit Philippe parti lui aussi sous les drapeaux, elle fit installer un téléviseur dans le séjour. Combats de boxe et courses d'automobiles furent ses émissions favorites.

Un matin de mai 1961, alors qu'elle se lavait la nuque avec son gant de toilette, elle remarqua une grosseur au cou, sous l'oreille droite. Elle enfla jour après jour, puis il s'en forma une autre sous l'oreille gauche.

— Peut-être que ça partira tout seul, déclara-t-elle à Léon quand il voulut appeler le médecin.

— Peut-être que oui, peut-être que non, répondit-il. En tout cas, il faut que le docteur t'examine.

— Non, dit Yvonne.

— Si.

— Non.

— Ça peut être dangereux. Tu ne vas quand même pas vouloir mourir de ça ?

— Non, pas forcément. Mais si le bon Dieu veut que je m'en aille, alors je m'en irai.

— Idiote, ça lui est bien égal, au bon Dieu, que tu restes ou que tu t'en ailles. Il a d'autres chats à fouetter.

— Ben tu vois.

— Mais moi, ça ne m'est pas égal. Et crois-moi, il faut t'enlever ça.

— Parce que tu es docteur, maintenant ?

— J'ai des yeux pour voir, et une cervelle.

— Moi aussi. Et c'est bien pour ça que je te dis de me laisser tranquille. Si je dois partir, eh bien je partirai.

— Simplement comme ça ?

— Tout simplement.

Et c'est ainsi que les tumeurs au cou grossirent au point de lui serrer littéralement le gosier. Une nuit, au bout de quelques semaines, ne respirant plus qu'à grand-peine, elle raconta à Léon son aventure avec Raoul, plus de trente ans auparavant, et il la prit dans ses bras en lui disant que c'était sans importance.

Puis elle s'endormit, ou bien fit semblant de dormir, et Léon s'endormit auprès d'elle.

*

Un an jour pour jour après les obsèques d'Yvonne, à sept heures du matin, Louise et Léon se retrouvèrent au port de l'Arsenal. L'air était frais, la lumière était claire, le soleil venait de se lever au-dessus des immeubles du boulevard de la Bastille. On avait beau être un mardi, Louise et Léon s'étaient endimanchés. Âgés tous deux de soixante-deux ans, ils formaient un beau couple, heureux et plein de santé.

Louise avait apporté du fromage, du pain et du jambon, lui de l'eau, du cidre et du vin rouge.

— Tu es sûr que le bateau ne va pas couler ? demanda Louise.

— Tout à fait, répondit Léon. J'ai nettoyé et repeint la coque tous les deux ans, suivant ce que Caron m'avait demandé. Et le moteur est impec.

— Alors allons-y, il est grand temps.

Ils montèrent à bord, rangèrent les provisions dans la cabine et mirent le moteur en marche. Puis ils défirent les amarres, ils appareillèrent, quittèrent le bassin et rejoignirent la Seine avant de la descendre jusqu'à l'océan.

BABEL

Extrait du catalogue

1172. LE COLLEGIUM INTERNATIONAL
Le monde n'a plus de temps à perdre

1173. FRANÇOIS RUFFIN
Leur grande trouille

1174. MARINE JOBERT ET FRANÇOIS VEILLERETTE
Gaz de schiste

1175. LES ÉCONOMISTES ATTERRÉS
Changer d'économie !

1176. SIRI HUSTVEDT
Un été sans les hommes

1177. PAUL AUSTER
Sunset Park

1178. KATARINA MAZETTI
Mon doudou divin

1179. ROOPA FAROOKI
La Petite Boutique des rêves

1180. A. M. HOMES
Le Sens de la famille

1181. MARION SIGAUT
La Marche rouge

1182. JOËL POMMERAT
Cendrillon

1183. JOSÉ LENZINI
Les Derniers Jours de la vie d'Albert Camus

1184. METIN ARDITI
Le Turquetto

1185. ANNE DELAFLOTTE MEHDEVI
La Relieuse du gué

1186. JEAN GUILAINE
Pourquoi j'ai construit une maison carrée

1187. W. G. SEBALD
Austerlitz

1188. CARLA GUELFENBEIN
Le reste est silence

1189. TAYEB SALIH
Les Noces de Zeyn

1190. INTERNATIONALE DE L'IMAGINAIRE N° 28
À la rencontre des cultures du monde

1191. JÉRÔME FERRARI
Le Sermon sur la chute de Rome

1192. LYONEL TROUILLOT
La Belle Amour humaine

1193. ARNAUD RYKNER
Le Wagon

1194. CAROLINE LUNOIR
La Faute de goût

1195. SÉBASTIEN LAPAQUE
La Convergence des alizés

1196. DENIS LACHAUD
J'apprends l'hébreu

1197. AHMED KALOUAZ
Une étoile aux cheveux noirs

1198. MATHIEU LARNAUDIE
Les Effondrés

1199. SYLVAIN COHER
Carénage

1200. NANCY HUSTON
Reflets dans un œil d'homme

1201. RUSSELL BANKS
Lointain souvenir de la peau

1202. CLARO
CosmoZ

1203. DAVID VAN REYBROUCK
Le Fléau

1204. ALAIN CLAUDE SULZER
Une autre époque

1205. ELIAS KHOURY
Yalo

1206. JULI ZEH
L'Ultime Question

1207. RAPHAËL JERUSALMY
Sauver Mozart

1208. DON DELILLO
Point Oméga

1209. FERNANDO MARÍAS
L'Enfant des colonels

1210. CLAUDE LORIUS ET LAURENT CARPENTIER
Voyage dans l'Anthropocène

1211. ROLAND GORI
La Dignité de penser

1212. JEREMY RIFKIN
La Troisième Révolution industrielle

1213. JEAN-LOUIS GOURAUD
Le Pérégrin émerveillé

1214. OLIVIER ASSOULY
Les Nourritures divines

1215. YÔKO OGAWA
La Mer

1216. KHALIL GIBRAN
Les Ailes brisées

1217. YU HUA
La Chine en dix mots

1218. IMRE KERTÉSZ
Dossier K.

1219. VÉRONIQUE MORTAIGNE
Cesaria Evora

1220. SHABESTARÎ
La Roseraie du Mystère

1221. JUNAYD
Enseignement spirituel

1222. CAROLE ZALBERG
Mort et vie de Lili Riviera

1223. ANNA ENQUIST
Contrepoint

1224. AKIRA YOSHIMURA
Un spécimen transparent

1225. JUSTIN CARTWRIGHT
La Promesse du bonheur

1226. AREZKI MELLAL
Maintenant, ils peuvent venir

1227. JEAN CLAUDE AMEISEN
Sur les épaules de Darwin

1228. JOSEPH E. STIGLITZ
Le Prix de l'inégalité

1229. MARIE GROSMAN ET ROGER LENGLET
Menace sur nos neurones

1230. FRANCIS HALLÉ
La Condition tropicale

1231. DAVID VAN REYBROUCK
Contre les élections

1232. HÉLÈNE FRAPPAT
Inverno

1233. HÉLÈNE GAUDY
Si rien ne bouge

1234. RÉGINE DETAMBEL
Opéra sérieux

1235. ÉRIC VUILLARD
La Bataille d'Occident

1236. ANNE DELAFLOTTE MEHDEVI
Fugue

OUVRAGE RÉALISÉ
PAR L'ATELIER GRAPHIQUE ACTES SUD
REPRODUIT ET ACHEVÉ D'IMPRIMER
EN AVRIL 2014
PAR NORMANDIE ROTO IMPRESSION S.A.S.
À LONRAI
POUR LE COMPTE DES ÉDITIONS
ACTES SUD
LE MÉJAN
PLACE NINA-BERBEROVA
13200 ARLES

DÉPÔT LÉGAL
1re ÉDITION : MARS 2014
N° impr. : 1401676
(Imprimé en France)